Hugh Griffith

Hywel Gwynfryn

Gomer

Cyhoeddwyd yn 2010 gan Wasg Gomer,
Llandysul, Ceredigion SA44 4JL.

ISBN 978 1 84851 283 2

Dymuna'r cyhoeddwyr gydnabod cymorth
Cyngor Llyfrau Cymru.

Argraffwyd a rhwymwyd yng Nghymru gan
Wasg Gomer, Llandysul, Ceredigion.

CYNNWYS

DIOLCHIADAU

★ yn bennaf, i deulu Hugh am agor drysau'r archif deuluol led y pen: plant Tom, Richard, John ac Einion Owens; plant Charlotte, Bethan Miles ac er cof am Gruff Miles; plant Elen, yn arbennig William Roger Jones, ac er cof am y diweddar Meri Rhiannon Elis.

★ i Harri Parri am roi ei ganiatâd i mi bori'n helaeth yn ei gyfrol, *Elen Roger: Portread* (Gwasg Pantycelyn, 2000);

★ i Tomos Morse, cyfaill a chyd-weithiwr, a gwyddoniadur sinematig ar ddwy goes, am sawl awgrym gwerthfawr;

★ i Merêd, am y croeso yn Afallon, ac am fy nghynghori i 'roi'r gorau i'r ymchwil a dechrau sgwennu';

★ i Rhys Evans, cofiannydd Gwynfor Evans, am f'atgoffa i beidio ag anghofio fod yn rhaid cael sment rhwng y brics;

★ i Meic, Alwyn, Geraint a Rhisiart am eu cyfeillgarwch ac am beidio ag ochneidio'n ormodol bob tro y byddwn i'n sôn am Hugh;

★ i bawb a ddanfonodd ddarnau pwysig o'r jig-so gorffenedig ataf, mewn llythyrau ac e-byst;

★ i Bethan Mair, golygydd craff a ffrind gwerth chweil;

★ i Gomer am eu gofal ac am roi cyfle i Hugh ddweud ei stori;

★ i'm gwraig Anja, sy'n haeddu *dau* Oscar am ei hamynedd parhaus a'i chefnogaeth ddiflino. Iddi hi y cyflwynaf y gyfrol hon.

RHAGAIR

YN 1974 cynigiodd y dramodydd Gwenlyn Parry swydd ddiddorol i mi, fel bytlar i'r actor Hugh Griffith. 'Dwi wedi cael gair efo fo,' medda Gwenlyn. 'Wnes i grybwyll sir Fôn a deud mod i'n meddwl mai chdi 'di'r boi i neud y job, ac mae o am dy weld di, heno.' Mewn clwb yng Nghaerdydd y bu'r cyfarfyddiad. Eisteddai Hugh yn y gornel bellaf, y tu ôl i frandi enfawr, efo'i edmygwyr o'i gwmpas – y brenin yn ei lys. Ar ôl i Gwenlyn fy nghyflwyno, sefais o'i flaen mor bryderus â disgybl heb wneud ei waith cartref. Syllodd arnaf dros ei drwyn nobl, fel eryr yn gwylio'i brae, a'i ddwy lygad fel dwy farblen chwyddedig yn edrych i sawl cyfeiriad yr un pryd. Sgyrnygodd drwy'r clawdd blewog oedd yn amgylchynu'i ên.

'Dwi'n dallt ma' hogyn o sir Fôn wyt ti. O ble 'lly?'

'Llangefni, Mr Griffith. Ddim yn bell o Farian-glas.'

'Mmm. Felly.'

'Mi a'th Mam i'r un ysgol â chi.'

'Taw â deud. Ysgol Ramadeg Llangefni?'

'Ia, Mr Griffith.'

'Be oedd 'i henw hi felly?'

'Lowri, Lowri Williams oedd hi bryd hynny.'

Tynnodd ei law yn araf drwy'i farf. 'Wyt ti'n fab i Lowri Williams felly?'

'Yndw. Oeddach chi'n 'i nabod hi?'

Oedodd. Tynnodd ar ei sigarét. Cymerodd swig arall o frandi. ''I nabod hi? Mi wnes i gysgu hefo hi!'

Roedd ei amseru'n berffaith. Chwarddodd nerth ei ben wrth weld y syndod a'r amheuaeth ar fy wyneb. O fewn eiliad, roedd aelodau llys y brenin yn chwerthin yn ufudd hefyd. A dyna sut y cefais i fod yn fytlar i Hugh Griffith, yr actor a'r seren ryngwladol oedd yn chwarae rhan Syr Robert ap Caswallon Meurig yn y gyfres gomedi *Haf o Hyd*, ddeng mlynedd ar hugain – a mwy – yn ôl.

Ond nid dyna'r tro cyntaf i mi gyfarfod â Hugh Griffith. Ysgrifennodd ei enw yn fy llyfr llofnodion yn 1957, ar faes Eisteddfod Genedlaethol Llangefni – y flwyddyn yr enillodd ei gefnder, Tom Parry Jones, y Fedal Ryddiaith am ei gyfrol *Teisennau Berffro*. Roeddwn i wedi fy ngwisgo fel Meffiboseth, y bachgen bach cloff yn nrama gomisiwn Cynan, *Absalom fy Mab*, a Hugh Griffith wedi cael ei arwisgo â'r wisg wen a'i dderbyn i'r Orsedd gan yr Archdderwydd, William Morris. Y flwyddyn ganlynol byddai'n anfon llythyr at ei deulu o'r Hotel Maurice yn Efrog Newydd ac yn eu hatgoffa o'r wisg wen Arabaidd ei hedrychiad: 'Pobol y ffilmiau wedi bod ar fy ôl i chwarae rhan y *sheik* yn *Ben Hur*. Cefais dreinin ar ei gyfer – yn ystod y Steddfod!'

Cefais aml i sgwrs ar y radio dros y blynyddoedd efo'i chwaer, yr actores Elen Roger Jones, a chofiaf yn dda y bore hwnnw y daeth ei nai Wiliam â'r Oscar enwog i mewn i stiwdio *Helo Bobol*, yr Oscar a enillodd Hugh am ei ran yn *Ben Hur*.

Does dim amau mawredd Hugh Griffith. Yn ôl un beirniad ffilm: 'He can express more in a wink than other actors can in a week.'

A chadarnhawyd hynny gan Mistar Ffilm ei hun, Barry Norman:

> He has made a considerable and deserved reputation for himself as an actor of flair and imagination. Many a poor film has been lifted into another dimension by his mere presence, his large and wicked eyes (and indeed his very eyebrows) conveying more in one moment than most actors can pack into an entire performance.

A dyma sut yr ysgrifennodd Michael Billington amdano yn y *Guardian* ar ôl ei farw yn 1980:

'Hugh Griffith was a formidable Welsh actor with a sonorous voice, a rolling eye and a rowdy, freebooting manner. In a theatre brimming with lightweights he was a natural heavy.'

Seren y West End, actor heb ei ail, enw rhyngwladol, enillydd Oscar, y Falstaff gorau erioed, yn ôl y cyfarwyddwr theatr enwog Syr Peter Hall. Mae'n rhaid fod 'na lu o gofiannau'n croniclo'i fywyd... Ond wir i chi, nac oes, dim un.

Ac felly dyma benderfynu mynd ati i lenwi'r bwlch. O leia, dyna oedd fy mwriad ar y dechrau – ceisio ysgrifennu cofiant fyddai'n deilwng o'r dyn mawr o Fôn. Ond wrth wneud fy ymchwil deuthum ar draws y llythyr hwn oddi wrth Hugh at ei chwaer Elen Roger, wedi'i sgwennu ddechrau Ionawr 1973:

Rwyf bron wedi cwbwlhau fy rhagair gan ddweud mai rhywbeth anghyffredin ymysg awduron yw sgwennu rhagair cyn sgwennu'r llyfr, ac nad oes gen i mewn gwirionedd fawr o syniad beth i sgwennu amdano, ond fe gefais ryw syniad o sgwennu rhyw fath o *obituary* wedi i mi ddarllen cymaint o'r rhain yn ystod y blynyddoedd diwethaf, am hen gyfeillion a rhai ffrindiau. Gwarthus o beth ydi'r *obituaries* ar y cyfan. Felly rhyw feddwl sôn amdanaf i fy hun o'r dechreuad ydw i a gweld ffasiwn siâp ddaw ar bethau.

Mewn cyfweliad ag Ioan Roberts, un o newyddiadurwyr *Y Cymro* ar y pryd, mae'n ategu'i fwriad i sgwennu'i hunan-gofiant gan ychwanegu: 'Ond mi fydda'n rhaid iddo fod yn un gwir. Does dim llawer o'r rheina ar gael.' Dechreuodd ar y gwaith drwy olrhain ei hanes cynnar ond, ymhen hir a hwyr, diflasodd.

Erbyn i mi ddarllen y llythyr, roeddwn wedi casglu tomen o ddeunydd ac wedi dechrau ysgrifennu'r cofiant. Ond ar ôl ei ddarllen, a chan fy mod wedi treulio'r pum mlynedd diwethaf yn ceisio mynd o dan groen Hugh Griffith, gwyddwn y byddai'n rhaid i Hugh gael y cyfle i wireddu'i fwriad a dweud ei stori ei hun, yn ei eiriau ei hun. Dyna oedd ei fwriad o, a dyna oedd fy nyletswydd i – gadael iddo fo sefyll ar ganol y llwyfan o dan y llifoleuadau, a minnau'n ei wylio, o'r cysgodion ar ochr y llwyfan.

'Pan oeddwn i'n blentyn does gen i ddim co' mod i eisiau ennill fy mywoliaeth fel actor,' meddai Hugh. 'Felly beth ar wyneb daear wnaeth i mi droi at y busnes tynnu stumiau yma?' Fe fu yn y busnes hwnnw am ddeugain mlynedd, yn ennill cymeradwyaeth cynulleidfaoedd Stratford, y West End, Broadway a Hollywood, ond mae'r stori'n dechrau mewn pentref bach yng nghefn gwlad sir Fôn. A dyna lle mae o'n disgwyl amdanon ni – ym Marian-glas.

BORE OES

Fis ar ôl i'r *Titanic* suddo yn 1912 mi ddois i i'r wyneb, ar 30 Mai, yn Angorfa, tŷ helaeth braf yng ngolwg y môr ac ar gwr y marian, ym Marian-glas, sir Fôn. Meddyliwch mewn difri – Michael Wilding, Gene Kelly, Michelangelo Antonioni, Karl Malden a finna, wedi'n geni yn yr un flwyddyn! Roedd Lilian Gish a Mary Pickford eisoes yn serennu ar y sgrin fawr a Max Sennett yn ffilmio'r *Keystone Cops* cynta. Ond i mi, y cyd-ddigwyddiad rhyfedda ydi fod yr actor Cymreig Clifford Evans wedi'i eni yn 1912 hefyd, oherwydd, oni bai amdano fo, faswn i ddim wedi llwyddo i gael lle yng ngholeg actio enwog RADA na byth wedi treulio deugain mlynedd ar lwyfan a sgrin o ganlyniad. Ond mi rydw i'n cerdded cyn cropian rŵan, ac mae digon o amser i ddweud y stori honno eto.

Nid y fi oedd yr Hugh Griffith cynta yn y teulu; dyna oedd enw fy nhaid ar ochor fy nhad hefyd. Yn adeiladwr wrth ei grefft, fe gododd dai ar Ynys Halen, ger harbwr Caergybi. Roedd fy nain, Elizabeth, yn un o ddeuddeg o blant i deulu o gryddion yn ardal Carmel ar gyrion Llannerch-y-medd. Ac roedd fy nhaid ar ochor fy mam, Griffith Williams, nid yn unig yn ffarmwr ond hefyd yn medru trin coed a cherrig. Tydi hi ddim yn syndod, felly, i mi droi fy llaw at godi walia a cherfio coed ar ôl i mi brynu'r Old Red Lion yn Cherington, i fy ngwraig Gunde a finna yn y pumdegau.

Aelwyd groesawgar iawn oedd aelwyd Angorfa. Byddai Morgan (dyna ein henw ni ar y tecell haearn) wastad yn canu'i groeso i bawb ddôi i'r tŷ. Roedd 'Home Sweet Home' wedi'i weithio'n gywrain i'r darn haearn o gylch y lludw, a ffendar loyw a stôl bres wrth law i gadw'r bwyd yn gynnes. Popty eang un ochor, efo pentan drosto ar gyfer y sosbenni, a digon o ddŵr poeth o'r *boiler* ochor arall a feis bres i'w dywallt. A dyna i chi flas arbennig fydda 'na i'r tost ar ben y fforc-ymestyn hir o flaen y tân, a'r cig moch pan fydda hwnnw'n crogi uwch ei ben. Ar y silff-ben-tân roedd y wialen fedw, ac fe fydda Mam yn estyn amdani ac yn ein bygwth ni efo hi – ond dwi ddim yn cofio iddi gael ei defnyddio chwaith.

Ganwyd fy chwaer Elen yn 1908, ryw bum mlynedd o mlaen i, a Charlotte annwyl ddwy flynedd ar ei hôl hi. Ond fy hanner brawd Thomas oedd yr hyna, ac fe fydda dyfodiad Thomas i'r hen fyd 'ma'n gneud sgript wych ar gyfer ffilm:

Act 1, Golygfa 1
Mam yn priodi efo llongwr ifanc, William Owens, Brynllwyd, Moelfre, ar ddiwedd y bedwaredd ganrif ar bymtheg. Yn anffodus iawn, yn ystod ei fordaith gynta ar ôl y briodas, fe fuodd farw ac fe'i claddwyd, yn ôl y drefn, ar y môr.

Act 2, Golygfa 1
Ymhen dwy flynedd, dyma Mam yn ailbriodi efo brawd William, sef Capten Thomas Owens, capten y *Cambrian Prince*.

Act 2, Golygfa 2
Pan oedd y *Cambrian Prince* ar ei ffordd adre o Awstralia, cododd storm enbyd a boddwyd Capten Owens. Ond roedd fy mam eisoes yn feichiog, a phan anwyd yr hogyn ym mis Tachwedd 1902 fe'i galwodd yn Thomas, er cof am ei dad.

Act 3, Golygfa 1
O hyn ymlaen tydi'r stori ddim mor ddiddorol. Aeth Tom i weithio i'r banc, ac yno y bu drwy gydol ei oes.

Ar ddiwedd y Rhyfel Mawr roedd bod yn fancar yn alwedigaeth barchus i'r rhai hynny oedd heb lwyddo i fynd i goleg, ac roedd 'na gyfle i ddringo o ris i ris. Dyna wnaeth Thomas: cychwyn yn y banc yn Llangefni ac yna, ymhen amser, symud i fanc yn Lerpwl. Ond yno torrodd ei iechyd – fe ddaliodd y diciâu ac, am resymau personol, fe ddewisodd fynd i sanatoriwm yn Cowes ar Ynys Wyth, allan o olwg ei gydnabod, am wn i. Ar ôl gwella a phriodi merch o Fôn, fe ddychwelodd i'r ynys, ac i'w hen gangen, fel rheolwr. Gyda llaw, pan ddaeth y Steddfod i Langefni yn 1957 Thomas oedd trysorydd yr ŵyl, ac yn y Steddfod honno y ces i'r wisg wen. Cyd-ddigwyddiad, am wn i.

Mae gin i ddau atgof cynnar iawn o nhad, William Griffith: y cynta ohono fo ar ddiwrnod cynnes o Awst yn ei het Panama, yn tynnu'n ara deg ar ei bibell, tra oedd Mam yn eistedd wrth ei ochor a ninnau'r plant yn chwarae rhwng y coed a'r llwyni yng ngardd Angorfa. Atgof cynnar arall sydd gen i ydi cael bàth yn y twrnel – y bàth sinc – o flaen y tân, ar ôl codi'r mat rhacs lliwgar. Fy nhad yn eistedd mewn cadair freichiau dderw ac yn ymestyn amdana i; minnau'n cael fy nghodi a ngosod ar liain sychu ar ei lin, a fynta'n canu am y mul bach oedd yn 'cau mynd:

Tasa gin i ful bach, a hwnnw'n 'cau mynd
Faswn i'n ei guro fo, na faswn ddim;
Ei roi yn y stabal, efo ffîd o India Corn,
Y mul bach gorau fu 'rioed mewn trol.

Erbyn y llinell ola, 'Gee up Nedi', mi fasan ni'r plant yn ein dillad nos ac yn rhedeg o'i flaen o i fyny'r grisia, tra oedd Thomas, oedd dipyn hŷn na ni, yn cael llonydd i neud 'i waith cartref o dan y lamp baraffîn oedd yn crogi o'r to.

'Gofalus a hynod o annwyl, trefnwr gwych a chymwynaswr mawr yn ei gapel a'i gynefin.' Fel'na y disgrifiwyd fy nhad yn *Y Goleuad* ar achlysur ei farwolaeth. Fe adawodd yr ysgol elfennol yn bedair ar ddeg oed ac ymuno â dosbarth nos er mwyn dysgu llaw-fer a theipio. Yn y pen draw, 'drwy chwys ei wyneb', fe gafodd ei benodi'n Ysgrifennydd Pwyllgor Addysg Môn yn 1928. Dwi'n meddwl y gallech chi ddeud mai fy nhad a Syr Thomas Jones, Amlwch, oedd y ddau fu'n benna cyfrifol am hau hadau addysg gyfun yn naear Môn. Dyna wyneb cyhoeddus fy nhad ond, fel pob actor da, roedd ganddo fo fwy nag un masg. Ac yn wir fe ddudodd rhywun amdano fo ei fod o'n actor gwych ac yn cael ei adnabod fel 'Wil Bob Llais' yn yr ysgol am ei fod o mor dda am ddynwared pobol. Efo'i ddychymyg byw, doedd 'na neb gwell na fo am ddeud stori. Mi fedra fod yn smala, yn hwyliog ac yn ddwys fel cwarfod gweddi, a dwi'n cofio sbecian drwy dwll y clo a'i wylio fo'n rihyrsio arwain gweddi cyn ei throi hi am y capel.

Ewadd mawr, oedd, roedd stamp yr actor ar Nhad heb os nac oni bai – stamp hen bregethwr, os mynnwch chi. Wyneb hir, trwyn solat, nobl, talcen meddylgar, llais godidog a dau lygad llawn mynegiant. Dwi'n meddwl fod Neli fy chwaer fawr a finna yn debyg o ran golwg i Nhad. Ia, fel Neli y byddem ni'r teulu, a'i ffrindiau agos, yn cyfeirio ati, ond fel Elen Roger y daeth hi'n enwog drwy Gymru gyfan am actio ar lwyfan ac ar y teledu. Mi fuodd am gyfnod yn athrawes yn ei hen ysgol yn Llanallgo, a dyna pryd yr aeth hi ati am y tro cynta i gynhyrchu drama. Chwarae teg iddi, roedd hi'n amddiffynnol iawn ohona i drwy gydol fy oes. Chwaer fawr go iawn, yn gwarchod y brawd bach – tasg anodd iawn ar brydiau pan dyfodd o'n hogyn mawr, gan fod ganddo hoffter o'r botel a hithau ddim yn cyffwrdd y ddiod feddwol. Mi wn i'n iawn 'i bod hi'n fy ngweld i fel actor Shakespeareaidd – dyna lle roeddwn i ar fy ngora yn ei thyb hi. Ond pan gyfeiriodd rhywun at y rhan 'nes i chwarae yn *Grand Slam*, sef Caradog Lloyd-Evans, y cefnogwr rygbi welodd fwy na gêm o rygbi ym Mharis, mae'n ymddangos fod Neli wedi cau ei llygaid, ysgwyd ei phen a dweud, 'Twt, twt.' Digon teg. Er ei bod hi'n awyddus i'm hamddiffyn a'm gwarchod rhag pob math o feirniaid, fedrwn i ddim disgwyl iddi gymeradwyo pob gweithred o'm heiddo.

Mi fûm i'n lwcus iawn i gael dwy chwaer i edrych ar fy ôl – Neli a Charlotte. Ac er bod Charlotte a Neli yn agos at ei gilydd, ac yn rhannu'r un diddordeb mewn cerddoriaeth, fe fyddai'n rhaid i mi ddweud fod Charlotte ychydig yn fwy eangfrydig na'i chwaer. Pan oeddwn i'n byw o'r llaw i'r genau fel myfyriwr ac actor ifanc yn Llundain, Charlotte oedd yr un oedd wrth law i nghynnal i. Calon fawr, dyna oedd gan Charlotte. Rhoi pawb arall yn gynta, dyna fydda hi'n ei wneud. Anfon arian drwy'r post, anfon papurau a chylchgronau Cymraeg a dŵad i Lundain i ngweld i'n actio. Ar ôl iddi briodi â Dafydd a symud i fyw i Blas Hendre yn Aberystwyth fe fu'r tŷ hwnnw'n noddfa i mi mewn mwy nag un storm. Mi wn yn iawn ei bod hi'n poeni am fy ngorddibyniaeth ar y ddiod ac fe geisiodd fy mherswadio fwy nag unwaith i ymddeol yn ôl i Fôn. Fasa petha wedi bod yn wahanol taswn i wedi gwrando a bod yn llai styfnig? Dwn i ddim. Ond wnes i ddim, Charlotte fach, a rŵan mae hi'n rhy hwyr.

*

Tylwyth Môn yw fy nhylwyth i ers canrifoedd o'r ddwy ochor, hyd y gwn i. A thylwyth teg yw tylwyth Môn. Tylwyth y cymanfaoedd, y pulpud a'r sasiynau. Tylwyth John Elias a Christmas Ifans a llawer i hen actor bendigedig yn siŵr. Dyna'n sicr o ble daeth fy awydd anymwybodol i actio. Ac i fanylu ymhellach am fy nghymeriad fy hun, rwy'n credu i mi etifeddu ychydig o'r styfnigrwydd a'r ysbryd anturus a fu'n amlwg yn nheulu fy mam i'm gwneud i dorri allan a mentro ar actio fel galwedigaeth.

Fi pia'r geiriau yna. Wedi 'u sgwennu ddiwedd y pedwardegau ar gyfer sgwrs radio o Fangor. Ella eich bod chi'n synnu fy mod i'n medru sgwennu fy ngeiriau fy hun yn ogystal â siarad geiriau pobol eraill. Gwrandwch! Ges i wersi barddoniaeth gan neb llai nag R. Williams Parry, mewn dosbarthiadau nos ym Mynytho. Dwi 'di sgwennu drama, a geiriau Cymraeg i'w rhoi yng ngheg Owain Glyndŵr pan oeddwn i'n actio efo Richard Burton yn Stratford yn y pumdegau. Ond mwy am hynny'n nes ymlaen.

Oedd, roedd gen i ysbryd anturus. Wel, un peth sy'n sicr, doedd 'na ddim byd llai anturus yn fy ngolwg i nag wynebu gyrfa mewn banc. Roedd llawer o'r teulu yn y banc: fy mrawd Thomas, Gwilym, gŵr Elen fy chwaer, a nghefndar John Williams Hughes hefyd am gyfnod. A dyna i chi foi diddorol oedd o. Fe fuo fo efo'r gwasanaeth ambiwlans yn Sbaen yn ystod y Rhyfel Cartref, ac yn India a'r Dwyrain Canol yn ystod yr Ail Ryfel Byd. Wedyn mi aeth o gwmpas yn darlithio ac yn siarad efo gwahanol gymdeithasau; o ganlyniad, roedd ei lais melfedaidd i'w glywed yn amal ar y radio yn anfon adroddiadau o bedwar ban byd, ac yn f'atgoffa o Alistair Cooke.

Na, doedd o, mwy na finna, ddim am aros am byth yn y banc. Dyna pam y gwnes i ddianc y cyfle cynta ges i. Styfnigrwydd? Oedd, roedd gin i ddigon o hwnnw. Yn wir, yn ôl Elen fy chwaer, roeddwn i'n 'stimddrwg tu hwnt', ac yn ôl rhai o'r actorion a'r cyfarwyddwyr hunanbwysig dwi 'di gweithio efo nhw, roeddwn i'n medru bod yn hynod o styfnig ac anodd. Ond dyna fo. Os mai amddiffyn eich hun a'ch egwyddorion heb gyfaddawdu un iot ydi bod yn styfnig, yna dwi'n falch i mi fod yn styfnig.

Ond be wnewch chi pan mae eich cyd-actorion yn eich trin chi'n ddirmygus? Mi driodd Marlon Brando y gêm honno. Meddwl y medra fo fy nhrin i fel baw pan oeddwn i'n gneud *Mutiny on the Bounty*. A finna newydd ennill Oscar am fy rhan yn *Ben Hur*! Newid fy nghymeriad i, dwyn fy llinellau a disgwyl i mi gymryd triniaeth fel'na heb daro 'nôl. Byth! Fe gerddis i oddi ar y set, fi a Carol Reed, y cyfarwyddwr. Yn y busnes yma, os nad ydach chi'n edrych ar ôl 'ych hun mae'n beryg i chi gael eich trin fel mat rhacs o dan eu traed nhw.

Roedd Elen yn deud yn amal ein bod ni fel teulu o'r un gwaed â Morswyn, yr emynydd. Fo pia'r emyn mawr hwnnw am graig yr oesoedd, y 'graig safadwy mewn tymhestloedd'. Mi fedra i ddeud yn onest mai'r teulu oedd fy nghraig i. Dwi 'di teimlo'r 'stormydd creulon arna' i'n curo', o do. Ond mae cariad y teulu wedi bod yn gadarn fel y 'graig a ddeil yng ngrym y lli', yno i mi bob amser pan oedd yr hen long ddrylliedig 'ma bron â malu'n dipia ar y creigiau.

Fûm i rioed yn hogyn iach iawn. Byth a hefyd yn dioddef o *asthma* ne' *hay fever* pan oeddwn i'n ifanc, ac wedyn 'pan euthum yn ŵr' a phan es i i India efo'r fyddin, roeddwn i yn yr ysbyty byth a hefyd. Yn wir, un o'r atgofion cynhara sgin i ydi gweld dynes ar gefn beic, Nyrs Florence Davies, yn gwisgo bonet a chêp werdd dywyll, yn dŵad i ngweld, a minnau'n ddyflwydd oed ac yn methu cael fy ngwynt.

*

Dychmygwch, felly, eich bod chi 'nôl yn sir Fôn yn y flwyddyn 1918, pan oeddwn i'n chwech oed. Mi a' i â chi o gwmpas, fel y basai'r First Voice yn *Under Milk Wood* wedi eich cyflwyno chi i bentref Llareggub – ond mai cymeriadau Marian-glas ydi'r rhain…

Dacw siop bwtsiar Seth Owen a thŷ popty William Roberts, lle mae William a'i nai John yn tylino toes ac yn ei roi mewn tuniau, cyn agor drysau'r popty mawr i grasu'r bara, a lle byddai fy mam yn mynd â'i thoes hithau hefyd pan fyddai'r tywydd yn braf a theulu Angorfa heb dân. Yn siop Bryn Hafod mi fedrwch brynu popeth dan haul, o de i baraffîn, o gyraints i doffi York Seal – pedwar darn am ddima, a bagiad am geiniog. O flaen Angorfa 'dan ni'r hogia'n chwarae: cylch a bachyn, chwip a thop, marblis a hop-sgotch, ein sŵn a'n chwerthin yn gymysg â llais Ifan Wilias o gyffiniau Traeth Coch yn gweiddi, 'Cocos ffresh!' a 'Penwaig ffresh, newydd ddod o'r môr', deuddeg am swllt, ac un dros ben. Mi fydda Mam yn rhoi'r cocos mewn dŵr dros nos i gael yr heli allan ac wedyn yn eu berwi, a'r cregyn dwbwl yn agor. Y penwaig wedyn yn cael eu piclo mewn finag a'u rhoi yn y popty. A dacw Huw Jôs potiwr o Langefni yn galw efo potia mawr du i gadw llefrith a llaeth enwyn.

Mae heddiw'n ddiwrnod dyrnu. Mae Nain wedi codi'n gynnar er mwyn rhoi tân o dan y popty yn y wal a rhoi darn anferth o gig eidion i mewn a llond tun o datws a charainsh mewn sosban fawr ar y pentan er mwyn i'r gweithiwrs gael llond 'u bolia. Ac mi fydda 'na ddysgliad bob un o bwdin reis i ddilyn. Pan gyrhaeddodd yr injan bore 'ma mi o'n i'n rhedeg yn ôl ac ymlaen drwy'r stêm, ac yn chwarae cuddio rhwng y cociau gwair, tra oedd rhai o'r dynion efo'u picweirch yn lluchio'r sgubau i'r dyrnwr a'r lleill yn llenwi'r sachau efo had a'u cario i fyny i'r llofftydd. Mae hi bron iawn yn amser te rŵan a chyn bo hir fe fydd 'na frechdana caws a jam, a bara brith ar y lliain bwrdd gwyn a ninnau'n sglaffio'r cwbwl…

Oeddan, mi oeddan nhw'n ddyddiau hapus iawn – dyddiau hapusa fy mywyd am wn i. Un stori dwi'n cofio fy chwaer Elen yn ei hadrodd am y cyfnod yma oedd stori glywodd hi gan Nain, fu farw pan oeddwn i tua tair oed. Yn ôl yr hanes, mi glywodd Nain sŵn miwsig ysgafn ac mi welodd ddynion bach yn creu'r miwsig efo pibau a merched bach yn dawnsio mewn cylch ar y bonc yn ymyl ei chartref. Y bore wedyn mi a'th i'r bonc a gweld cylch yn y glaswellt – cylch y Tylwyth Teg.

Yn nes ymlaen dwi'n cofio'r syrcas yn dŵad i'r ardal ac fe fyddwn i'n mynd o gwmpas ardal Bro Goronwy ar fy meic yn gosod posteri yma ac acw ac yn cael mynediad i bob perfformiad am ddim. Ac er nad ydw i'n cofio i'r syrcas greu rhyw awydd mawr ynof i fod yn berfformiwr fy hun, pwy a ŵyr na suddodd y sŵn a'r rhialtwch i mewn i'r isymwybod?

I Ysgol Llanallgo yr es i'n hogyn. Mae 'na le annwyl iawn

yn fy nghalon i athrawes yr *infants*, Miss Esther Williams (neu 'Swilias' fel roeddan ni'n ei galw). Un o Landygái oedd hi, ac roedd hi'n lletya efo ni yn Angorfa. Yn nes ymlaen yn yr ysgol, pan oeddwn i tua deg oed, W. R. Edwards, yr Hen Sgŵl, oedd yn gofalu am y dosbarth *scholarship* – gŵr prin ei Gymraeg a phrinnach fyth ei gydymdeimlad â'r iaith. Roedd gynnon ni i gyd ei ofn o achos roedd o'n edrych fel dyn gwyllt, gwallgo. Mi oedd o'n gwisgo siwt *plus-fours* lwyd a dwi'n siŵr fod 'na rywbeth bach yn bod arno fo. Arferai ysgwyd ei fysedd a'i arddyrnau i fyny ac i lawr ac yn ôl ac ymlaen fel tae o'n canu piano dychmygol. Ac mae'n rhaid mai un dychmygol oedd o, achos doedd gynnon ni ddim piano! Peth arall oedd o'n arfer ei neud oedd ceisio glanhau tu mewn i'w glustia efo pìn, a dwi'n cofio'n iawn y bu'n rhaid i mi chwilio am y pìn un diwrnod pan ddiflannodd o'r golwg yn nhwll ei glust. Ar waetha atgasedd y sgŵl tuag at yr iaith Gymraeg, yn Llanallgo y sefydlwyd adran gynta'r Urdd yn Ynys Môn, ac yn yr ysgol roeddan ni'n cyfarfod. Mi es inna i wersyll cynta'r Urdd pan oeddwn i'n 16 oed. Erbyn hynny roeddwn wedi cael fy ngneud yn gadfridog, achos mod i wedi ricriwtio aelodau newydd i'r mudiad, fatha John Williams, Brynsiencyn adeg y Rhyfel. Yr unig beth dwi'n ei gofio ydi fod y gwersyll yn Llanuwchllyn a bod y pebyll yr oeddan ni'n cysgu ynddyn nhw wedi dŵad o Lerpwl, a bod fy chwiorydd yn glanna chwerthin pan es i adra ac adrodd y straeon am y gwersyll cyntefig hwnnw.

Roedd yr Hen Ysgol yn ganolfan addysgiadol, ddiwylliannol a chrefyddol, yn ysgol ddyddiol, yn ysgol Sul, yn llwyfan i ddramâu a chyngherddau, ac yn fan cyfarfod i bobol y pentra. Dwi'n cofio mynd efo Neli fy chwaer i wrando ar Cecil Tomos, Ciali, a Richard Roberts, y baswr o Bentraeth, yn canu. Yr arweinydd oedd yr enwog Ap Thelwell ac fe fyddai yntau'n cyflwyno'r holl artisitiaid. Y lle dan ei sang, yn gwrando ar

Gwilym Ceinion o Lannerch-y-medd yn adrodd, dynwared a chanu 'Wil Coes Bren', ac O. E. Hughes o Langefni yn taflu'i lais. Yn yr ysgol, yn ôl fy chwaer, y byddai merched y fro yn arfer cyfarfod i gael eu hyfforddi i wnïo crysau i'r milwyr, adeg y Rhyfel Mawr. Roedd hi'n cofio iddi fynd adra un diwrnod a berwi wy yn galed a rhoi ei henw a'i chyfeiriad arno fo er mwyn ei anfon i'r milwyr yn Ffrainc. Ymhen hir a hwyr fe ddaeth llythyr i 'Miss Griffith' oddi wrth Horace Coe, o Ysbyty Rouen, yn canmol yr wy – 'A welcome change from bully beef and hard biscuits'. Ugain mlynedd yn diweddarach fe ges innau achos i sgwennu at fy chwaer a'r teulu o India, pan oeddwn i'n Lieutenant Hugh Emrys Griffith 2121081, yn filwr yno efo'r Royal Welch Fusiliers, i ddiolch am barseli bwyd a llyfrau oedd yn fy nghyrraedd yn gyson yn y wlad honno yn ystod yr Ail Ryfel Byd. Dwn i ddim be fu hanes Horace druan; ddaru o fyw drwy'r cyfan? Mi wn i fod 'na bobol ifanc o blwyfi Llaneugrad a Llanallgo wedi cael eu lladd yn y Rhyfel Mawr, oherwydd mae 'na gofeb ar y Marian i goffáu hynny. Ac un o Fôn, John Williams, Brynsiencyn, y gweinidog Methodist mewn lifrai milwrol, oedd yn gyfrifol am eu hanfon i'w tranc. Mewn ymateb i'w grwsâd recriwtio, a'i bropaganda eirias yn atseinio o amgylch capeli a neuaddau Cymru, yr aeth y bechgyn draw i ffosydd Ffrainc:

Yn wyneb hyn oll, fechgyn ieuainc, ymfyddinwch, ac na adewch, i ryddid eich gwlad, diogelwch eich teuluoedd, na'ch breintiau crefyddol gael eu hysbeilio oddi arnoch. Er ei holl ddiffygion, Prydain yw'r lanaf y mae haul Duw'n tywynnu arni. Byddwch o'r un ysbryd â'r hen ŵr hwnnw o Fôn a ddwedai'r dydd o'r blaen ei fod yn methu cysgu'r nos wrth feddwl am y bechgyn glewion oedd yn y *trenches*.

Sgwn i pa mor dawel oedd John Williams yn cysgu o wybod fod 'na bron i fil o fechgyn Môn wedi marw yn y Rhyfel Mawr?

I'r Hen Ysgol y deuai'r cwmnïau drama ar eu taith, ac fe gawn fy nhalu ddwy geiniog am rolio a dadrolio cyrten du i'r cynyrchiadau, fel *Murder at the Red Barn*, *Cyfrinach y Fasged Frwyn* a *The Hunchback of Notre Dame*. Dwi'n cofio Neli yn adrodd yr hanes amdani hi'n mynd yn llaw fy nhad, pan oedd hi tua saith oed, i weld cwmni drama Saesneg oedd wedi dŵad draw i'r Hen Ysgol i berfformio *The Hunchback of Notre Dame*. Roedd yr *hunchback* yn caru Esmeralda, ond wrth gwrs toedd gynno fo ddim gobaith mul mewn Grand National, a fynta mor hyll. A phan waeddodd yr *hunchback* enw Esmeralda – 'Esmeraldaaaaa!' – fel tae o mewn poen o'i cholli yn ôl Neli, roedd hi'n methu cysgu'r noson honno ac yn dal i glywed y waedd iasol. Profiadau fel'na sy'n gneud bod yn y theatr yn fythgofiadwy.

Flynyddoedd yn ddiweddarach, pan oeddwn i tua un ar bymtheg, fe ges i gyfle i actio Thomas Bartley yn Ysgol Sir Llangefni, a rhan Dici Bach Dwl yn y ddrama *Adar o'r Unlliw*, a hynny yn erbyn ewyllys fy mam. Roedd hi am i mi sticio at fy ngwersi ac yn fy mygwth efo'r wialen fedw am beidio â gneud, a byddai'n rhaid i mi sleifio allan o'r tŷ yn ddistaw bach i'r ymarferion. Weithiau byddwn yn dengid i'r coed o olwg y tŷ ac yno, yn llawn ofn a dagrau, yn dweud fy mhader lawer gwaith trosodd wrthyf fy hun. Tawelai hynny fy nghalon fach gynhyrfus a rhoi rhyw fath o nerth i mi i fynd yn ôl i'r tŷ tua amser bwyd i wynebu'r canlyniadau. Wnes i ddim disgleirio o bell ffordd yn y cynyrchiadau yma, a does gen i ddim cof o gwbwl am feddwl bod yn actor, ar wahân i actio'r mwrddrwg direidus yn y dosbarth. Cofiwch chi, roedd rhai o'r dramâu a'r cynyrchiadau welis i bryd hynny fel cyfrif banc ambell un – braidd yn llwm ac, o safbwynt talent, ymhell yn y coch:

...y cyrtan yn agor. Darganfod beili tew, trwyngoch, yn chwyrnu yn y gadair freichia o flaen y tân, potal chwisgi wag yn sticio allan o bocad ei gôt – yr hen gwpwl yn wylo wrth y bwrdd – y gweinidog yn cysuro'r ferch ar y setl – y gath yn 'molchi o dan y dresar. Ust! Dyna gnoc ar y drws. Pwy sy yna? Diolch byth! John, y mab afradlon, wedi dŵad adra o Clondeic – het silc, gwasgod wen, giard aur, a *spats*. Bwrw trem dros yr olygfa – 'Be dâl peth fel hyn? – rhoi'r het silc ar y gadair – cic i'r gath – bwrw'r beili allan trwy'r ffenast – cofleidio'r hen gwpwl – cusan i'w chwaer, a sigâr i'r gweinidog – y cyrtan yn cau ynghanol taranau o gymeradwyaeth – bloeddio gwyllt am yr awdur... Bydaet ti'n rhoi perwig a locsyn ar goes picwarch a'i sticio ar ganol y llwyfan mi fyddai'n ddigon o ddrama i amball un.

Dyna ddarlun dychanol W. J. Griffith o'r ddrama yn ei gyfrol *Storïau'r Henllys Fawr* ond, credwch chi fi, roedd o'n agos iawn i'w le hefyd. Ar ôl deud hynny, os oedd yr actio'n brennaidd ar brydiau, y golygfeydd yn amrwd, a'r symudiadau'n anghelfydd, mae'n bwysig i ni gofio hefyd fod y cynyrchiadau hyn wedi meithrin ymdeimlad cryf o berthyn i fro. Meddyliwch am actores leol fel Martha Parry o Amlwch ddechrau'r ganrif yn actio yn nrama Grace Thomas, *Cyfoeth neu Gymeriad*, efo cwmni drama Rhoscefn-hir. Tri ar hugain ar y llwyfan. Tri ar hugain! Mae'n rhaid 'i bod hi fel un o ffilmiau Cecil B. deMille – *cast of thousands* – ac roedd ffrind i Martha wedi peintio grât a fflamau ar y llenni glas tywyll oedd yn edrych yn naturiol iawn, medda hi. Dwi'n siŵr! Ar ôl un perfformiad, ffwr' â nhw wedyn efo'r set a'r geriach i gyd mewn *wagonette* a dau geffyl yn ei thynnu. Perfformio ym Mhentraeth, Llangoed, Talwrn a Neuadd y Dre, Llangefni. Ac i lenwi'r amser rhwng newid golygfeydd fe fyddai gwasanaeth Harry Boswell y sipsi wedi'i sicrhau i ganu'r ffidil.

Cofiwch chi, beth bynnag am y safon, 'dan ni'n lwcus fod gynnon ni unrhyw fath o draddodiad theatrig yng Nghymru o gofio fod y Methodistiaid wedi trio lladd y ddrama, yn ôl

John Ellis Williams. Argian fawr! Toedd un o reolau'r Gyffes Ffydd yn dweud fod chwarae drama yn gymaint o bechod â chwarae cardiau a mynychu'r dafarn? Adrodd anwiredd oedd actio drama gan bobol mewn oed, a deud celwydd yr oedd dyn mewn oed wrth gymryd arno ei fod yn rhywun arall. Ia! Fel yr hen bregethwyr oedd yn taranu o'r pulpud yn erbyn y ddiod ar y Sul ond yn mynd i'r dafarn am beint drwy'r drws cefn ar y Llun, rhag i neb eu gweld. Yr hyn sy'n eironig, wrth gwrs, ydi mai rhai o actorion gorau Cymru oedd ei phregethwyr: John Elias, Christmas Evans, John Jones, Tal-y-sarn a Philip Jones. Yn wir, fe ddisgrifiwyd y ddau ola fel 'the Irvings of Wales', gan eu cymharu â Henry Irving, un o actorion mawr Oes Fictoria. Does 'na ddim amheuaeth yn fy meddwl i nad oedd yr hen bregethwyr yn actorion o fri. Dim rhyfedd chwaith – roedd ganddyn nhw sgript ardderchog, sef y Beibl, a'r sgript honno wedi'i haddasu a'i throi'n bregeth. Honno wedyn yn cael ei chyflwyno'n ddramatig drwy amrywio'r llais – llais tawel, drwy weiddi, drwy ailadrodd, a thrwy fynd i hwyl. A phan fydda hwnnw'n gafael mi oeddan nhw'n actio mwy nag un cymeriad ac yn tynnu'r gynulleidfa i mewn i'r ddrama, fel yn y bregeth enwog am werthu'r eneidiau: 'Pwy sydd 'u heisiau nhw?... Neb! Neb? Ond mi glywa i lais yn gweiddi... "Mi pryna i nhw!" Amen!... Amen!'

A wyddoch chi be, mae gin i le i ddiolch i'r hen bregethwyr glywis i. Oni bai i mi fynd i'r capel i'w clywed nhw'n perfformio yn y pulpud pan oeddwn i'n hogyn, faswn i ddim wedi cael y ganmoliaeth ges i am fy nehongliad o un o gymeriadau mawr Shakespeare yn Theatr y Grand yn Abertawe yn 1949. Fi oedd y Cymro cynta erioed i chwarae'r Brenin Llŷr, ac roedd dylanwad yr hen bregethwyr yn drwm iawn ar y dehongliad hwnnw. Yn wir, mae fy nghefndir, fy Nghymreigrwydd, a'r ffaith mai actor Cymraeg fy iaith ydw i, wedi dylanwadu'n fawr ar bopeth dwi wedi'i neud.

O LANGEFNI I'R BYD

I GAPEL Methodistaidd Paradwys, o dan arweiniad R. R. Jones, y byddai ein teulu ni'n mynd ar y Sul, ac yn y Band of Hope yn y capel hwnnw y safodd Elen fy chwaer ar ei thraed a chyhoeddi, 'Yr wyf yn addo, drwy gymorth Duw, i beidio cymryd fy hunan, na rhoddi i eraill, unrhyw fath o ddiod feddwol fel diod gyffredin.' Taswn i wedi dilyn esiampl fy chwaer a thyngu'r llw dirwestol fel y gwnaeth hi yn y Band of Hope dwi'n siŵr y baswn i wedi mwynhau gwell iechyd ar hyd fy oes. Faswn i wedi mwynhau bywyd i'r un graddau? Dwi'n ama'n fawr. Cofiwch chi, dwi'n parchu'r ffaith iddi fod yn llwyrymwrthodwraig drwy'i hoes ond, wedi deud hynny, mi oedd o'n fy ngwylltio fi braidd ei bod hi ac aelodau eraill o'r teulu'n bihafio braidd yn hunangyfiawn oherwydd mod i'n mwynhau brandi bach rŵan ac yn y man. Dyna pam roedd yn well gin i aros yn y Trearddur Bay Hotel, Rhosneigr, pan oeddwn i'n mynd adra i Fôn, yn hytrach na mynd at y teulu i aros. O leia yn fanno fe gawn lonydd i fwynhau *drink* bach efo fy ffrindiau heb gael y teulu'n dannod y ddiod i mi drwy'r amser.

Ond sôn yr oeddwn i am y Sul. Yng nghar a cheffyl fy nhaid, ac yng nghwmni Owen Hughes, Pen Marian, y teiliwr cloff, y byddai Elen a Charlotte a minnau'n mynd i'r capel. A'r hwyl fyddai rhwygo eirin moch oddi ar y gwrychoedd wrth i ni garlamu heibio a'u gosod yn ofalus yng nghantal hetia'r ddau o'n blaena, a chwerthin wedyn ar ôl cyrraedd y capel wrth weld yr eirin yn rowlio i bob man ac o dan draed Hugh Williams y gofalwr, oedd wrthi'n trin y wicia yn y lampau paraffîn.

Yn y sêt o'n blaena ni roedd 'na ddyn mawr efo pen bychan, clustiau anferth, a thwll yn un ohonyn nhw oedd yn ddigon mawr i mi edrych drwyddo fo a gweld fy nhad yn y sêt fawr. Wedyn pan fyddai'r dyn yn mynd i gysgu, mi fyddwn yn rhoi pwniad ysgafn iddo fo yn ei gefn ac yn gweld y pregethwr yn y pulpud drwy'r twll yn ei glust, fel y byddai'r hen ŵr yn codi'i ben. Dwi'n dal i gofio enwau rhai o'r pregethwyr hefyd – Llywelyn Lloyd, Rhos-meirch; Thomas Williams, Gwalchmai; Williams Talwrn; Huw Robaits, Elim. Hoelion wyth, bob un ohonyn nhw. Ac yn actorion dawnus. Heb os, mae gan yr hen draddodiad pregethu ym Môn ran yn fy ngwneuthuriad. Y rhain oedd y pregethwyr y byddan ni'n eu dynwared yn y parlwr adra wrth chwarae gêm 'Pwy dwi rŵan?' Mi fydda pawb yn cael tro i ledio emyn, codi'r canu, gweddïo, gan ddynwared hen ŵr ar ei liniau yn ymbilio drwy ei ddagrau ar Dduw am faddeuant. Ond yna bydda Mam yn agor y drws ac yn dweud y drefn wrthan ni am neud hwyl am ben y pregethwyr a'r diaconiaid.

Ar ôl tyfu'n hŷn roedd disgwyl i ni fynd i'r cyfarfod gweddi bob nos Lun, a'r cyfarfod cenhadol unwaith y mis. Yn fanno y clywais i gynta am India a maes cenhadol Bryniau Casia, heb feddwl, bryd hynny, y byddwn yn y wlad honno ymhen llai na phymtheng mlynedd fel Second Lieutenant Hugh Emrys Griffith 2121081.

Ar ôl pasio'r *scholarship* fe es i'r Ysgol Sir yn Llangefni, a mynd yno mewn steil, hefyd – mewn Morris Cowley, car newydd sbon fy nhad. Yn yr ysgol y dois i ar draws Mr William Shakespeare am y tro cynta, a chredwch chi fi, doeddan ni ddim yn ffrindiau, o bell ffordd. Fedrwn i ddim diodda'r gwersi Saesneg, lle roeddan ni'n gorfod diberfeddu'r dramodydd yn academaidd. Taswn i wedi cael cyfle i sefyll o flaen y dosbarth ac actio rhai o'r golygfeydd er mwyn eu dallt, fe fydda petha wedi bod yn wahanol, mae'n siŵr.

Dwi'n cofio fod 'na hogan yn yr un dosbarth â mi yn yr Ysgol Sir oedd yn cael ffitia yn amal iawn. Yn wir, roedd hi'n ffitio mor amal, fe benderfynwyd ei chadw adra. Ta waeth, roedd y dosbarthiadau Saesneg mor sych a diflas, a chan fod yr athrawes Saesneg newydd braidd yn ddiniwed, mi roeddwn inna'n cymryd arna mod i'n cael fft, gan obeithio y byddwn inna'n cael fy nghadw adra hefyd. Roeddwn i wedi rihyrsio'r cyfan yn fanwl ymlaen llaw efo'r hogia yn y dosbarth. Mi fyddwn i'n smalio llewygu a ffitio, a nhwtha'n rhuthro ata i gan rwbio fy nwylo a nhraed ac un arall yn ceisio cael rwler rhwng fy nannedd i mi gael brathu arno fo. Wedyn mi fydden nhw'n fy nghario allan i'r awyr iach, lle byddem i gyd yn cael smôc bach slei tan ddiwedd y dosbarth, ac yn cael y gansen hefyd gan y prifathro am gymryd mantais o'r athrawes ddiniwed.

Oeddwn, roeddwn i a'r bechgyn eraill hefyd yn casáu Shakespeare a'i ddramâu. Beth wyddem ni, fechgyn uniaith Gymraeg cefn gwlad, am farddoniaeth a llenyddiaeth ac *iambic pentameters*? Oherwydd nad oeddwn i byth yn cael marciau digon da yn yr arholiadau Saesneg y bu'n rhaid i mi fynd i weithio i'r banc, am na chawn i fynd i'r brifysgol heb Saesneg.

Ond, fel Saul o Darsus, mi ges inna dröedigaeth. Nid ar y ffordd i Ddamascus, ond ar y ffordd i Aber-soch. Yn dair ar hugain oed fe wnes i ddarganfod mawredd Mr Shakespeare am y tro cynta. Fedrwn i ddim cael digon ohono fo. Roeddwn i'n darllen ei ddramâu drosodd a throsodd ac yn dysgu talpia ar fy nghof ac yn eu hactio wrth gerdded ar lan y môr, a hyd yn oed yn dawel i mi fy hun, tu ôl i'r ddesg yn y banc yn Aber-soch. Dwi'n siŵr fod pobol yn meddwl mod i dipyn bach yn od – ac yn dal i feddwl hynny, mae'n bur debyg! Arferwn gerdded traethau Pen Llŷn yn datgan darnau o *King Lear* yn uchel, i gyfeiliant y gwynt a sŵn y môr:

Blow, winds, and crack your cheeks! Rage! Blow!
You cataracts and hurricanes, spout
Till you have drench'd our steeples, drowned the cocks.

Dwi'n cofio teithio adra i weld Mam a hithau'n ddiwrnod gwyntog a stormus. Stopio'r car. Parcio. Allan. Cerdded ychydig i ganol y rhostir 'ma a throi fy wyneb i gyfeiriad rhyferthwy'r gwynt:

Rumble thy bellyful! Spit, fire! Spout, rain!
Nor rain, wind, thunder, fire are my daughters.

Ewadd annwyl! Toes 'na neb tebyg iddo fo. Hwn ydi'r dramodydd mwya welodd y byd 'ma erioed, a chael fy swyno unwaith ac am byth gan ei ddramâu o wnaeth i mi benderfynu fy mod i am weithio yn y theatr ac actio yn ei ddramâu bob cyfle gawn i.

Fy hoff bynciau yn yr ysgol oedd Algebra a Geometry a Chymraeg, ond ychydig iawn o lenyddiaeth Gymraeg a hanes Cymru oedd yn cael eu dysgu. Er mai'r prifathro, S. J. Evans, oedd awdur *Elements of Welsh Grammar*, yn eironig ddigon doedd o byth yn siarad Cymraeg efo ni'r disgyblion. Ychydig iawn o actio wnes i yn yr ysgol, ond dwi *yn* cofio un cynhyrchiad, lle roeddwn i mewn llys barn, fel y cyhuddedig yn y doc. Fy ffrind gorau, John Rhys Lewis, oedd y cyfreithiwr, wedi'i wisgo mewn gŵn ysgol a wig, finna mewn dillad tlawd ac wedi gorchuddio fy nhrwyn efo inc coch!

*

Ar 8 Mawrth 1929 fe ysgrifennodd fy nhad at Megan Lloyd George. Roeddwn i'n un ar bymtheg oed ar y pryd.

Dear Miss George,
I sincerely trust you will pardon my liberty in writing to you on a personal matter. My son Hugh Emrys Griffith is

desirous of entering the banking profession [nag oeddwn wir!] and the Manager of the N. P. Bank at Llangefni is prepared to submit his application to the Head Office at 15 Bishopsgate, London. His age is 16 and a half years, 5ft 4ins in height and still growing. A good athlete and quite healthy. [Fe fyddai 'quite asthmatic' wedi bod yn nes ati.] Perhaps you remember him after visiting my home – Angorfa, Marian-glas – a few months ago. My object in writing to you is to ask you to be so kind as to exercise your influence on his behalf and mine also, of course, with the Authorities in London. Apologising for trespassing on your valuable time and wishing you every success in the coming Parliamentary election.

Yours respectfully,
William Griffith

Roedd llythyr arall yn amgaeëdig:

Referring to the enclosed formal letter, I am wondering whether you would be so kind as to ask your eminent father [Lloyd George, neb llai] or brother to recommend my boy's acceptance by the N. P. Bank Authorities. I believe it requires a deal of influence at present to have a boy appointed to a branch.

Atebodd Megan Lloyd George gyda'r troad:

March 13 1929.
Dear Mr Griffith,
Thank you very much for your letter. I shall most certainly ask my father to recommend your son's acceptance by the N. P. Authorities.

Pleidlais arall i Megan! Ond er bod holl ddylanwad y Georgeiaid y tu ôl i lythyr fy nhad, cael fy ngwrthod wnes i.

Felly dyma sgwennu llythyr arall oedd yn cyfeirio at amheuaeth doctor y banc ynglŷn â chyflwr fy iechyd. Cyfeiriodd fy nhad ataf yn ei ateb i lythyr y meddyg fel 'all-round athlete', Tarzan o hogyn, yn medru nofio milltir a hanner, yn gricedwr, chwaraewr tennis a phêl-droediwr. Pam fod angen y cymwysterau hyn er mwyn sefyll tu ôl i gowntar banc yn cyfri pres a stampio siecia, dwn i ddim. Unwaith eto, mae'r ail lythyr yn ailadrodd y celwydd mai fy uchelgais oedd gyrfa yn y banc. Yn bersonol, dwi ddim yn gweld sut y gallech chi roi 'uchelgais' a 'bancio' yn yr un frawddeg. A beth bynnag, mynd i'r brifysgol oedd fy uchelgais i, nid mynd i'r banc. Un sylw bach wrth fynd heibio: ymhen blynyddoedd fe fyddai'r brifysgol a'm gwrthododd yn fy anrhydeddu gyda gradd er anrhydedd yn yr iaith Saesneg. Rhyfedd o fyd!

Yn y pen draw, ar ôl anfon yr ail lythyr ynghyd â llythyr o gymeradwyaeth gan R. R. Jones, y gweinidog, oedd yn credu fy mod yn 'steady, able, honest, conscientious, and truthful young man', fe'm derbyniwyd, yn erbyn fy ewyllys, i freichiau a drysau agored banc y National Provincial, Llandudno, ar 25 Mehefin 1929, yn ddwy ar bymtheg oed.

Y BANCER

Bythefnos yn unig ar ôl i mi gychwyn yn y banc yn Llandudno, roeddwn i wedi gadael.

Nid wedi gadael y banc, dach chi'n dallt – na, bu'n rhaid i mi ddioddef wyth mlynedd o uffern ariannol cyn i mi gael y waredigaeth honno – ond gadael Llandudno a mynd i weithio yn yr Wyddgrug, oherwydd fod Tom, fy hanner brawd, yno i gadw golwg arna i, am wn i. Cefais lojins efo Tom arall, ffrind i mi, yn Garmon Villas, cartref Capten Hugh C. Jones a Mrs Ella Stuart Jones, ac yn ôl cofnod a gedwais o'r cyfnod, mae'n amlwg nad oedd gallu cogyddol gwraig y Capten yn arbennig, o bell ffordd.

> After the dreary food that was eveningly dished out to us, we used to fart of course, and then maybe go to the cinema or the billiard or snooker hall. By this time we had acquired motorcycles, and I had seen a girl, Nora Winter Davies, a soprano who had recently won the first prize. I told Tom, and he stole her. They had a date and another girl came along. I didn't fancy that girl much in the fact that I couldn't get myself to screw her in the way Tom was screwing Nora.

Mae'n siŵr y bydd rhai ohonoch chi'n twt-twtian yn hunangyfiawn fel y basai Elen wedi'i neud, wrth ddarllen am yr hyn yr oeddan ni'n dau yn ei neud. Ond cofiwch mai pedair ar bymtheg oed oeddwn i ar y pryd ac, yn annibynnol ar y teulu. Felly, mae'n sefyll i reswm fod hwn yn gyfnod o ddysgu byw ac arbrofi, mewn mwy nag un ffordd.

Roedd y gwaith yn y banc yn affwysol o ddiflas ac felly roeddan ni'n treulio'r diwrnod rhwng cwsmeriaid yn chwarae *shove-ha'penny* ar y cowntar ac yn trafod pob math o bynciau Cymreig, gan gynnwys merched, wrth gwrs. Do, tra oeddwn i'n bancio yn yr Wyddgrug fe gefais fwy nag un codiad – yn wir, erbyn i mi adael yn 1935 a mynd i weithio i'r banc yn Aber-soch, roedd fy nghyflog wedi codi i £140 y flwyddyn, ac roeddwn yn mwynhau fy annibyniaeth i'r eitha, fel basach chi'n disgwyl i hogyn oedd yn rhydd o hualau teuluol ei wneud. Ond rhag i chi feddwl mai dim ond mercheta oedd ar fy meddwl i, fe gefais gyfle i ymuno â Chymmrodorion parchus yr Wyddgrug ac actio yn un o'u cynyrchiadau. *Fy Machgen Gwyn I* oedd teitl y ddrama, ond dwi'm yn cofio pa ran wnes i ei chwarae – y brif ran, mae'n bur debyg!

Un digwyddiad a gafodd gryn argraff arna i yn y cyfnod hwn oedd pasiant mawr Eisteddfod Wrecsam 1933. Pasiant *Pobun* Howard de Walden, un o brif noddwyr y theatr ar y pryd, a gŵr oedd ar dân i gael Theatr Genedlaethol i Gymru. Fe roddwyd dau berfformiad a'r rheini wedi costio o gwmpas £1,500 i De Walden – a hynny yn 1933 cofiwch! Yn ôl y papurau newydd doedd Cymru erioed wedi gweld dim tebyg i'r pasiant yma ar lwyfan o'r blaen:

Yr Arglwydd Dduw yn siarad o'r tywyllwch, ac yn anfon Angau ar ei neges ofnadwy i'r byd. Godidowgrwydd y wledd – dawns y gwahoddedigion, dawns y cogyddion, y chwerthin a'r canu, y plant yn dawnsio ar alawon Cymreig, yr Angau llygadrwth a'i balf ddu ar fron Pobun. Yr arch a'r cynhebrwng dychrynllyd du gydag Angau ar y blaen. A'r diweddglo – yr angylion yn plygu o amgylch Ffydd, a'r goleuni yn gwanhau a marw amdanynt.

A'r cyfan yn cael ei weld gan ddeng mil o gynulleidfa yn y Pafiliwn. Yn eu plith, yn y seddau blaen, roedd yr actores Sybil

Thorndike a George Bernard Shaw, dramodydd y byddwn i'n ei gyfarfod ymhen blynyddoedd pan fyddwn i'n fyfyriwr drama yn Llundain. Mae'n amlwg fod Sybil Thorndike wedi'i phlesio'n ofnadwy gan iddi ddweud ei bod hi'n anodd credu mai perfformiad gan griw o amaturiaid oedd y cynhyrchiad. Ond roedd 'na un actor proffesiynol o leia yn eu plith – neb llai na Clifford Evans, oedd yn actio yn y West End ar y pryd. Canmolodd *Y Cymro* ei berfformiad yn y brif ran i'r cymylau:

Yr oedd ar y llwyfan bron yr holl amser a'i ysbryd yn newid. Chwaraeodd yn feistrolgar o'r foment y daeth mor effeithiol i mewn, hyd ei fyned ar y daith yn y diwedd. Y mae Mr Evans yn actiwr y gall Cymru fod yn hynod falch ohono.

Cofiwch chi, doedd pob adolygiad ddim mor garedig. Un yn gofyn pam oedd angen cyflogi actor fel Clifford, a oedd y tu allan i ffiniau Wrecsam, 'gan fod cystal actorion ymhlith Cymry'r ardal'. 'Aneglur ac aneffeithiol' oedd disgrifiad O. Llew Owain o berfformiadau Clifford ac Evelyn Bowen, oedd hefyd yn actor proffesiynol. Roedd rhai o aelodau'r cwmni'n anhapus gan fod Clifford wedi cael ei dalu'n dda iawn am ei waith. A pham lai? Dyna sut roedd o'n ennill ei fywoliaeth yn Llundain. Ia! Gorfod mynd i Lundain i actio roedd pawb y dyddiau hynny. Roedd hi'n amhosib i unrhyw un oedd yn teimlo'r ysfa i fod yn actor wneud hynny yng Nghymru. Felly doedd ganddo dim dewis ond gadael. Ei uchelgais oedd bod yn seren y West End, a beth oedd o'i le efo hynny? Mae'n anodd i mi dderbyn unrhyw feirniadaeth bersonol na phroffesiynol o Clifford oherwydd roedd o'n allweddol yn fy natblygiad fel actor.

Bum mlynedd yn unig ar ôl iddo fo berfformio *Pobun* yn Wrecsam roeddwn i mewn cysylltiad efo fo yn Llundain, a fo fu'n gyfrifol am fy hyfforddi fi ar gyfer ennill lle yn y Royal Academy of Dramatic Arts, lle bu yntau'n fyfyriwr ddechrau'r tridegau. Treuliais fwy nag un noson ar aelwyd y teulu yn Llundain a byddai'r sgwrs yn troi'n ddi-ffael at sefyllfa'r ddrama yng Nghymru a'r angen dybryd am Theatr Genedlaethol. Ei weledigaeth o oedd sefydlu Theatr Genedlaethol yng Nghaerdydd. Theatr, yn ôl Clifford Evans, 'y byddai Dafydd ap Gwilym a Thwm o'r Nant yn ymhyfrydu ynddi... Theatr y medrai Charles o'r Bala a Howell Harris ei pharchu... Theatr y byddai cenedlaethau i ddod yn falch o'i pherchenogi'. A theatr hefyd y byddai ei bodolaeth yn atal y llif o actorion fel Clifford Evans, Richard Burton, y brodyr Houston – a finnau hefyd, os ca' i ddeud – allan o Gymru i Loegr i ennill ein bara menyn. Mynnai fod yn rhaid i'r theatr fod yn gwbwl broffesiynol ei hagwedd, ac yn hynny o beth yr oeddwn i'n cytuno efo fo gant y cant, er bod ei sylwadau ar brydiau yn brathu at yr asgwrn:

> When we speak of a National Theatre for Wales... it must be nothing like the Local Welsh Amateur Societies... it must be nothing like the local weekly Repertory company, acting its seedy professional heart out twice nightly on the Cwm-sgwt waterfront... it must be nothing like the overripe Welsh corn which seems to be ever green in the West End.

Tipyn o ddeud, ond roedd hi'n bregeth yr oedd angen ei phregethu. Ac yn hyn o beth roeddwn i yn yr un pulpud â Clifford, ac wedi bod yr un mor feirniadol o'r agwedd amaturaidd, festri-capel, tuag at y ddrama a fodolai yng Nghymru tan ddiwedd y pumdegau. Yn wir, tra oeddwn i'n fyfyriwr ifanc, dibrofiad yn RADA fe luniais adroddiad oedd yn amlinellu'r hyn ddylai ddigwydd i'r theatr yng Nghymru, a does gin i ddim amheuaeth na ddaru'r nosweithiau o sgwrsio tanllyd yng nghwmni Clifford gynnau ynof innau hefyd yr awydd i weld pethau'n newid. Fel Clifford, cefais innau fy meirniadu am feiddio â cheisio cyflwyno agwedd a syniadaeth broffesiynol tuag at y ddrama a'r theatr yng Nghymru.

Os oeddwn i'n teimlo mor angerddol fod angen newid mawr ym myd y ddrama yng Nghymru, pam na faswn i'n dychwelyd yno, yn hytrach na byw yn Lloegr ac ennill fy mara menyn yno? Dyna gwestiwn ofynnwyd i mi fwy nag unwaith, gan bobol oedd ddim yn sylweddoli nad oedd hi'n bosib yn y cyfnod hwnnw, y tridegau a'r pedwardegau, i actor ennill bywoliaeth yng Nghymru. Yn wahanol i mi, fe ddaeth Clifford yn ôl, ond roedd rhai'n honni na fasa fo ddim wedi dychwelyd i Gymru i geisio sefydlu cwmni cenedlaethol petai ei lwyddiant yn y West End wedi parhau, a'i fod o wedi dychwelyd ar ddechrau'r chwedegau oherwydd nad oedd o'n gweithio mor gyson ag y bu yn y theatr yn Lloegr.

Gwlad fechan ydi Cymru, nid yn unig yn ddaearyddol, ond hefyd yn ei hagwedd gul ac eiddigeddus at ei chyd-ddyn. 'Dan ni ddim yn hoffi gweld neb yn llwyddo, yn enwedig os 'di o'n llwyddo yn Lloegr a thu hwnt. Ewadd annwyl. Does 'na ddim plesio rhai pobol, yn nagoes? Y cyfan a wn i ydi fod Clifford wedi rhoi pob cymorth i mi yn fy ngyrfa ac wedi fy nghroesawu ar ei aelwyd ar fwy nag un achlysur, a bod ei deimladau tuag at ddyfodol y theatr yng Nghymru yn hollol ddiffuant. Dros y blynyddoedd dwi wedi ceisio peidio â darllen unrhyw beth mae'r wasg wedi'i sgwennu amdano – oni bai ei fod yn rhywbeth canmoliaethus, wrth gwrs! Ac er bod y wasg yn llym ei beirniadaeth o'r cynhyrchiad y noson honno yn Wrecsam, roedd gweld y pasiant wedi cadarnhau fy mhenderfyniad i adael y banc a mynd yn actor.

Fe ddisgrifiodd R. Williams Parry i'r dim sut yr oeddwn i'n teimlo am undonedd dyddiol fy ngyrfa tu ôl i'r cowntar: 'Fory-a-ddilyn-heddiw-a-ddilyn-ddoe'. Dal i rygnu mlaen yr oedd fy ngyrfa ym myd arian, ond o leia fe ddaeth tro ar fyd pan adewais i'r Wyddgrug a symud i Aber-soch yn 1935. Mae gen i frith gof i mi gyrraedd Aber-soch ar gefn motor-beic yn gwisgo *leggings* ac efo homar o *hangover* ar ôl parti ffarwél yn yr Wyddgrug y noson cynt.

Un o'r petha cynta wnes i ar ôl cyrraedd Aber-soch oedd ceisio ffurfio cwmni drama yn y pentra. Ond wyddoch chi be? Toedd yr enwadau ddim yn fodlon cydweithio efo'i gilydd. Felly, ddyn styfnig ag ydw i, fe gynhyrchais dair drama fer, un efo'r Annibyns, un efo'r Hen Gorff, a'r llall efo'r Bedyddwyr. Wedyn, mi es ati i ofalu am gwmni drama'r Urdd yn y pentra, ac mi gawson ni ail yn y Steddfod efo'r ddrama *Brown y Ditectif.*

Fe syrthiais mewn cariad dair gwaith yn Aber-soch – efo Shakespeare, Mary a Betty Ballochgoy o Wanstead. Dwi 'di sôn eisoes am fy mherthynas stormus efo Shakespeare yn yr ysgol. Roeddem yn casáu ein gilydd. Ond yn Aber-soch trodd y 'winter of discontent' yn 'glorious summer'. Fedrwn i ddim cael digon ohono fo, ac wrth gerdded ar hyd y traethau'n gweiddi ei eiriau yn y gwynt, dychmygwn fy hun yn troedio llwyfannau'r West End a Stratford, ond heb gredu am funud fod yna unrhyw obaith o wireddu'r freuddwyd honno. Yr ail gariad oedd Mary, ac mi sgwennais delyneg iddi hi ar ôl bod yn nosbarthiadau nos R. Williams Parry o'r enw 'Min y Môr', ac mae hi'n dal ar fy nghof o hyd:

> A glywi di y tonnau
> Yn torri ar y traeth?
> A weli di yr ewyn
> Yn llifo'n wyn fel llaeth?
>
> Mae'n nosi'n dawel heno
> A phawb yng nghwsg o'r bron,
> Tyrd hyd y traeth yn araf
> Mae nghalon fach yn llon.

Mae'r lloer yn awr yn codi
Dros erchwyn bell y lli
A gyr ei llwybr golau
Yn union atom ni;

O na chawn fyw bob amser
Fel hyn ar fin y lli
Yng nghwmni'r lloer a'r llwybr
A thon y môr a thi.

*

Mewn stafell yn neuadd Mynytho y byddem yn cyfarfod. Ar y pryd doedd hi ddim wedi'i chwblhau ac, fel ma' pawb yn gwbod, ar ôl iddi agor yn swyddogol, fe gafodd ei hanfarwoli gan Williams Parry yn ei englyn enwog sy'n sôn am y cariad ymhob carreg, a'r cyd-ernes a'r cyd-ddyheu yn ei chodi.

Yn ddiweddarach, ar ôl i bensal las Williams Parry adael ei hôl arni hi, fe gyhoeddodd *Y Cymro* ysgrif a sgwennais, ym mis Ionawr 1937. Roedd 'Tro ym Mhen Llŷn' yn adrodd fy hanes yn mynd am dro ac yn cyfarfod tyddynnwr yn ymyl Porth Neigwl a fynta'n esbonio fod yn rhaid iddo fo symud oherwydd bod yr awyrennau'n hedfan yn isel uwchben ei dir, ac yn ymarfer gollwng bomiau ar dargedau oedd yn sownd wrth angor, allan yn y môr.

Syllais yn hir arnynt gan ryfeddu, mae'n debyg, at eu pwrpas. Ymhen ychydig fisoedd, yn lle'r gwylanod oedd yn troelli'n braf yn yr awel o'u hamgylch, byddai yno awyrennau lawer yn troelli ac yn hyrddio tân atynt. Yn lle'r tyddynnwr oedd yn trin ei dir, byddai'r peiriannau hyn yn poeri'n hyf ac yn aredig y ddaear â'u magnelau. Ac o safbwynt yr awdurdodau, ni allasent gael lle gwell i ymarfer eu harfau rhyfel. Gresyn meddwl y torrir ar dawelwch a phrydferthwch y Porth. Cerddais yn araf ar hyd y traeth i gyfeiriad y Rhiw, gan wrando ar yr eigion yn corddi ac yn gwthio'r ewyn at fy nhraed. Pan fydd y tonnau'n wyllt, gedy'r tywod bob amser yn wastad fel bwrdd ac ni cheir sianelau bychain a welir ar draethau lle mae'r môr yn lled esmwyth.

Yr oedd yn dechrau tywyllu erbyn hyn a gwelwn yr haul yn machlud yn fflamgoch draw dros Ynys Enlli a'r awyr o'i gwmpas i gyd yn gymylau bach, wedi eu lliwio'n euraidd. Yr oedd llechweddau Rhiw wedi eu troi yn las goch a chreigiau Aberdaron yn estyn yn ddu i ganol llewych yr haul ar y dŵr. Cerddais yn hir gan yfed o brydferthwch natur a rhyfeddu at ei ogoniant. Cyn hir daeth fflach o'r goleudy ar Ynys Enlli. Troais fy nghefn yn brudd at yr olygfa a chyfeiriais fy nghamrau yn ôl adref. Safai'r Eifl yn gadarn o'n blaen yn y pellter ond prin y gallwn weld mynyddoedd Eryri dan olau'r lloer. Cyrhaeddais bentref Llanengan, lle mae'r eglwys hen a hynod sydd, gan ryfeddu mae'n debyg at eu pwrpas, yn dyddio'n ôl i'r chweched ganrif. Yma y byddai'r seintiau gynt yn aros am y tro cyntaf cyn mynd i yfed o Ffynnon Fair a chroesi i Ynys Enlli i farw. Dringais i fyny'r bryn yn lluddedig, 'i fwrw'r Sul yn Abersoch'.

Cofiwch mai sgwennwr dibrofiad pump ar hugain oed oeddwn i ar y pryd, ac os ydi'r paent geiriol ychydig yn dew ar y canfas, wel, nid arna i mae'r bai fod brwsh y Bod Mawr yn gneud yn siŵr bob amser fod machlud haul ym Mhen Llŷn ar noson braf yn olygfa sy'n aros am byth yn y cof.

Ond beth am Betty, Betty Ballochgoy? Rhywun gyfarfyddais i ar wyliau oedd hi. Yng ngeiriau'r bardd, ac o enau Romeo, 'This bud of love by summer's ripening breath, May prove a beauteous flower when next we meet'. Ac yn wir, roedd hi'n 'beauty' hefyd, yn enwedig i hogyn tair ar hugain oed efo'i waed yn boeth a chynyrfiadau cnawdol parhaus yn ei lwynau. Hogan o Wansted oedd hi – 9 Selson Road – sy'n profi nad ydi'r brandi ddim wedi piclo'r cof yn gyfan gwbwl! Mae'n od, 'tydi? Fel dwi'n heneiddio, mi fedra i gofio dyddiau plentyndod ond yn 'i chael hi'n anodd cofio lle ddiawl dwi 'di rhoi'r gwydr brandi oedd yn fy llaw gynna bach. Dwi 'di cadw bwndal o lythyrau caru anfonodd hi ata i:

> ...It is very difficult to settle down after such a long and beautiful holiday. Remember the day we sat in the heather? What a beautiful day that was...The time has at last arrived for you to visit London. I am also feeling excited by it...

> Hugh dear, very many thanks for your letter, and the lovely perfume. I hope you have a happy week end. I wish I could be there, when we could stand at our little cottage together...but there's always next year. I do miss you so.

Ond doedd 'na ddim *next year* na *year after next* chwaith i fod yn hanes Betty bwt a fi oherwydd roedd ffawd ar fin newid cwrs fy mywyd. Dim ots pa mor dalentog ydach chi, mae'n rhaid i chi gael tipyn o lwc yn y busnes actio 'ma ac roedd Lady Luck ar fin gwenu arna i fel giât.

Dyma ddigwyddodd. Yr oeddwn i eisoes wedi treulio wythnos, yn ystod haf 1935, ar gwrs mewn theatr fechan yn Hampstead, ac wedi ymweld â theatr yno hefyd, a chyfarfod Flora Robson a Cedric Hardwicke. Cefais gyfle hefyd i actio rhan Iddew mewn drama gan Goldsworthy – pwy'n well, efo'r trwyn sgin i? – ac fe fûm i'n canu hefyd, mewn drama arall. Ar ddiwedd y cwrs gofynnais i'r wraig oedd yn gyfrifol am drefnu'r cyfan a oedd hi'n credu y byddwn i'n actor ryw ddydd. 'Yes, you will be', medda hi.

Ar ôl i mi ddŵad yn ôl adra fe es i draw i glwb golff Aber-soch a digwydd cyfarfod gŵr oedd yn rheolwr banc yn Bishopsgate yn Llundain, wedi dŵad i lawr i weld sut oedd petha yn y banc yn Aber-soch. Cawsom rownd o golff a mwy nag ychydig o ddiod ac yna fe ddudodd wrtha i'n blwmp ac yn blaen nad oedd o'n credu fod 'na ddigon o waith i mi yn y gangen yn Aber-soch, a'i fod o am fy symud i Lundain – fel tae hynny'n rhyw fath o gosb! Cefais hi'n anodd iawn i beidio â rhoi fy nwy fraich amdano a'i gofleidio'n ddagreuol o ddiolchgar. Pwy a ŵyr na fyddwn, o'r diwedd, yn gallu mentro o ddiogelwch byd clerc mewn banc i ansicrwydd cyffrous bywyd fel actor proffesiynol?

Roedd gen i ffrind agos yn gweithio mewn banc yn Llundain a phan alwais i draw i weld Richard Herbert yn ei gartra yng Nghricieth efo'r newyddion da addawodd y câi air ar fy rhan efo'i landledi, Miss Dunn, yn y tŷ yn Pimlico. A chwarae teg iddo fo, mi roddodd gopi o gywyddau Goronwy Owen, wedi'u golygu gan W. J. Gruffydd, yn anrheg i mi. Hogyn o Lanfair Mathafarn Eithaf, lawr y lôn o Farian-glas, oedd Goronwy Owen. Y bardd lleol. Mi gafodd Goronwy fywyd caled iawn, ac yn y pen draw, a fynta'n giwrat tlawd, fe benderfynodd fynd i'r America, fo a'i wraig a thri o blant. Ond fe fu'r wraig a'r mab ieuenga farw ar y fordaith draw. Ac ar ôl iddo ailbriodi fe fu farw ei ail wraig hefyd, ac roedd hynny'n ddigon i'w wthio oddi ar y rêls. Mi fuo farw yn Virginia a'i gladdu ymhell o Gymru, yn Lawrenceville:

> Pell wyf o wlad fy nhadau
> Och sôn! Ac o Fôn gu fau.

Ella mod i'n rhyfygu wrth ddweud hyn, ond dwi'n gweld rhyw debygrwydd anghyffredin rhwng ein bywydau ni'n dau, ac nid cyfeirio at yr yfed dwi chwaith, er mod inna fel fynta wedi gwneud mwy na fy siâr o hynny yn ystod fy oes. Fe ddaru ni'n dau ailbriodi a mynd i Merica i wella'n byd, ac fe ddaru ni geisio codi safonau celfyddydol yr hen wlad 'ma. Fo'n poeni am safon enbyd barddoniaeth yng Nghymru ar y pryd a finna am weld codi safonau ym myd y ddrama a sefydlu Theatr Genedlaethol. Y peryg ydi y bydda inna fel fynta wedi gadael yr hen fyd 'ma cyn gweld gwireddu fy mreuddwyd.

Unwaith y gadawodd Goronwy Gymru, ddaeth o ddim yn ei ôl. Wnes inna ddim chwaith. Mi es i o Aber-soch i Loegr, ac aros yno: 'Ac i dir Môn, estron wyf.' Fe fûm yn ystyried prynu tŷ ar Ynys Môn, un efo enw tlws iawn, Maes y Geiniog, ond roedd gin i ryw deimlad yn fy nghalon na fyddai Gunde, fy ngwraig, yn hapus yno. A bod yn onest, roeddwn i'n teimlo hefyd fod y tŷ lle roeddan ni'n byw mewn man cyfleus. Ar y naill law, roeddan ni'n byw yn Warwickshire, mewn pentra yn agos i Stratford, ac ar y llaw arall, doeddwn i ddim yn rhy bell o Gymru er mwyn i mi fedru picio 'nôl rŵan ac yn y man. A doedd Llundain ddim yn bell chwaith, efo'i theatrau a'i stiwdios. Wyddoch chi be, ar ôl i mi actio'r Brenin Llŷr mewn cynhyrchiad Cymraeg yn Abertawe yn 1948 ches i dim cynnig gwaith yng Nghymru tan 1976, ar wahân i ryw ddramâu radio, oedd yn talu'n sâl iawn. Taswn i wedi dibynnu ar gael fy nghyflogi gan y cyfryngau a'r theatr, fel ag yr oedd hi yng Nghymru o'r saithdegau ymlaen, mi faswn wedi bod yn dlotach na'r hen Goronwy druan.

Gyda llaw, tra oedd o'n byw yn Northolt, tu allan i ddinas Llundain, y sgwennodd Goronwy ei gywydd enwog 'Hiraeth am Fôn' yn 1756, flwyddyn cyn iddo fo gychwyn am Virginia. A dyma finna rŵan, yn dilyn yn ôl ei draed o fel petai, o Fôn i Lundain ac yn y pen draw i'r America. Gwyddwn ym mêr fy esgyrn na fyddai'r swydd yn y banc yn para'n hir. Roedd ffawd wedi fy rhyddhau o'r cyffion teuluol, a theimlwn y byddwn yn dianc o grafangau'r banc yn fuan ar ôl cyrraedd y ddinas fawr. Teimlwn yn barod i ymateb i'r her oedd yn fy wynebu. Wedi'r cwbwl, 'Pwy rydd i lawr wŷr mawr Môn?'

CYCHWYN AR LWYFAN

E R bod dyn y banc o Bishopsgate wedi agor y drws a rhoi
cyfle i mi ehangu fy ngorwelion drwy fynd o Lŷn i Lundain,
doeddwn i ddim yn bwriadu treulio gweddill fy oes tu ôl i
gowntar yn trafod arian pobol eraill. Roeddwn i'n dal i glywed
yn fy nghlustia eiriau cadarnhaol y wraig ar y cwrs drama yn
Llundain, yn dweud ei bod hi'n credu fod 'na ddeunydd actor
ynof i. Dyna ddudodd hi ac, yn wir, o fewn ychydig wythnosau
i gyrraedd y brifddinas, fe gefais fy rhan broffesiynol gynta fel
aelod o'r St Pancras People's Theatre, oedd yn ymarfer mewn hen
gapel. Dwi'n siŵr mai oherwydd bod yr hen gapel yn Camden
yn f'atgoffa o'r hen ysgol ym Marian-glas yr oeddwn i'n teimlo
mor gartrefol yno. Cwmni amatur cydweithredol oedd o, pawb
yn cyfrannu syniadau, yn cyd-sgwennu ac yn perfformio drama
newydd bob wythnos fel cwmni *rep*. Ac efo'r cwmni yma y ces
i fy nghyfle cynta i ddangos fy nhalentau theatrig i gynulleidfa
yn Llundain. Mewn drama gan Shakespeare? Naci. Chekhov?
Ddim cweit. Comedi gan Noel Coward? Wel, dach chi'n nes ati
rŵan.

Cliw i chi. Tasach chi wedi bod yn y theatr yn fy ngwylio
yr wythnos honno fasach chi ddim wedi fy ngweld i. Roeddwn
i'n guddiedig. Yn hollol guddiedig – fel pen-ôl i fuwch mewn
pantomeim Dolig! (Ac mi fasa rhai actorion a chyfarwyddwyr
sydd wedi gweithio efo fi'n deud mod i wedi bod yn dipyn o
boen yn y tin byth ers hynny!) Ches i ddim hyd yn oed gyfle i
ddeud 'Mw', dim ond ysgwyd fy mhwrs a nghynffon a chicio
fy nghoesau cystal ag y gallwn i. Dyna fo. Dyna oedd fy rhan
gynta erioed ar lwyfan y theatr yn Llundain.

Mae'n rhaid i bawb ddechrau yn rhywle, ac roedd ymuno â'r cwmni amatur yna, a'r profiada gwerthfawr ges i, ar wahân i'r hwyl wrth gwrs, wedi fy ngwneud i'n fwy penderfynol o fod yn actor proffesiynol. Ond yn y cyfamser roedd yn rhaid i mi weithio i'r banc er mwyn cael pres i dalu Miss Dunn, landledi fy ffrind Richard Herbert, yn Pimlico. Roedd 'na gymysgedd od iawn yn nhŷ lojin Miss Dunn: Richard a finna, reffiwjî o'r Almaen, rhyw broffesor egsentrig iawn oedd yn gweithio i'r Air Ministry, a phlisman oedd yn medru cael tocynnau i weld unrhyw gyngerdd yn y Queen's Hall. Dwi'n cofio mynd un noson efo Richard i weld Toscanini'n perfformio. Ew, mi fasa'r sefyllfa yn nhŷ lojin Miss Dunn wedi gneud comedi heb ei hail.

Ond doedd byw yn Llundain ddim yn jôc. Prin iawn oedd y pres oedd yn weddill ar ôl talu am fy lle, ac amal i noson fe fyddwn yn rhynnu yn fy stafell mewn *dressing gown* a chôt drom am fy sgwyddau i gadw'n gynnes am nad oedd gin i geinioga ar gyfer y *gas meter.* Dwn i ddim be faswn i wedi'i neud heb lythyrau fy chwaer Charlotte a'r papurau deg swllt rhwng y tudalennau. Fe fu fy chwiorydd, Neli a Charlotte, yn dda iawn wrtha i drwy fy oes. Heb os, roedd Elen bob amser yn meddwl amdanaf fel 'y brawd bach' – y brawd bach lwyddodd i roi Marian-glas ar y map, a dod ag enwogrwydd i deulu Angorfa. Ac er na fasa hi byth yn cymeradwyo'r afradlonedd yn fy mywyd, roedd hi wastad yn hapus i'm cyflwyno fel 'Hugh fy mrawd' gan gau'i llygaid yr un pryd i ddangos mor falch oedd hi ohona i. Mamol iawn oedd agwedd Neli tuag ataf pan oeddan ni'n blant ar y Marian ac, oherwydd hynny efallai, a'r ffaith fod 'na bedair blynedd rhyngom, roedd 'na fwy o berthynas brawd a chwaer rhyngdda i a Charlotte.

Un bore fe ddaeth llythyr i lojins Miss Dunn, heb bapur deg swllt ynddo. Yn wir, doedd 'na ddim byd ynddo ond y newyddion trista posib. Roedd fy nhad wedi gadael Angorfa ym Marian-glas yn y Morris Cowley, ac wedi cael ei daro gan

ergyd o'r parlys. Fe lwyddodd i stopio'r car ac fe oedodd rhyw
Samariad trugarog oedd yn digwydd mynd heibio ar y pryd a
mynd â fo adra, ond mi fuodd farw'r noson honno, y seithfed o
Ionawr 1935, yn chwe deg ac un mlwydd oed. Dwi'n cofio Elen
yn deud ar y pryd mai dyna'r 'diwrnod duaf yn ein hanes fel
teulu'. Does 'na ddim dwywaith iddo fod yn ddylanwad mawr
arna i. Cofiwch, doeddwn i ddim yn hapus o gwbwl ei fod o wedi
mynnu, i bob pwrpas, mai dilyn gyrfa yn y banc fel amryw o'r
teulu fyddai'r llwybr gora i mi ond, ar y llaw arall, roedd y ffaith
ei fod o'n berfformiwr wrth reddf ac yn un da am adrodd stori
a dynwared gwahanol leisiau, wedi lliwio fy mhenderfyniad i
geisio ennill fy mywoliaeth yn y 'busnas tynnu stumia'. 'Hysbys
y dengys dyn o ba radd y bo'i wreiddyn.' Roeddwn i'n fab i Wil
Bob Llais, ac yn berfformiwr wrth reddf. Efallai fod y cyfan
wedi'i ragordeinio.

Ond bu'n rhaid i mi aros am ddwy flynedd cyn i mi allu
gwireddu fy mreuddwydion ac, yn y cyfamser, i'r banc yn
Bishopsgate, i Adran y Cerddwyr, y byddwn i'n mynd bob bore.
Fy ngwaith i oedd mynd o gangen i gangen yn casglu sieciau,
a'u dychwelyd i Bishopsgate ar ddiwedd y dydd. Doedd hi
fawr o job ond o leia roeddwn i'n cael cyfle i ddŵad i nabod
Llundain yn dda, ac ar amal i bnawn mi faswn i'n diflannu i'r
sinema neu i'r *matinee* yn y theatr. Laurence Olivier a Peggy
Ashcroft oedd sêr y New Theatre, yn perfformio Romeo a Juliet,
tra oedd George Robey yn chwarae'r brif ran yn *Falstaff* yn
theatr enwog Her Majesty's. Dau enw mawr arall yn y West
End ar y pryd oedd Edith Evans ac Emlyn Williams. Pwy fasa'n
meddwl y baswn i, Hugh Griffith, clerc di-nod mewn banc a
dynwaredwr pen-ôl buwch, ryw ddiwrnod yn actio efo'r ddau,
mewn ffilm a gyfarwyddwyd gan Emlyn Williams, sef *The Last
Days of Dolwyn* – y ffilm gynta i Richard Burton actio ynddi
hi, gyda llaw. Tipyn o fand un dyn oedd Emlyn, yn sgwennu,
cyfarwyddo ac yn actio yn ei ddramâu ei hun. Un o'i ddramâu

enwoca efallai oedd *Night Must Fall*, ac er i mi fwynhau perfformiad Emlyn pan es i i'w gweld hi yn y Duchess Theatre yn fuan ar ôl i mi gyrraedd Llundain, dwi'n rhyw ama nad oedd Sydney Carroll, beirniad y *Daily Telegraph*, yn meddwl rhyw lawer o'r cynhyrchiad gan iddo fo ddewis canolbwyntio ar ymddangosiad corfforol Emlyn a mynd dros ben llestri braidd wrth ei ddisgrifio:

He cannot be described as good looking, but there is a weird Celtic beauty in his aspect which suggests a magic mystic pool in the Welsh Hills.

Blydi rybish sentimental!

Roedd y sinema'n cynnig adloniant cyffrous a hynny am bris rhesymol. *Matinee* yn y bore yn ddwy geiniog, chwe cheiniog yn y pnawn a swllt yn y nos, i weld Judy Garland, Greta Garbo, Carole Lombard, James 'You Dirty Rat' Cagney, Clark Gable, George Raft a Humphrey Bogart. Gwirionai'r merched ar gampau rhyfeddol y stalwyn dilyffethair hwnnw, Errol Flynn, fel y môr-leidr yn y ffilm *Captain Blood*. Eraill yn cael eu dychryn gan Boris Karloff yn *Bride of Frankenstein* neu eu cyffroi gan ffilmiau Alfred Hitchcock fel *The 39 Steps* a *The Lady Vanishes*. Byddai'r Marx Brothers yn siŵr o neud i chi chwerthin yn eu ffilm gynta, *A Night at the Opera*, a Bette Davis yn eich gwefreiddio efo'i pherfformiad fel alcoholig yn y ffilm *Dangerous*, perfformiad a enillodd Oscar iddi. Y rhain oedd sêr y sgrin arian ar y pryd ac nid sêr gwib mohonyn nhw chwaith, fel y petha ifanc 'ma heddiw. Oherwydd eu bod nhw'n feistri ar y grefft o actio o flaen y camera roedd y rhan fwya ohonyn nhw'n dal yn enwau mawr pan gychwynnais i ar fy ngyrfa'n go iawn ar ôl y rhyfel.

Maen nhw'n deud i mi fod tua thair miliwn ar hugain o bobol yn mynychu'r sinemâu drwy Brydain erbyn diwedd y tridegau, a dwi'n synnu dim fod y sinema mor boblogaidd. Nid yn unig roeddach chi'n cael adloniant am bris rhesymol, yn cael gweld sêr mwya Hollywood a llwyr ymgolli yn eu campau yn nhywyllwch y sinema, ond yn medru gwneud hynny mewn moethusrwydd rhyfeddol. Seddau cyfforddus, carpedi trwchus, colofnau marmor – toeddan nhw'n edrych fel palasau Eifftaidd? Temlau i adloniant, dyna'n llythrennol oedd yr Astoria, y Gaumont, y Ritz a'r Regal, yr Embassy a'r Ambassador, ac wedi costio o leia £100,000 yr un i'w codi. Temlau, lle deuai ffyddloniaid fel fi i addoli wrth allorau eu harwyr a chael anghofio am waith y dydd yn sŵn hymian yr olwyn oedd yn taflu'r lluniau ar y sgrin fawr.

Fedra i ddim cofio rŵan beth wnaeth i mi anfon llythyr i goleg drama RADA yn gofyn am fwy o fanylion ynglŷn â'r cyrsiau roeddan nhw'n eu cynnig. Yn sicr, doedd fy ffrind Richard Herbert ddim o blaid y syniad o gwbwl, ac yn credu mod i'n hurt bost i adael sicrwydd swydd yn y banc am ansicrwydd bywyd llwm yr actor. Mae'n bur debyg fod geiriau cefnogol y wraig yna ddudodd wrtha i ei bod hi'n credu y gallwn fod yn actor wedi fy nhanio, a hefyd y ffaith mod i'n mwynhau cwmni fy nghyd-actorion yn y St Pancras People's Theatre wedi fy sbarduno i gymryd y cam mawr o'r byd amatur i'r byd proffesiynol. Ac efallai mod i wedi rhesymu mai'r bont oedd yn cysylltu'r ddau fyd oedd coleg drama enwog RADA. Beth bynnag, ar ôl anfon llythyr i'r coleg, fe ddaeth ateb ddechrau 1937 yn cynnig cyfle i mi ymgeisio am ysgoloriaeth Leverhulme – fi a phedwar cant o bobol ifanc gobeithiol eraill. Fe'm rhybuddiwyd y byddai'r beirniad yn chwilio am *exceptional promise of dramatic talent, apart from the question of financial need*. Doedd 'na ddim amheuaeth am y *financial need*, ond doeddwn i ddim mor siŵr am yr *exceptional talent*:

'Tell me young Griffith, do you think you've got exceptional acting talent?'

'Well sir, you need exceptional talent to create an impression as the back end of a cow, and when I was in school, I quite often pretended to faint, so I could go home. And I got away with it more than once.'

Efallai mai'r ateb oedd na fyswn i'n gwbod pa mor dalentog oeddwn i, nes i mi fesur fy hun yn erbyn ymgeiswyr eraill. Wrth gwrs, pe bawn i'n eithriadol o dalentog fasa dim angen coleg actio arna i, ond doeddwn i ddim yn mynd i ddeud hynny wrthyn nhw. Beth bynnag, fe lwyddais i gyrraedd y chwech olaf. Tipyn o gamp i hogyn o sir Fôn, yn perfformio yn ei ail iaith. Felly, pan ofynnodd y prifathro i mi a oedd gennyf ddarn arall y gallwn ei berfformio, penderfynais adrodd cerdd hir yn y Gymraeg. Ymateb y panel oedd chwerthin, ac fe ychwanegodd y prifathro, 'Thank you, but that's not what we expected'. Ymhen ychydig ddyddiau cyrhaeddodd llythyr o RADA yn dweud nad oeddwn wedi cael fy nerbyn. 'Rho'r gora i'r syniad gwirion o fod yn actor. Mwynha dy hun gyda'r nos efo dy ffrindiau yn y cwmni amatur, ond anghofia am wneud bywoliaeth o'r busnas actio 'ma,' dyna oedd cyngor fy ffrind Richard Herbert.

Ond roedd cael ei wrthod wedi gwneud Hugh penstiff Griffith yn fwy penderfynol. Y tro yma byddwn yn mynd am hyfforddiant at actor oedd eisoes wedi gwneud enw iddo'i hun yn y West End, y Cymro o Senghennydd, Clifford Evans. Yn ddwy ar bymtheg oed, roedd wedi gadael yr Ysgol Ramadeg yn Llanelli a mynd i RADA. Yno fe gafodd hyfforddiant gan y goreuon – Claude Rains, Robert Donat a Helen Hayes – ac yn ddwy ar hugain oed roedd o yn y West End yn actio efo Sybil Thorndike. Fe wnaeth enw iddo'i hun ar Broadway yn nes ymlaen yn chwarae rhan Laertes yn *Hamlet* efo Leslie Howard. Ac mi fydda i'n bersonol yn fythol ddiolchgar iddo fo am sgwennu stori *A Run for Your Money* ar gyfer y sgrin, flynyddoedd yn ddiweddarach. Mi ges i dipyn o ganmoliaeth gan y wasg am fy rhan ynddi fel y bysgar ar y delyn yn Llundain ac, o ganlyniad i wneud y ffilm honno, fe lifodd y gwaith i mewn. 'Hugh Griffith,' meddai'r *News of the World* ar y pryd, 'plays his part with wonderful bardic fervour. He is a magnificently turbulent figure, of eloquent speech, terrifying eye, sweet song and human cunning.'

Perfformio yn y ddrama *Ghosts* gan Ibsen yr oedd Clifford pan es i *backstage* i'w weld o. Tynnodd fy sylw at y ffaith fod gen i 'acen ofnadwy sir Fôn' a'i fod o wedi cael rhybudd pan aeth o i RADA: 'You have to try and speak the King's English, unless you want to play Welsh servants all your life.' Doedd gen i ddim bwriad treulio oes ar y llwyfan neu mewn ffilmiau yn chwarae gweision neu rannau bychain di-nod, ond doeddwn i ddim am gael gwared o fy acen Gymreig chwaith. Mae hi yno ym mhob rhan dwi wedi'i chwarae: yn *Ben Hur, Mutiny on the Bounty, A Run for Your Money, Tom Jones.* A dwi'n hynod o falch mod i wedi cael f'adnabod gan y wasg fel *Welsh actor.* Dwi'n cofio Polly Devlin yn dŵad i ngweld er mwyn gwneud erthygl amdana i ar gyfer *Vogue* a dyma ddudodd hi:

He came to the top of his profession without losing much of himself. Except for the material trappings, the young bank clerk is there. Griffith lights the stage or set where he is working with the flamboyance and integrity of his presence.

Roedd bod yn driw i mi fy hun yn bwysig iawn i mi. Fel dudodd William Shakespeare:

> To thine own self be true,
> And it must follow, as the night the day
> Thou canst not then be false to any man.

Beth bynnag, cyngor Clifford oedd y dylwn drio am le eto, ac fe ychwanegodd fod 'na groeso i mi fynd draw i'w weld o yn ei gartre i gael hyfforddiant.

A be oedd canlyniad hyn i gyd? Chwerthin am fy mhen unwaith eto? Dilorni fy acen Gymreig? Naci wir. Nid yn unig fe ges i le yn RADA, ond fe enillais ysgoloriaeth hefyd, oedd yn golygu darlithoedd am ddim a dwy bunt a deg swllt yr wythnos at fy nghadw. Anfonais ddau delegram yn syth bìn, y naill at Clifford, oedd yn ffilmio yn Livorno, efo'r un gair 'Buddugoliaeth', a'r llall at fy annwyl Charlotte, oedd erbyn hyn yn byw yn Laura Place, Aberystwyth.

Derbyniais y newydd ar y bore Gwener yn y banc, ac euthum i weld y rheolwr yn syth.

'I've won a scholarship to RADA so I won't be coming in on Monday.'

'Mr Griffith, you have to give us six months' notice.'

'Sue me. I'm overdrawn and I'm giving you three days.'

Ac allan â fi. Poerais ar garreg drws y banc ac es i'r dafarn drws nesa i dathlu efo fy ffrindiau fy mod, o'r diwedd, ar ôl chwe blynedd a hanner, yn rhydd o'r banc am byth. Gwyddwn yn iawn fod nifer o'm cyd-weithwyr yn credu fod gadael yn gam yn ôl. Roedd eraill yn edmygu fy mhenderfyniad, ac fe gefais focs *make-up* yn anrheg i ddymuno'n dda i mi.

Penderfynais y byddwn yn mynd o lojins Miss Dunn a symud i le yn Islington – oedd ddim hanner cystal ond ddeg swllt yn rhatach. Roedd gadael y banc yn golygu fy mod yn colli cyflog o £310 y flwyddyn, a bellach yn gorfod byw ar £2 yr wythnos ar ôl talu am y lojin. Mrs Sharpe oedd y landledi newydd ac, er nad oedd y tŷ lojin yn cynnig fawr o foethusrwydd, fe gawn frecwast campus ganddi bob bore cyn dal y bỳs i RADA yn Gower Street.

Dwi'n cofio fawr ddim am y myfyrwyr eraill yn y coleg ond dwi'n cofio cael gwersi *Voice Production, Fencing, Elocution, Gesture, Accents* ac yn y blaen, a'r rheini i gyd am ddim wrth gwrs, diolch i'r ysgoloriaeth. Ond wedi deud hynny, doedd byw ar £2 yn Llundain ddim yn hawdd, ac oni bai am gymorth ariannol gan Charlotte a Neli, dwn i ddim sut baswn i wedi para. Yn wir, fe gynigiodd Neli ohirio'i phriodas er mwyn fy helpu'n ariannol, chwarae teg iddi hi. Ond fynnwn i ddim clywed y ffasiwn beth, ac yn wir roeddwn i yno, ym Mharadwys, sir Fôn, ar 18 Ebrill 1938, yn gweld Neli Griffith yn priodi Gwilym Roger Jones. Fe ges i gyfle i ddeud gair yn ystod y briodas a dwi'n cofio i mi ddyfynnu geiriau'r bardd Saesneg William Blake:

> Man was made for joy and woe
> And when this we rightly know
> Through the world we safely go.
> Joy and woe are woven fine,
> A clothing for the soul divine.

Does 'na neb yn gwybod yn well na Neli a fi pa mor agos i'w le yr oedd yr hen Blake. I Gaerdydd yr aeth y ddau ar eu mis mêl, a thra oeddan nhw yno fe aethon nhw i weld un o ddramâu J. B. Priestley, *I Have Been Here Before*, a wyddoch chi be? Roedd yr un llinellau yn union yn cael eu dyfynnu yn y ddrama! Mae'n wir ein bod ni fel teulu wedi cael ein siâr o'r *joy* a'r *woe*, fel sawl teulu arall, ond 'dan ni wedi llwyddo i ddŵad drwyddi hi. Roeddwn i'n edrych ar lun o'r briodas y noson o'r blaen, a finna efo sigarét yn fy llaw chwith. Fedrwch chi ddim gweld fy llaw dde yn y llun, ond, o gofio mai priodas Neli oedd hi, dwi'n amau'n fawr a oedd hi'n dal gwydraid o win!

Anfodlon iawn oedd fy mam, a'm hanner brawd Thomas, fy mod wedi gadael y banc. Ac er bod Neli'n credu fod 'na daith go arw o fy mlaen os oeddwn am fod yn actor, clywais gan eraill ei bod wedi dweud ar goedd, gyda balchder, ar ôl i mi ennill yr ysgoloriaeth, 'Yr hogyn bach 'ma o gefn gwlad Môn yn cystadlu yn erbyn bechgyn o ysgolion bonedd oedd wedi cael pob math o gyfleusterau'.

A chyn diwedd fy mlwyddyn gyntaf yn RADA yr oeddwn wedi dangos i'm cyd-fyfyrwyr am yr eildro nad anfantais o gwbwl oedd acen Gymreig yn hytrach nag acen brenin Lloegr, os oedd gynnoch chi hefyd ychydig o dalent. Ac fel un o Fôn, 'gwlad y medra', doedd gen i ddim amheuaeth nad oedd y dalent gen i. Ond mae 'na un peth arall dach chi ei angen i lwyddo yn y busnes yma, a dach chi angen dos go lew ohono fo hefyd – a lwc ydi hynny. Bod yn y lle iawn ar yr amser iawn. O edrych yn ôl dros fy ngyrfa, mae Lady Luck wedi gwenu arna i droeon. A deud y gwir, o gofio mod i wedi mwynhau fy mywyd i'r eitha, dwi 'di cael mwy na fy haeddiant o lwc. Ond mae hi wedi cael hwyl am fy mhen i fwy nag unwaith hefyd. Ia! Gwir y geiriau, 'joy and woe...' Profais y ddau beth yn gyson drwy fy oes. Llwyddiant a methiant, llawenydd a thristwch, canmoliaeth a beirniadaeth – dwy ochor i'r un geiniog. Codais i'r entrychion a disgynnais i'r dyfnderoedd unig a thywyll. Tydi hi ddim wedi bod yn daith hawdd o gwbwl, ond ar waetha ambell i ddyrnod, argian fawr, dwi 'di mwynhau fy hun ar y ffordd!

. . . OND NID YNG NGHYMRU

Gobeithio y bydd Mam yn fwy bodlon ar ôl darllen hwn; efallai y caf air mwy rhesymol, achos nid cerydd sydd arnaf eisiau ond cymorth moesol. Blin iawn yw Tomos mae'n siŵr. Pe digwydd i mi wneud enw i mi fy hun – fel yr wyf yn bwriadu gwneud wrth gwrs – fe fyddwch i gyd yn fwy balch ohonof. Pe bawn wedi aros yn y banc, ni fuaswn byth wedi cyrraedd sefyllfa i ymffrostio amdani.

DYNA bwt o lythyr anfonais i at Charlotte yn ystod fy mlwyddyn yn RADA. Ac mi oedd gin i le i ymffrostio hefyd, nid mod i eisiau chwythu fy nhrwmped fy hun, dach chi'n dallt, ond erbyn diwedd 1939 a diwedd fy arhosiad yn RADA, roeddwn wedi profi i nghyd-fyfyrwyr, ac i mi fy hun hefyd, fod gen i rywbeth arbennig i'w gynnig i fyd actio. Ddechrau'r flwyddyn, heb ganiatâd y coleg, dechreuais weithio mewn *box office* yn y West End, a'r un pryd roeddwn i hefyd yn *understudy* ar gyfer rhan Jimmy Farrell yn y ddrama *The Playboy of the Western World* yn y Mercury Theatre, ac yn ennill £2 yr wythnos. Credwch chi fi, roedd yr arian ychwanegol yn gneud byd o wahaniaeth, hefo Mrs Sharpe y landledi yn f'atgoffa fi'n wythnosol pa mor ddrud oedd petha: peint o lefrith yn dair ceiniog a dima, a margarîn yn chwe cheiniog y pwys; pwys o gaws yn ddeg ceiniog a phwys o siwgr yn bedair ceiniog a dima; Woodbines yn ddwy geiniog am bump, a Players yn saith geiniog am ddeg; peint o gwrw yn chwe cheiniog. Tasa Mrs Sharpe isio talu am forwyn i llnau a gneud tipyn o goginio mi fasa'i chyflog hi'n bunt yr wythnos.

Neu dudwch ei bod hi'n priodi a'i gŵr hi 'di prynu car, wel, mi fasa'r byngalo tair stafell wely wedi costio £550, a'r Baby Austin newydd sbon yn y garej yn £120. A beth am y cyflogau? Wel, cyflog y dyn ar gyfartaledd oedd £3 9s yr wythnos, a'r ddynes yn lwcus iawn i gael £1 12s.

Ar ddiwedd y flwyddyn roeddan ni i gyd fel myfyrwyr yn cystadlu am un o brif wobrau'r coleg, sef Medal Aur Bancroft, ac yn gorfod perfformio o flaen panel o actorion nodedig a'r dramodydd enwog George Bernard Shaw. Roeddwn i wedi penderfynu chwarae rhan Owain Glyndŵr allan o *Henry IV* a Napoleon allan o *Back to Methuselah* gan Mr Shaw. Dwn i ddim oedd yr ail ddewis yn un doeth o gofio y byddai'r awdur yn y gynulleidfa. Ta waeth, ar y pnawn yr oeddwn i fod i ymddangos o flaen y dyn mawr a'r gweddill, fe ges i neges i ddeud fod yr actor a oedd yn chwarae rhan Jimmy Farrell yn y West End yn sâl ac y byddai'n rhaid i mi ymddangos ar y llwyfan yn ei le y prynhawn hwnnw, yn nrama Synge, *The Playboy of the Western World*. Gan mai i swyddfa'r prifathro y daeth y neges, fe wydda fo bellach mod i wedi cael joban heb ganiatâd. Gollyngwyd clamp o gath fawr allan o'r cwd! Ymddiheurwyd i George Bernard Shaw, gan ddisgwyl y bydda fo'n wyllt gacwn oherwydd fod 'na fyfyriwr o'r coleg lle roedd o, George Bernard, yn ymddiriedolwr, wedi meiddio rhoi blaenoriaeth i *extra-curricular activities* yn hytrach na sicrhau ei fod o lle dylia fo fod, sef o flaen y panel yn perfformio. Dyna oeddwn i'n ddisgwyl ei glywed o enau'r dramodydd. Ond roedd ei ymateb yn annisgwyl, a deud y lleia.

'I'm glad,' medda fo, 'that the young man is spending his afternoons performing the works of such a great dramatist and fellow countryman as Mr Synge.' Cefais gyfle i berfformio i'r panel y diwrnod canlynol, ac ar ôl actio Napoleon a chyn perfformio Owain Glyndŵr, gofynnodd Shaw o ble roeddwn i'n dŵad. Ar ôl i mi esbonio, medda fo, 'I suppose you've heard of

Lloyd George. Remember him, and let the lines flow like a good Welshman. Give it all the Welsh fire you can. The English are too dead. You are a Celt.'

Mae'n rhaid fod y tân yn llosgi yn fy mol y diwrnod hwnnw oherwydd fe lwyddais i ennill y Fedal Aur a Gwobr Shakespeare y coleg am fy mherfformiad o Owain Glyndŵr, ac roedd Charlotte yn theatr yr Apollo i weld ei brawd bach o Farian-glas yn curo'r lleill i gyd. Fe ddaru Bernard Shaw gynnal gweithdy efo ni, a'n cyfarwyddo ni. Profiad bythgofiadwy oedd gweld y dramodydd yn cropian o gwmpas ar ei bedwar er mwyn dangos sut basa fo'n perfformio rhyw ran arbennig, a fynta dros ei bedwar ugain. Peidiwch â gofyn i mi be ddigwyddodd i'r fedal. Yr unig beth dwi'n ei gofio ydi fod 'na lun o ben Shakespeare ar un ochor a fy enw i ar yr ochor arall. Mae gin i go' hefyd fod Mam wedi'i chael i'w chadw yn y chwedegau – rhag ofn i mi ei gwerthu hi am bris potel ne' ddwy o frandi, ma'n siŵr.

Yn ystod fy nghyfnod yn RADA fe fûm i'n meddwl tipyn am y posibilrwydd o gael Theatr Genedlaethol i Gymru, gan roi fy syniadau i lawr ar bapur. Er bod yr iaith yn flodeuog fel un o bregethau John Williams Brynsiencyn ar brydiau, wrth ailddarllen ysgrif y myfyriwr ifanc hwnnw – roeddwn i'n saith ar hugain oed ar y pryd – mae'n rhaid i mi ddeud mod i'n dal i gytuno efo'r hyn sgwennis i yn 1939, yn enwedig fy mhwyslais ar feithrin sgwenwyr da:

Ni wellodd safon ysgrifennu dramâu y blynyddoedd diwethaf. Pe byddai Chwaraedy Cenedlaethol at wasanaeth egin ddramodydd, fe anfonai ei *script* i'w ddarllen a'i beirniadu a phe derbynnid ei ddrama, gallai ddilyn y rhagberfformiadau lle yn ddiamau y gwnâi gyfnewidiadau ac ychwanegiadau. Mewn geiriau eraill, gallai arbrofi, a'r un pryd ei ddysgu ei hun yng nghelfyddyd a thechneg y chwaraedy. Arferai Chekhov ddarllen ei ddramâu i gwmni'r Moscow Arts Theatre, ac fe fynychai y rhan fwyaf o'r rhagberfformiadau. Gwnâi Bernard Shaw yr un peth hyd yn ddiweddar. Addysgwyd O'Casey a Synge yn theatr yr Abbey. Rhoddir 'treial' i'r rhan fwyaf o'r dramâu a welir yn y West End y tu allan i Lundain yn gyntaf. Erbyn cyrraedd y West End cenfydd yr awdur a'r cynhyrchydd y ffurf orau, ac yna cyhoeddir y ddrama ar ôl darganfod ffurf actol berffaith a rydd fodlonrwydd perffaith.

Nid hyn yw y ffordd yng Nghymru. Ysgrifennir drama, fe'i cyhoeddir neu fe'i hanfonir i gystadleuaeth, heb amgyffred pa feflau a allai fod ynddi pe câi ei rhagberfformio. Pe câi'r dramodwyr y cyfle i weld perfformio eu dramâu, ymdeimlent â theilyngdod a meflau eu gwaith. Ffordd allan o'r anhawster, yn ôl fy marn i, yw cael Chwaraedy Cenedlaethol. Fe wyddom fod chwaraedy mewn enw yn unig yn Llangollen, ac yn wyneb diffyg cefnogaeth, ac anawsterau ariannol, ni cyrhaeddodd yr antur honno'r disgwyliadau. Awgrymaf i'r bobol sy'n gyfrifol yn Llangollen i alw cyfarfod tebyg i seiat llenorion yn yr Eisteddfod Genedlaethol i drafod y ffordd ymlaen. Rhaid fyddai i'r chwaraewyr gael rhyw gymaint o ddisgyblaeth mewn ystum a siarad, ac felly ymlaen, cyn dechrau perfformio. Ond yr hyn sy'n bwysig yw cael cynhyrchydd da a phrofiadol a threfnydd deheuig. Yr unig ffordd i addysgu actio yw trwy gydweithredu gyda chynhyrchydd da a phrofiadol. Felly, sut eir ati i sefydlu menter o'r fath? Drwy ethol bwrdd o gyfarwyddwyr, gyda rheolwr, ysgrifennydd a thrysorydd, a chael pobol gefnog yng Nghymru i brynu *shares*, a rhai sydd ddim mor gefnog i danysgrifio hanner gini o aelodaeth.

A dyma ni, yn dal i aros am y dydd y bydd drysau ein Theatr Genedlaethol yn agor led y pen.

Ceisiodd y coleg fy mherswadio i aros am flwyddyn arall, ond doeddwn i ddim yn gweld fod unrhyw bwynt i mi wneud hynny. Wedi'r cyfan, y ffordd orau i ddysgu sut i actio ydi cael cyfle i ymarfer y grefft a dysgu oddi wrth eich cyd-actorion. Ac fe ddaeth mwy nag un cyfle yn fuan iawn ar ôl gadael y coleg. Fe fûm i mewn cynhyrchiad modern o *Julius Caesar* yn yr Embassy ac wedyn yn Her Majesty's. Yn bersonol, mae'n well gin i weld Shakespeare yn cael ei actio yn y dull traddodiadol. Ond dyna fo, roedd o'n gyfle gwych i actor ar ei brifiant. Dwi'n cofio'n iawn mod i'n chwarae rhan Marullus mewn *breeches* a chrys llwyd, Popilus mewn siwt ffurfiol, a Lepidus mewn *uniform* a *monocle*. A'r gŵr roddodd gymaint o help i mi i fynd i mewn i RADA, Clifford Evans, oedd yn chwarae Cassius.

Un o enwau mawr byd y theatr ar y pryd oedd Edith Evans ac fe gefais ran fechan efo hi mewn cynhyrchiad o ddrama Shaw, *The Millionairess*. Gyda llaw, mae stori'n cael ei hadrodd am Edith sydd bob amser yn dŵad â gwên i fy wyneb i. Dwn i ddim a ydi hi'n wir ai peidio, ond dyna fo, mae hynny'n wir am gynifer o straeon am gynifer o bobol yn y busnes – fel y gwn i'n dda! Pwy ddudodd, 'Don't let facts spoil a good story'? Beth bynnag, yn ôl yr hanes, roedd actores ifanc newydd adael RADA ac wedi cael rhan, ei rhan gynta, mewn drama efo Edith Evans, ac wrth gwrs roedd hi'n nerfus dros ben. Yng ngolygfa gynta'r ddrama dim ond y hi ac Edith oedd ar y llwyfan ac, yn wir, roedd popeth yn mynd yn iawn – nes i'r ffôn ganu. Doedd o ddim i fod i ganu tan ddechrau'r olygfa nesa. Edrychodd yr actores ifanc yn gegrwth ar y ffôn ac yna ar Edith. 'Nôl at y ffôn a 'nôl at Edith eto. Wyddai hi ddim beth i'w wneud na sut i ymateb. Roedd hi wedi rhewi'n llwyr. Cododd Edith o'i chadair, croesi'r llwyfan a chodi'r ffôn. 'Yes?' meddai. 'Who is it? . . . I see.' Trodd at yr actores ifanc, ddibrofiad a dweud, 'It's for you, dear.' Rŵan 'ta, gnewch chi be fynnwch o'r stori. Fe allai Edith fod wedi dweud 'Wrong number' a rhoi'r ffôn i lawr, ac fe ddois i ar draws digon o actorion snichlyd yn y busnes yma fyddai'n ddigon hapus i'ch gollwng chi yn y cach, yn hytrach na'ch helpu. Ond doedd Edith ddim yn un ohonyn nhw. Roedd hi'n hogan iawn. Dyna pam dwi ddim yn credu'r stori fy hun – ond diawl, mae hi'n stori dda!

Mae wedi bod yn arferiad gin i erioed i gadw copïau o rai llythyrau y byddwn i'n eu hanfon at wahanol bobol, fel cofnod o'r hyn dwi 'di ddeud, rhag ofn i mi gael bai ar gam. Tra oeddwn i'n actio yn *The Millionairess* fe ddaeth gwahoddiad oddi wrth John Pierce Jones i mi fynd i fyny i'r hen sir, i siarad am y ddrama mewn ysgol undydd yn Llangefni. Gwrthod y gwahoddiad fu'n rhaid i mi am fy mod i'n gweithio, ond fe gedwais gofnod o gynnwys y llythyr a anfonais at John Pierce, sy'n mynegi fy nheimladau am sefyllfa echrydus y ddrama yng Nghymru ar y pryd. Dyma fyrdwn fy neges sy'n dangos mod i, fel myfyriwr ifanc, yn amlwg o dan ddylanwad Saunders Lewis, gŵr y dois i'n ffrindiau mawr efo fo ymhen blynyddoedd.

Yr wyf yn credu mai'r diffyg mawr gyda'r ddrama Gymraeg ydy nad oes gennym safon glasurol. Rhaid cael y safon yma ym mhob iaith cyn i'r gelfyddyd gael ei thraed oddi tani, ac nid yw yn ymddangos yng Nghymru ym myd y ddrama hyd yn hyn.

Peidied neb â meddwl mai mater o fynd ar y llwyfan, symud, siarad a sefyll yn union fel y byddwn ni bob dydd ydyw actio. O na. Mae portreadu cymeriad a bywyd bob dydd yn argyhoeddiadol yn golygu blynyddoedd caled iawn i actor. Gwaith yr actor yw perffeithio ei hun yn ei grefft, ac yn fy marn i rhaid iddo fynd drwy'r felin glasurol.

Newydd gamu i mewn i'r felin yr oeddwn i ac mi ges i gyfle i ddysgu mwy pan ges i ran y Parchedig Dan Price yn nrama Jack Jones, *Rhondda Roundabout* yn theatr y Globe yn Llundain.

Ceisiais chwarae rhan y gweinidog ifanc mor naturiol â phosib, heb ddisgyn i'r fagl o fod yn bregethwrol, ond doedd hi ddim yn hawdd i rywun dibrofiad fel fi.

> The acting is a fascinating jumble. Much of it is on the level of an amateur dramatic society which has won attention, but no prize, at one of those North Wales competitive jamborees.

Dyna farn ddi-flewyn-ar-dafod James Agate, beirniad profiadol iawn. Cyfeirio at yr Eisteddfod yr oedd o, wrth gwrs, ac at y ffaith fod nifer o actorion amatur o dde Cymru'n actio yn y ddrama. Er mor anodd oedd hi i mi dderbyn beirniadaeth o'r fath ar ddechrau fy ngyrfa, fe wyddwn o'r gora nad oedd actio o safon dramâu capel yn cyfrif am ddim ar lwyfan cystadleuol y West End. Dipyn o hwyl ddiniwed oedd yr actio yn Hen Ysgol Marian-glas, ac yn ddigon da i ddiddori cynulleidfa oedd wedi ymgynnull ar gyfer noson gymdeithasol. Ond os oeddwn i am neud fy marc fel actor proffesiynol, yna byddai'n rhaid i mi berffeithio'r grefft yn fuan iawn, neu fe fyddai fy ngyrfa wedi dod i ben cyn iddi hi gychwyn.

Tra oeddwn i'n actio yn *Rhondda Roundabout* fe ddaeth gwahoddiad i mi droedio llwyfan Eisteddfod Genedlaethol Dinbych yn nrama D. W. Morgan, *Ein Llyw Olaf,* wedi'i haddasu gan Kate Roberts. Fi oedd i chwarae rhan Dafydd, brawd Llywelyn, ac er nad oedd hi'n hawdd i mi gael amser yn rhydd er mwyn ymarfer fy rhan yn y ddrama, fe lwyddais i fynd i Ddinbych. Mi fasai'n well o lawer taswn i wedi aros adra! Er i *mi* dderbyn clod am fy mherfformiad ('Gobeithio y cawn weld Hugh Griffith yn aml mewn dramâu Cymraeg. Gresyn fyddai ei golli.'), yn ôl *Y Cymro*:

> Aflwyddiannus hollol oedd y ddrama fel y'i cynhyrchwyd nos Fawrth, ac nid oedd safon yr actio mor uchel ag y gellid

disgwyl. Bu'r ddrama ar y llwyfan am yn agos i bedair awr. Byddai drama dwy awr i dair yn llawn digon. Os dyna'n Llyw Olaf – diolch i'r nefoedd mai fo *oedd* yr olaf.

Efo fy chwaer Neli a Gwilym ei gŵr yr oeddwn i'n aros yn ystod yr ymarferion a'r perfformio yn Ninbych, ac roedd hithau'n feirniadol o'r cynhyrchiad yn y Pafiliwn. Oedd, medda hi, roedd y llwyfan yn wledd i'r llygad, ond doedd yr actorion – ar wahân i'w brawd bach, wrth gwrs – ddim wedi llwyddo i gynhyrchu lleisiau digon uchel yn y babell fawr. Yr hyn sy'n eironig ydi mai Kate Roberts oedd wedi addasu'r ddrama ar gyfer y llwyfan, a hi hefyd oedd wedi cynhyrchu llwyddiant mawr yr wythnos, sef perfformiad o anterliwt Twm o'r Nant, *Tri Chryfion Byd*. Fe gostiodd cynhyrchiad rhwysgfawr *Ein Llyw Olaf* fil o bunnau i'w llwyfannu, a llwyddiant Kate Roberts ganpunt yn unig.

Dychwelais i Lundain ar ôl y Steddfod a chael rhan fechan mewn drama deledu efo'r enwog Felix Aylmer. Os dwi'n cofio'n iawn, roeddwn i'n chwarae rhan ffwtmon, a hon oedd fy nrama deledu gynta.

Doedd dim pall ar y gwaith yn ystod y cyfnod yma. Ond yna, ar 3 Medi 1939, fe ddaeth y cyhoeddiad ar y radio: 'We are at war with Germany'. Y t'wllwch. Dyna dwi'n ei gofio. Y *black-out*. Dim golau yn y tai. Arwyddion a hysbysebion uwchben y theatrau wedi cael eu diffodd a goleuadau ceir yn y ddinas wedi'u masgio. Yn y tŷ lojin roedd yn rhaid tynnu'r bleinds i lawr a chau'r cyrtans cyn dadwisgo i fynd i'r gwely yn y t'wllwch.

Ac mi allech chi fentro, os oedd 'na gnoc ar y drws gyda'r nos, mai wardeiniaid yr ARP – yr 'Air Raid Precautions' – oedd yno'n deud wrthach chi am ddiffodd rhyw olau oedd yn dal ynghynn. Caeodd y theatrau, y sinemâu a'r neuaddau dawns am gyfnod, ac ailagor yn weddol fuan oherwydd na ddaeth yr ymosodiad ar Brydain o gyfeiriad yr Almaen am bron i flwyddyn. Dibynnai'r rhan fwya o bobol ar y radio am adloniant, lle clywid Tommy

Handley a Tommy Trinder, Gracie Fields, Anne Shelton ac, wrth gwrs, Vera Lynn. Y rhain oedd y sêr, ond Vera Lynn oedd y seren fwya. Hi oedd y 'Forces' Sweetheart'. Ar y pryd roeddwn i i fyny yn yr Alban yn y Lyceum yng Nghaeredin ac wedyn yn y Royal yn Glasgow. Roedd y theatrau'n llawn o filwyr a dynion fflio o bob lliw a llun, a'r bomiau i'w clywed yn disgyn yn ystod y perfformiad. Yn amal iawn byddem yn treulio'r nos yn y *shelters* tan bedwar neu bump y bore, ac yna'n codi i fynd ar y *film set*. Dyma pryd y cefais i waith fel *extra* gan y cyfarwyddwr enwog Carol Reed, yn y ffilm *Night Train to Munich*, ac yna rhan go iawn (wel, go fychan ond go iawn) fel llongwr yn y ffilm *Neutral Port*, ffilm am long, yr *Anne Louise*, sy'n cael ei tharo gan dorpedo *U-boat* Almaenig. Un olygfa fechan sydd gen i, lle dwi'n rhedeg ymlaen ac yn deud rhyw ychydig eiriau mewn Esperanto – neu ryw lun o Esperanto. Pwy ar y ddaear fasa'n gwbod? – a dyna ni. Doedd hi'n fawr o ran, ond o leia mi oedd yn fwy na rhan *extra* cwbwl ddi-nod. Does 'na'm sôn amdana i yn y *credits*, chwaith – ond mi oedd o'n ddechrau ar fy ngyrfa yn y sinema.

Er bod yr holl waith yn dŵad â thipyn o bres i mewn, dwi'n credu i mi neud gormod. Roedd yr *hay fever* a'r *asthma*'n ddrwg ac felly fe benderfynais fynd i sir Fôn i aros efo fy nghefndar Robin. Gwyddwn y bydda wythnos neu ddwy yn y gogledd yn gneud byd o les i mi, ac fe fyddai'n gyfle hefyd i weld lle roeddwn yn sefyll efo'r *call-up*, ac i benderfynu a oeddwn am ymuno â'r fyddin ai peidio. Dechreuwyd eisoes ar y gwaith o lefelu twyni tywod Trewan, ar ochor orllewinol Môn, ger Rhosneigr, er mwyn adeiladu maes awyr yn y Fali. Yn wir, yn ystod y rhyfel codwyd dau faes awyr arall, un ym Mona, ar gyrion Llangefni, ac un llai ym Modorgan. Oedd, roedd y rhyfel wedi cyrraedd hyd yn oed i bellafoedd Môn!

Wrth chwilio drwy hen lythyrau, mi ddois i ar draws llythyr anfonais i at Charlotte pan oeddwn i fyny yn sir Fôn, yn adrodd yr hanes i gyd:

F'Annwyl Charlotte,

Mae'r tywydd wedi bod mor fendigedig fel mai allan yn gwneud rhywbeth yn yr awyr agored a'r haul rydw i wedi bod, gymaint ag y gallwn i, a mynd i ngwely bob nos, heb olau, a chodi'n fora. Ac yn wir, rydw i'n teimlo'n well o lawer am hynny ac yn teimlo'n gryfach ac iachach o dipyn. Rwyf wedi cael digon o 'drochi yn y môr, fel mae fy nghroen wedi brownio'n neis, a throwsus bach pen-glin ydw i wedi'i wisgo er pan ddeuais adref.

Yr unig beth ydw i wedi cael trwbwl ganddo ydi'r hen *hay fever* 'ma. Mae hwnnw wedi bod yn ddrwg ofnatsan eleni – tisian o hyd, y trwyn yn rhedeg yn ddi-baid, y llygaid yn cosi, ac yn wir yr hen *asthma*, yr hen gaethiwed 'na, ambell i noson. Daeth arnaf yn ddrwg iawn yn Nhŷ Pigyn nos Wener. Bûm yn effro o hanner awr wedi deuddeg hyd hanner awr wedi tri, pan oedd hi'n goleuo a'r adeg honno dyma fi'n rhoi'r ffidil yn y to a chodi a mynd allan yn ddistaw. Cerddais am filltiroedd mae'n siŵr, gan geisio rhyddhau y frest. Mi es i i weld gwersylloedd y fyddin sydd yn codi tua'r Berffro a Llangwyfan, a bobol, mi oedd hi'n hyfryd yr adeg yna o'r bora. Doedd yr haul ddim wedi codi, wrth gwrs, y gwlith yn drwm hyd y caeau a tharth yn hofran uwch y gwastadedd. Roedd yna bob math o adar ac anifeiliaid o gwmpas yr oriau hynny – ambell i fronwen, wiwer, ffesant, llygod a chwningod gannoedd yn chwarae rhwng y defaid oedd yn cysgu. Chlywais i erioed gymaint o gogau yn canu ar unwaith am wn i, ar draws ei gilydd – pob math o diwnio. Yn wir, roedd hi'n werth cael y gaethiwed, i'm codi allan.

Toc, dyma'r haul yn codi drwy'r caddug a'r ceiliogod a'r ieir yn dechrau arni. Cerddais yn ôl i'r tŷ tua chwech pan oedd Anti yn codi a chefais baned yn y gegin efo hi, a gwrando ar y newyddion saith o'r gloch. Es ar gefn fy meic, neu yn hytrach beic Robin, i ddal cwch hanner awr wedi wyth o Tan y Foel ger Brynsiencyn ar draws y dŵr i Gaernarfon. Roedd hi'n braf hefyd a'r hen gwch, gan fod y llanw allan, yn gorfod cael ei lywio'n ofalus, gyda'i lwyth o bobol gyffredin yn mynd i'r farchnad efo'u menyn a'u hwyau. Ambell waith, roedd yn taro'r gwaelod ond yn mynd eto wedi hwyth bach. Gwelais yng Nghaernarfon J. E. Jones y Blaid, a Gwynfor, a llawer roeddwn yn adnabod yn mynd i'r rali gwrth-gonsgriptio yn y Pafiliwn. Ond i'r Recruiting Office yr oeddwn i'n mynd i weld am y Call Up. Meddwl yr oeddwn i ai gwell fyddai i mi gynnig fy ngwasanaeth rhag ofn i mi gael fy myndlio i rywle rywsut rywsut. Deallaf y bydd yn rhaid i mi aros nes gweld y doctoriaid. Awgrymodd y Recruiting Officer y basai'n eithaf peth i mi fynd i Gaer i weld beth sydd yn mynd yn y lein o waith ysgafn. Fallai'r af ar gefn fy meic i Ruthun ac oddi yno i Gaer, caf weld. Beth bynnag, o Gaernarfon es i Fangor a galw yn y BBC i weld Sam Jones. Mae'n eithaf tebyg y caf rywbeth i'w wneud yno yn reit fuan – roedd o'n meddwl y dylwn roi sgwrs ar y radio am weithio ar ffilm. Cefais de ar y traeth y diwrnod hwnnw gyda Cynan a'i deulu.

Rwy'n disgwyl clywed bob dydd am y Cwmni Cenedlaethol, oherwydd eu bod wedi crybwyll am i mi ymuno â hwy i actio a chynhyrchu. Faswn i ddim yn gwrthod hynny rŵan.

Ond ddaeth y cynnig ddim. Yn hytrach, fe gyrhaeddodd papurau'r *call-up*, papurau'n deud wrtha i am fynd i Wanastow Court, sir Fynwy, i ymuno â'r Royal Engineers 100th Army Field Company. Ac er fy mod mewn cyfyng gyngor ynglŷn ag ymuno, dyna wnes i.

*

Y peth cynta a gefais ar ôl cyrraedd oedd rhif: 2121081 Private Hugh Emrys Griffith. Dwi'n cofio i mi gael amser da iawn efo'r hogia eraill oedd yno. Mi fûm i'n chwarae tipyn o rygbi yn erbyn tîm y London Rifles, ac mi oedd gin i gariad o fewn dim hefyd, Mary Thomas, merch rheithor Mitchell Troy, oedd yn dipyn o actores. Gyda'r nos mi faswn i naill ai'n mynd allan i'r pictiwrs neu i ddawnsio efo hi. Weithiau mi faswn i'n aros yn y gwersyll i wrando ar gyngerdd wedi'i drefnu gan yr Entertainments National Services Association, neu ENSA fel roedd o'n cael ei alw. Fe gafodd ei ailfedyddio hefyd yn Every Night Something Awful – ac ar ôl clywed y Pontypool Ladies Choir yn canu, dwi'n dallt pam. Credwch fi, roedd mynd i'r pictiwrs efo Mary yn fwy o hwyl o dipyn na gwrando ar y *ladies*.

Er bod 'na gyhoeddiad wedi'i wneud flwyddyn ynghynt fod y rhyfel wedi dechrau, nath o ddim cychwyn o ddifri tan 7 Medi 1940. Y noson honno y clywyd sŵn chwe cant o awyrennau'r Luftwaffe uwchben Llundain a'r bomiau'n disgyn ar Eglwys Gadeiriol St Paul, y West End, Palas Buckingham, a Thŷ'r Cyffredin. Erbyn diwedd y mis canlynol roedd 30,000 o fomiau wedi cael eu gollwng, a chwe mil o bobol wedi cael 'u lladd.

Ymosodwyd ar Abertawe hefyd ac, fel rhan o'r hyfforddiant efo'r Royal Engineers, mae gin i go' i mi gael fy anfon yno ar ôl y Blits i glirio bomiau.

A dwi'n cofio sefyll ar safle capel oedd wedi'i chwalu'n llwyr, ar wahân i un wal wrth ymyl y pulpud efo'r bwrdd yn dangos rhifau'r emynau.

Un o fy nyletswyddau i oedd gyrru stîm-rolar a *bulldozer* ar hyd y strydoedd er mwyn clirio'r adeiladau oedd wedi cael eu bomio. Fe gafodd canol Abertawe ei ddinistrio'n gyfan gwbwl, a deugain acar o'r ardal o amgylch canol y ddinas hefyd. Ar ôl y bomio doedd 'na ddim ar ôl o siop Ben Evans ond cragen wag, ac roedd 11,000 o dai'r ddinas wedi'u chwalu. Ym mhobman fe welech chi arwyddion yn deud: 'Danger, Police Notice,

Unexploded Bomb, Keep Clear.' I mewn i'r ardaloedd hynny y bydda rhai o'r hogia'n mynd i neud unrhyw fom oedd heb ffrwydro yn ddiogel – gwaith peryglus iawn o gofio y gallai rhai o'r adeiladau oedd wedi cael eu bomio ddisgyn ar eu pennau nhw unrhyw funud. Ac mae pobol Abertawe yn dal i sôn am y Castle Street Bomb, pan laddwyd chwech o ddynion dewr wrth geisio gneud eu gwaith.

Ond, yn ogystal â'r dinistr o'n cwmpas ni, dwi hefyd yn cofio pobol Abertawe yn gyrru hen faniau drwy'r strydoedd yn cario stôf i goginio bwyd ac i wneud te. Fe agorodd caffis yn Nelson Road ac Alexandra Road oedd yn rhoi bwyd a diod am ddim i bobol oedd wedi colli'r cyfan yn ystod y Blits, ac mi oeddwn i'n arolygu'r gwaith o ddosbarthu'r bwyd fel rhan o fy nyletswyddau.

Tra oeddwn i efo'r Royal Engineers y gwnes i gyfarfod â Dylan Thomas a Caitlin am y tro cynta. Roeddan nhw a'u ffrindiau, Vernon Watkins, Daniel Jones a Wynford Vaughan Thomas, yn arfer yfed yn y Caswell Bay Hotel. Fe ges i lawer i noson hwyr yn eu cwmni a dwi'n cofio cropian o dan y weiran yn ôl i'r *camp* fwy nag unwaith a'r wawr ar dorri.

Mi symudais wedyn i bentref Halton, lle bychan iawn tua'r un maint â Phen-sarn; yno, roedd 80 ohonan ni mewn stafell hir tu mewn i hen felin gotwm oer, pob un â'i wely bync. Er mor gul oedd y gwely, mi oedd rhywun yn gwerthfawrogi pob modfedd ohono fo, yn enwedig pan oeddan ni allan ar *manoeuvres* ac yn cysgu mewn ffosydd. Dwi'n siŵr fod hynny wedi gneud byd o les i'r *asthma*! Roedd y bwyd yn iawn, os oeddach chi'n licio *kippers* i frecwast, ac mi oeddan ni'n cael swllt a chwech i wario.

Tra oeddwn i yn RADA fe ddois i'n ffrindiau garw efo merch o'r enw Flora Britton, ac er fy mod i wedi mynd oddi ar y llwybr cul fwy nag unwaith ar ôl ei chyfarfod, fe barhaodd y cyfeillgarwch drwy'r cyfan. Fe benderfynodd Flora a finna y basan ni'n priodi ar 26 Tachwedd 1941. Fis ynghynt, ar 22

Hydref 1941, roedd Flora wedi dechrau cadw dyddiadur, na wyddwn i ddim byd amdano fo:

> There is so much about to happen I am looking forward to seeing what is around the corner for me. Will this book contain the answer to Hugh?

Be oedd y cwestiwn, sgwn i? 'Will you marry me?' am wn i, gan i ni briodi ymhen y mis.

> I suppose it is a good thing we can't see into the future, but it will be very interesting to look back.

Tasan ni wedi medru gweld i'r dyfodol ar y pryd, fasan ni wedi priodi? Dwi'n ama'n fawr. Pan ddois i 'nôl o'r rhyfel roedd Flora wedi mynd, ac roedd y cyfnod hwnnw yn un anodd a chwerw iawn. Mor wahanol i'r adeg pan oeddan ni'n gweld ein gilydd gynta. Del a direidus, fel'na dwi'n cofio'r Flora ifanc, ac mae'n amlwg yn ôl y dyddiadur ei bod hi'n boblogaidd iawn efo'r sowldiwrs:

> Oct. 25th
> Went to a dance at the Norwood Club…I didn't sit out a single dance…One of them wanted me to go dancing with him at the Locarno and also to the ENSA concert at their station the following Thursday.

> Oct. 29th
> We went to town. And saw 39th Parallel, went to Drury Lane, bought various bits of outfit for Hugh, went to the Café Royal for a drink before setting out for Norwood. Hugh looked very nice, and I was feeling very much inclined towards him.

Felly mi oeddwn i'n dipyn o gystadleuaeth i'r sowldiwrs eraill! Yn nes ymlaen mae hi'n sgwennu am ymweliad â sir Fôn i weld y teulu. Gadael Llundain am hanner awr wedi deuddeg a chyrraedd Bangor am hanner awr wedi deg y nos! Ar y Sul fe gafodd hi brofiad newydd:

> In the evening Mrs Griffith, Charlotte, Hugh and I went to chapel. It was to be all in Welsh so Hugh tried to persuade me not to go but Mrs G. said put on your clothes and come along. [Ia! Alla i 'i chlwad hi'n deud, hefyd.] I didn't understand a word he said except for 'in the presence of God' which was the text, I later discovered, and it was followed by the one intelligible word – 'cosmetics'. I suddenly felt all eyes on me and imagined I was being severely reprimanded.

Ar wahân i'r ymweliad â'r capel, mae'n amlwg fod Flora wedi mwynhau'r wythnos – yn enwedig un daith yn ôl adra yn y car!

> Nov. 3rd
> A very pleasant evening with Thomas and Madge in Bodffordd… In the car going back Gwilym, Nellie and Charlotte insisted on sitting in the front so that Hugh and I could do a bit of necking. Unfortunately it was bright moonlight and I felt a little shy.

Does 'na ddim sôn am engajio na phriodi yn y dyddiadur, tan 5 Tachwedd, diwrnod Guto Ffowc, yn addas iawn, pan ffrwydrodd ein perthynas, mae'n amlwg, yn ôl sylwadau Flora. Roeddan ni'n dau yn bobol mor benderfynol, y naill fel y llall am gael ei ffordd ei hun:

> Nov. 5th
> I didn't know whether Hugh really thought I would stay in town with him but he seemed very disappointed when he discovered that I wouldn't. Perhaps he can read my mind, but not my will. Our difference of opinion somehow

developed into an estrangement or rather freezing of the atmosphere. He said I shouldn't have encouraged him. Perhaps I shouldn't. But if I was going to kiss him at all...! He tried to kiss me in the cab. I repeated what he had said, 'Damn!' When we got home, he said, 'If you are going to be like this when we get in I may as well go back.' I kissed him on the doorstep to reassure him.

Up to bed after a little while of talking. He came into my room to say goodnight. I turned his photo to the wall, so he tried to tear it. I took it away from him and I knew I was sunk.

He didn't ask me to marry him then, so I said, 'Do you want to marry me?' 'You know I do,' rather bitterly and forlornly. 'Then you can.' He couldn't believe I had said it at first. Then he kissed me again and again and so to bed.

Chydig iawn o gyfeiriadau sydd 'na ata i yn y dyddiadur yn ystod y dyddiau wedyn. Ar wahân i'r ffaith ein bod ni wedi prynu'r fodrwy yn Regent Street, ac wedi mynd i weld *Fantasia* yn y sinema yn y pnawn. 'The ring flashed even in the half light of the pictures' yn ôl Flora.

Ac yna y noson cyn y diwrnod mawr!

I've come to bed. My last night as Flora Britton. My God I'm scared alright. But thousands upon thousands do it every day, so why should I worry? All that matters is that I love Hugh. He is the man right enough. Tomorrow the wedding.

'The wedding of Miss Flora Jean Britton, only daughter of Mr and Mrs R. P. L. Britton at St Andrews Church, Weston Street, Upper Norwood, Croydon, to Second Lieutenant Hugh Griffith.' Fel'na yr ymddangosodd y cyhoeddiad yn y papur ac roedd Mam, Elen a Charlotte yno i ngweld i'n priodi Flora. Hyd yn oed rŵan, mae hi'n anodd iawn darllen yr hyn y mae hi'n ei ddeud yn y dyddiadur am y gwasanaeth, bron i hanner can mlynedd yn ddiweddarach, heb deimlo ychydig o dristwch ar waetha'r ffaith ei bod hi wedi fy ngadael i chwe blynedd yn unig ar ôl i ni briodi. Mae'r disgrifiad mor fyw, mae o fel gwylio'r cyfan ar ffilm:

> I arrived at the church at last, having sailed down the stairs feeling terrific. Someone took a picture of me as I stood on the church steps. Mr Martin, the vicar, was there waiting for me. He said I had always looked beautiful, but never so lovely as today. The music changed and I followed slowly after Mr Martin. Everyone turned to look. Someone said 'God bless you dear'. I was smiling broadly all the way and walking very slowly, because I didn't want it to end. As I came round the corner of the pews, Hugh turned for a moment to look at me and turned away. He was as shy as anything. The service began. When it came to our having to speak, Hugh could hardly be heard but I was brazenly audible. I pressed him in the ribs with my elbow. He said afterwards that it gave him courage. At last it was over and we walked slowly to the vestry, signed the book, were congratulated by all and sundry, and then we went forth. On Hugh's left arm, with my veil back, I walked down the aisle. Covered in smiles.

Roedd y *reception* yng nghartref Flora, ac ar ôl y *spread* mi oedd pawb, gan gynnwys *yours truly,* yn codi ar ei draed i neud rhwbath.

> Hugh did a piece of Shakespeare, Henry V. The poor darling got excited and dried. It didn't matter a hoot. Mrs Griffith wept, because Hugh was pickled. [Fi? Yn *pickled*?]

At last we got away, and took a taxi to town and registered at the Mayfair Hotel. Later we had a meal in the restaurant – champagne, soup, a whole chicken with sauté potatoes and pears in syrup with ice cream. During it all we danced once or twice. It was quite perfect. I sat back and thought how adorable Hugh was. But I was also very frightened. However, we sallied upstairs and gradually undressed.

Rhyw gwta chwe mis dreuliodd Flora a finna efo'n gilydd cyn i mi fynd dramor. Roedd yr amseru'n anffodus, a deud y lleia. Newydd briodi a newydd ddechrau sefydlu fy hun fel actor a dyma fi, yn gadael gwraig, teulu a ffrindiau, a gyrfa, ac ar 12 Ebrill 1942 yn hwylio i India.

FY RHYFEL I

It is a source of confidence to us that we know that this regiment will once more face its responsibilities in a way which would be worthy of its glorious past, and which will uphold that reputation for bravery which the Welsh people won in their age-long struggle for freedom.

G EIRIAU Lloyd George oedd y rheina wrth annerch y Royal Welch Fusiliers yng nghastell Caernarfon ar ddechrau'r rhyfel. Ac ym mis Ebrill 1942 roeddwn i'n un ohonyn nhw ar fy ffordd i India i wynebu'r *long struggle*.

A deud y gwir, roeddwn i wedi gobeithio y basa'r Medical Board wedi deud nad oeddwn i'n ddigon iach i fynd oherwydd yr hen *asthma*. Weithiau, yn hwyr y nos, byddwn yn meddwl mod i'n tagu. Methu cael fy ngwynt. Cael yr un hunlle bob tro, sef fy mod i 'nôl ym Marian-glas yn hogyn, ac yn clywed y doctor yn deud, 'Dybl niwmonia, Mrs Griffith. Mi wnawn ni dwll yn 'i senna fo i gael gwarad o'r stwff yn 'i sgyfaint.' A dwi'n deffro, yn laddar o chwys. Tra oeddwn i allan yn India fe gedwais i ryw lun o nodiadau. Toedd o ddim yn gofnod manwl o'r hyn ddigwyddodd oherwydd doeddwn i ddim ond yn sgwennu pan oeddwn i'n cofio. Ond o leia mae rhywun yn cael syniad o sut fywyd oedd o i filwr deg ar hugain oed, ymhell iawn o gartref.

*

Ebrill 1942
Wedi anfon gair adra at Mam. Hiraeth am y teulu a cholli Flora
yn fawr. Yn gobeithio y bydd Mam yn gwahodd Flora i fyny i
Fôn. Pryd gwela i nhw eto – os byth? Pwl o'r *asthma* eto neithiwr.
Sut bydd hi yn y tywydd poeth, 'sgwn i?

Gorff.
'Newyddion braf a ddaeth i'm bro.' Neli a Gwilym yn disgwyl
plentyn. Anfonais air yn syth i'w llongyfarch. Mae hi'n noson
braf, ac mae 'na oleuada yn dawnsio hyd y dŵr. Awyrgylch
ryfeddol o heddychlawn, efo'r hogia o Gymru yn canu emynau
a chaneuon Cymraeg i gyfeiliant consartina. William Edwards
o Harlech sydd yn gofalu amdana i fel batman, ac mae'n rhaid
i mi ddeud ei fod o'n lân a difrycheulyd yn y modd y mae o'n
edrych ar ôl fy mhetha. Daeth llythyr oddi wrth Flora. Dim byd
mawr. Mae hi'n chwilio am waith actio, ac yn fy ngholli yn fawr.
Mae Charlotte a hithau'n sgwennu'n gyson, a dwi'n derbyn y
Faner. Anfonais sana sidan adref i Neli a Flora. Heb fod yn rhy
hwyliog yn ddiweddar. Wedi cael cyfnod dan law'r meddyg efo
anhwylder ar y stumog a malaria. Mae'n ymddangos mai Grade
B ydwyf o ran *category* iechyd. Gobeithio mynd o flaen y Medical
Board a dŵad adra oherwydd fy iechyd, yn enwedig yr *asthma*.

Awst
Wedi cyrraedd Calcutta. Mynd i'r sinema i weld *How Green
Was My Valley* efo Walter Pidgeon, Maureen O'Hara a Roddy
McDowall. Cymry da bob un! Y ffilm i fod i gael ei saethu yng
Nghymru ond oherwydd y rhyfel fe aethpwyd i fynyddoedd
Santa Monica ac adeiladu pentre yn y mynyddoedd yn seiliedig
ar Garreg Cennen a Chlydach. Mwy o hiraeth fyth ar ôl clywed
Calon Lân a Myfanwy yn cael eu canu yn y ffilm.

Hydref
Yn yr ysbyty efo malaria.

Tach.

Neli a Gwilym wedi cael profedigaeth lem. Daeth ias drosof pan ddarllenais eu llythyr yn sôn am golli Elin Gwenllian. Anfonais lythyr i geisio eu cysuro. O gofio y byd brawychus sydd ohoni efallai fod y fechan yn ffodus i beidio â bod yn rhan ohono. A fyddai wedi bod yn fwy o golled iddyn nhw ac iddi hithau, druan, pe tae hi wedi byw a dod i adnabod ei rhieni? Cofiais y geiriau a ddarllenais yn eu priodas. 'Joy and woe are woven fine, a clothing for the soul divine.' Bendith arnynt.

23 Chwef. 1943
Cefais wybod gan y Bwrdd Meddygol yn Bombay na ddyliwn fod wedi cael fy anfon allan yma. Ond yma yr ydw i ac yn gneud y gora' o'r gwaetha. Gwaith ysgafn sydd gennyf, fel Welfare ac Entertainments Officer. Dwi wedi ffurfio Dramatic Club ac yn meddwl cynhyrchu un o ddramâu Emlyn Williams, *Night Must Fall*.

Ebrill
Derbyniais lythyr gan Norah Isaac o'r Ysgol Gymraeg yn Aberystwyth, a chopi o gyfieithiad Cymraeg o *Macbeth*. Dwi'm yn meddwl llawar o'r cyfieithiad a deud y gwir. Mae angen mwy o farddoniaeth i gyfleu y teimladau angerddol. A sôn am deimladau angerddol a rhywiol, dwi yn ei chanol hi ar hyn o bryd yn trio gorffan drama ddechreuais i ei sgwennu ryw bedair blynadd yn ôl. *The Saints do Sing* ydi i theitl hi.

Mae 'na nifer o wahanol syniada ynddi hi. Milwr o'r Rhyfel Byd Cynta yn dychwelyd adra, er bod pawb yn meddwl 'i fod o wedi marw. Fy amheuon i ar ddechrau'r rhyfel yma ynglŷn â mynd i ryfel ai peidio. Atgofion am fy nghyfnod yn Aber-soch, a phryderon y ffermwyr am eu dyfodol pan oedd y fyddin yn dwyn eu tiroedd er mwyn ymarfer eu bomio. Ac yn y blaen

ac yn y blaen. Cnewyllyn fy nrama yw y dylem ymladd dros
draddodiadau a diwylliant ac nid dros dir a gallu politicaidd.
Beth bynnag, fel y dywedais mewn llythyr at Norah...fedra i
yn fy myw â sgwennu golygfa garu. Sy'n rhyfedd iawn a finnau'n
garwr mor odidog. Dyna beth fydd y merched yn ddweud. Mae
carwriaeth yn swnio mor wirion yn y Gymraeg rywsut ond,
myn cebyst, mi wnaf un na wnaiff neb chwerthin am fy mhen.
Trwsgwl ydan ni yn ein caru fel cenedl, onide, ond er hynny 'dan
ni'n caru'n angerddol pan ydym wrthi – caru distaw, slei ydi o,
neu oedd o, yn hytrach. Ella mai siarad drwy fy het yr ydw i o
ran hynny. Weithiau fe fyddaf yn meddwl na ddylwn ymyrryd â
phethau fel hyn. Actiwr ydwyf, ac os dechreuaf ffidlan, ni wnaf
y naill beth na'r llall.

Gorff. 1943

Mae Dafydd a Charlotte fy chwaer wedi priodi. Cheith o
neb gwell. Mae hi'n hogan mor garedig ac annwyl. Yn wir,
ma' hi'n cael pleser a mwynhad o weini ar eraill. Pan ddaeth
fy hanner brawd Thomas allan o'r ysbyty ar Ynys Wyth, ar ôl
cyfnod o waeledd efo'r TB, Charlotte ddaru edrach ar ei ôl o.
Roedd hi fel angel gwarcheidiol pan oeddwn i yn y coleg yn
Llundain. Mae hi'n werth y byd, ac yn dalentog hefyd. Ma'
gin i go' plentyn o wrando ar y ddwy – Elen a Charlotte – yn
perfformio yn Angorfa. Neli fy chwaer hyna ar y cello, a wedyn
Charlotte a'i ffrindia, Nansi a Margiad, yn chwarae ffidil bob
un.

Bûm yn yr Ysbyty yn Poona am ychydig efo malaria. Dyna'r
ail waith. Teimlo'n wan a di-hwyl ar y pryd, ond wedi ailafael yn
y sgwennu erbyn hyn ac wedi anfon stori i gylchgrawn *Cofion
Cymru* – 'Stori Anghredadwy' gan Lieutenant H. E. Griffith,
India.

Mae darnau ohoni yn anghredadwy hefyd, ac yn gweddu i'r
dim i sgrin y sinema.

Yr oedd yn hollol naturiol i berchennog fferm y Fedwen Las feddwl ei fod yn colli arno'i hun neu fod rhagluniaeth yn rhoi prawf anghyffredin ar ei ffydd a'i synhwyrau...Siâp a welwyd ganddo, gyfeillion. Nid drychiolaeth ond siâp crwn fel pelen ddu wedi ei hanelu ato o lwydni'r môr, yn trafaelio fel chwrligwgan ac yn mynd yn fwy...Ni chafodd chwaith gyfle i feddwl beth ydoedd cyn clywed rhygnu taranaidd hyd greigiau'r llechwedd y tu ôl iddo...Yna daeth distawrwydd rhyfeddol. Trodd i edrych a thrwy'r niwl a'r wawr a'i ddychryn gwelodd y siâp yn llonydd o'i flaen. Hirgrwn ydoedd, llwydlas a gwlyb disglair fel petai'n bysgodyn lluddedig. 'Morfil' meddai wrtho'i hun. 'Morfil wedi hedeg o'r môr.'

Ond, wrth gwrs, yr hyn y mae o wedi'i weld ydi sybmarîn, ac yn yr olygfa nesa 'dan ni'n mynd o dan y môr a'i donnau, lle mae llawer dinas dlos – a dynes dlos hefyd:

a'r dlysaf ohonynt oll yw Bronhyfryd, brenhines gwaelodion y môr. Ganddi hi y mae'r corff harddaf, y wên brydferthaf, a'r gwallt llaesaf o'r holl firain forynion. Nid nofio a wna Bronhyfryd ond symud – symud yn batrwm o urddas a'i gwallt yn fyw o dân ffosfforaidd, ac yn estyn ymhell heibio sodlau adeiniog ei chynffon amryliw.

Yn nes ymlaen mae capten y sybmarîn yn syrthio mewn cariad efo Bronhyfryd, ac yn trefnu dawns i'w hanrhydeddu. Ond fe ddaw Davy Jones, gŵr Bronhyfryd, o'i Locar i'r ddawns a rhoi stop ar y cyfan.

Ysgubwyd y gramoffôn drwy ddrws y neuadd. Gafaelodd Davy Jones yn y gramoffôn a'i berchennog a'u taflu ymhell trwy drwch y dŵr. Cymerodd y sybmarîn yng nghledar ei law anferth a chyda holl nerth esgyrn ei ysgwyddau gyrrodd hi fel saeth o fwa uchel ac ymhell o deyrnas y dyfnderoedd. Dyna, gyfeillion, sut y daeth llong danfor i ben Llŷn. Yn rhyfedd iawn, ni chysylltwyd hynny o gwbwl â'r gŵr noeth wedi colli ei gof a ymddangosodd yn Llanffestiniog yr un bore, na'r gramoffôn oedd yn ulw racs ar ochor y ffordd ŵrhwng Pentrefoelas a Cherrigydrudion, heb sôn am y recordiau a ddaeth fel cawod dros y Bala a Betws-y-coed.

Ffrwyth dychymyg byw iawn ydi'r stori. Fe freuddwydiais y cyfan ac yna codi yng nghanol nos a dechra sgwennu.

20 Mai 1944
Wedi treulio cyfnod mewn ysbyty yn ne India. Cefais *quinsey* ryw ddau fis yn ôl a wedyn *dysentery*. Ond ar ôl gwella bûm yn teithio gyda nifer o ddramâu yr oeddwn i wedi'u cynhyrchu – *Night Must Fall, Arms and the Man* (Shaw) a golygfeydd hefyd o Shakespeare. Roeddwn i wedi bod yn ddigon ffodus i gael gafael mewn casgliad cyflawn o waith Shaw yn Hyderabad, felly doedd 'na ddim problem cael copi i bawb.

Cefais gyfle hefyd i weld perfformiad o *As You Like It* mewn pentref bychan i'r de o Madras. Saith awr o hyd a'r cyfan mewn Tamil! Pawb wedi dŵad â bwyd a diod, a'u plant efo nhw, a wedyn yn cael picnic hanner ffordd drwy'r perfformiad, i sŵn cerddoriaeth ddawns Indiaidd.

Medi
Mae Neli a Gwilym wedi cael mab. Wiliam fydd yr enw. Yn fy llythyr i'w llongyfarch awgrymais y byddai Huw yn enw da i'r babi nesa ond y byddai'n rhaid iddyn nhw frysio oherwydd na fydd 'na ddim dal ar Flora a finna unwaith y bydda i wedi gadal y blydi lle 'ma, ac adra unwaith eto. Mae'n siŵr y down ymlaen yn dda gyda'n gilydd. Dwi'n ysgrifennu hwn ar y feranda tra

cilia'r haul rhwng brigau'r coed, yn nistawrwydd hwyrddydd India, ac yn meddwl am y dydd pan gaf fyw gyda Wiliam Roger yng Nghymru. Mae'n siŵr fod o'n beth bach annwyl dros ben. Gwyn ei fyd o yn wir. Rwy'n edrych ymlaen at ei weld yn fuan, a Meri Rhiannon.

Chwef. 1945

Derbyniais lythyr gan ŵr Charlotte, Dafydd, yn dweud fod T. Rowland Hughes, sy'n gynhyrchydd efo'r BBC, yn wael iawn. Awgrym Dafydd oedd y dyliwn i adael i'r BBC wybod y byddai gennyf ddiddordeb yn y swydd petae Rowland Hughes yn gorfod ymddeol. Esboniais yn y llythyr fy mod wedi treulio 3 blynedd anodd yn India efo'r fyddin ac na fu'n bosib i mi gario allan fy nyletswyddau fel *infantry officer* oherwydd i mi dreulio cymaint o amser yn yr ysbyty, a bellach mae fy Medical Category wedi gwaethygu a lawr i 'C'. Esboniais nad oeddwn, oherwydd cyflwr fy iechyd, yn cael teithio o gwmpas yn y gwres, ac y byddwn yn fwy defnyddiol i gymdeithas tu allan i'r fyddin, yn fy nghyflwr presennol. *I feel convinced,* meddwn yn y llythyr, *that I have certain capabilities as a producer* – fûm i 'rioed yn brin o ganmol fy hun! – *and if a vacancy does occur as I mentioned, and if the BBC consider that I am suitable to fill it, it might be possible, because of my medical category, for me to be released from the service if an application was made to the War Office. Please forgive me if I appear to be immodest or selfish in making this request.*

17 Mawrth 1945, Madras

'Nôl yn yr ysbyty efo *rupture*. Gobeithio bod adra ymhen chwe mis. Flora yn sôn am gael *flat* yn barod yn Llundain erbyn y dof yn ôl. Ddim yn siŵr a yw hynny'n syniad da. Wedi sgwennu ati i ofyn pam mae hi mor ddieithr atoch. Tydi hi ddim yn hawdd cynnal perthynas a ninnau'n dau mor bell oddi wrth ein gilydd a heb weld ein gilydd ers 5 mlynedd.

8 Mai 1945, VE Day
Rhyfel drosodd…

Mehefin
Dal i ddisgwyl am ateb gan y BBC i fy llythyr. Gweld mewn
copi o'r *Cymro* anfonwyd i mi gan Charlotte fod rhai fel John
Ellis Williams a Kitchener Davies wedi trio am y swydd. Twt!
Fe gawn nhw fynd ar eu gliniau os byddan nhw eisiau rhywbeth
gen i yn y dyfodol a chrocbris yn eu dwylaw!

Wedi cyfieithu fy nrama *The Saints Do Sing* a'i hanfon i'r
gystadleuaeth ddrama yn y Genedlaethol yn Aberpennar y
flwyddyn nesa. *Y Llwybrau Gynt* ydi ei theitl yn Gymraeg.
Ychwanegais esboniad i'r beirniaid ei bod wedi'i sgwennu'n
frysiog ac i'w pherfformio, nid i'w chyhoeddi. Y drwg yw fod
ei Chymraeg yn wan. Wedi bod yn gweithio arni o fore gwyn
tan nos am hir yn caboli ac ailsgwennu. Yr olygfa garu oedd
yn anodd ac mae hi'n dal braidd yn drwsgwl. Mae gofyn i bob
cymeriad fedru actio ac nid sefyll ac adrodd geiriau fel y gwelir
yn y rhan fwyaf o ddramâu Cymraeg. Fe fydd yn ddiddorol
gweld y feirniadaeth. Ond beirniadaeth neu beidio, fe liciwn ei
chynhyrchu fy hun.

Mehefin, Bombay
Wedi symud o Madras. Mynd o flaen Bwrdd Meddygol arall
fory. Welais i erioed ffasiwn smonach mae'r diawled wedi
ei wneud o bethau yn fy mywyd erioed. Arhoswch i mi gael
allan o'r lle 'ma. Rwyf am drio fy ngorau i gael dod adref y
tro 'ma. Mae hi'n boeth yma ac i wneud pethau'n waeth,
mae terfysg o gwmpas a phob math o bryfaid yn disgyn ar y
papur yma. Yr wyf yn noethlymun ac yn chwysu fel darn
o fenyn. Mae hi'n un ar ddeg o'r gloch y nos. Digon digalon
rhwng popeth ydw i, fel y gwelwch, ond fe aiff heibio fel popeth
a phob cyflwr.

Awst

Neb yn deilwng. Dyna farn Eic Davies am fy nrama i a phawb arall. Roeddwn wedi dewis y ffugenw Nilgris, ar ôl cyfres o fynyddoedd yn ymestyn ar draws talaith Tamil Nadu a Kerala yn ne India, lle bûm i ar daith gyda chwmni drama. Ond ches i ddim codi yn y pafi! I fod yn deg, roedd o'n hoffi'r act gynta a'r ail, ond gormod o bregethu yn y drydedd medda fo. O leia fe lwyddodd un o'r teulu i ennill gwobr. Fy nghefndar Tomi, Tŷ Pigyn – Tom Parry Jones – yn ennill y Gadair. Mae'r truan wedi trio mor galed ers blynyddoedd. Gobeithio'n wir y gwnaiff hyn les mawr i'w iechyd ac i'w ragolygon. Fe anfonodd ddrama fydryddol ataf beth amser yn ôl. Yr oedd yn ddifrifol o sâl yn fy marn i ac fe'i cedwais yn hir gan fethu gwybod beth i'w ddweud wrtho ond, o'r diwedd, fe'i hanfonais yn ôl gyda sylwadau adeiladol a chryn dipyn o gerydd yr un pryd. Ni chlywais wrtho wedi hynny.

Medi, Poona

Y meddygon yma yn dweud y dylwn adael y wlad a mynd adref, ond efallai y bydd yn rhaid aros tair wythnos am long, a wedyn hwylio am dair wythnos arall nes cyrraedd adref. Rwyf wedi hen ddiflasu ar bopeth heb fawr o fynedd i ddim bron ond darllen a hel meddyliau. Cefais lythyr gan Flora i ddweud ei bod am fy ngadael. Wedi cyfarfod rhywun arall. Anfonodd ei modrwy yn ôl i mi mewn amlen ac mae hi wedi rhoi'r cyfan yn llaw'r twrna. Gwynt teg ar ei hôl hi!

18 Mai 1946

Bûm yn wael iawn am rai misoedd yn yr Officers Ward, Ysbyty Queen Mary yn Roehampton, ar ôl dychwelyd adref. Ond ar ôl gofal caredig y nyrsys, dwi'n teimlo'n well o lawer. Mae 'na reswm arall hefyd pam fod 'na wên ar fy wyneb am y tro cyntaf ers blynyddoedd. Mi es i'r Wyndham Theatre am *audition* yn fy nillad sowldiwr. Smart iawn. *Battle dress* werdd, efo *sidecap* du y Royal Welch Fusiliers efo bathodyn y ddraig mewn coch ac aur. 'I'll take those,' meddai'r ferch ifanc 'ma, gan gymryd fy *sidecap*, a nghôt fawr a'u rhoi tu ôl i'r cowntar. Edrychais arni, a syrthiais mewn cariad yn syth. Gwyddwn yn y fan a'r lle mai Adelgunde Margaret Beatrice von Dechend, oedd y ferch y byddwn yn treulio gweddill fy oes gyda hi.

YN ÔL AR Y LLWYFAN

A SUT le oedd y Llundain yma roedd Gunde a finna'n byw
yndddo ar ddiwedd y rhyfel? Mae'r atgofion fel cyfres o
ddarluniau, fel *flashbacks* yn y meddwl. Ar y naill law, mi oedd
petha'n galed, popeth ar *rations*, ac eto, fel ymateb i gyfnod caled
y rhyfel, roedd pobol am joio'u hunain ac yn barod i wario'r
ychydig oedd ganddyn nhw ar fwynhau – mynd i weld Charlton
Athletic yn erbyn Derby County yn y ffeinal yn Wembley,
neu i'r rasys i roi bet ar filgi neu ddau. Roedd y sinemâu, y
neuaddau dawns a'r theatrau'n orlawn. Ella ei bod hi'n anodd i
chi gredu hyn, ond mi oeddwn i'n rêl boi ar lawr y ddawns, yn
y Paramount Ballroom ar Tottenham Court Road, neu'r Palais
de Danse yn Hammersmith. Dau swllt yr un i Gunde a finna
fynd i mewn a lawr y grisiau i'r stafell enfawr 'ma efo gwydr
a phileri euraid ym mhobman. O'n cwmpas ni, dynion ifanc
mewn siacedi llaes i lawr at eu penna gliniau, trowsus cul fel
dwy beipan a hwnnw ryw fodfedd neu ddwy yn fyr er mwyn
dangos y sanau gwyn, a tsiaen wats yn hongian o'r wasgod i
lawr at eu fferau. Draw fan'cw, merch ifanc efo gwallt *blonde*
mewn sgert oedd yn datgelu mwy na'i chluniau pan oedd hi'n
cael ei throi o gwmpas yn ystod y jeif, i sŵn band Ted Heath
neu Joe Loss. Dwi'n cofio un noson i ni gyrraedd mewn pryd i
weld cystadleuaeth jeifio. Bylbiau camerâu'r wasg yn fflachio a
phobol yn sefyll ar gadeiriau'n gweiddi nerth eu pennau.

Os oeddach chi am weld sioe neu ddrama yn un o theatrau'r
West End roedd yn rhaid i chi sicrhau tocynnau wythnosau
ymlaen llaw, a *Merrie England*, yn y Princes Theatre, Shaftesbury
Avenue, efo Heddle Nash yn canu 'The English Rose', oedd y

sioe fwya poblogaidd. Ac i orffen y noson – *plaice an' chips* a phys yn y Princess Restaurant. Rhamantus iawn!

Un o golofnwyr mwya poblogaidd y cyfnod oedd Cassandra yn y *Daily Mirror*, ac fe ddechreuodd ei golofn gynta ar ôl i'r rhyfel ddod i ben efo'r geiriau, 'As I was saying, before I was so rudely interrupted'. Wel, fel'na roeddwn innau'n teimlo hefyd. Fe gollais i saith mlynedd o fywyd fel actor, saith mlynedd pan fedrwn i fod wedi ennill profiad, ac ennill pres hefyd, wrth gwrs. Gwastraff llwyr oedd fy amser yn y fyddin. Treuliais wythnosau mewn gwahanol ysbytai yn sâl efo *asthma* neu hernia neu falaria neu rywbeth yn dragwyddol, a'r gwirionedd ydi na ddyliwn i fod wedi cael fy anfon i'r twll lle i ddechrau. Felly, ar ôl dychwelyd, roeddwn i'n awyddus iawn i ailafael yn fy ngyrfa fel actor cyn gynted ag y gallwn ac o'r herwydd, roeddwn i'n falch iawn o dderbyn llythyr gan Aneirin Talfan Davies, cynhyrchydd radio yng Nghaerdydd ar y pryd, yn fy ngwahodd i ddarllen barddoniaeth ar un o'i raglenni. Os dwi'n cofio'n iawn, dyna'r cynnig cynta ges i ar ôl dŵad yn ôl o'r rhyfel. Tâl o wyth gini am y gwaith, punt o gostau i dalu am le i aros am noson a thocyn trydydd dosbarth ar y trên. Fe ddaeth galwad ffôn o gyfeiriad Stratford hefyd, a gwahoddiad i fynd yno am dymor i chwarae nifer o wahanol rannau yn *The Tempest, Love's Labours Lost, Henry V, As You Like It, Doctor Faustus,* a hyd yn oed ran un o'r gwrachod yn *Macbeth*.

Ailagorodd y theatr enwog yn Stratford ei drysau ar ôl y rhyfel ac roedd y lle'n orlawn bob nos. Welwyd erioed gynulleidfaoedd mor fawr yn hanes y Memorial Theatre. Ar ôl blynyddoedd o gerdded i fyny ac i lawr y traeth yn gweiddi talpiau o Shakespeare ar dop fy llais pan oeddwn i yn y banc yn Aber-soch, dyma fi wedi cyrraedd Mecca pob actor gwerth ei halen. Hugh Griffith o Farian-glas, sir Fôn, yn cerdded llwyfan y theatr enwoca yn y byd. Ew! Toeddan nhw'n lwcus!

Dyna i chi ysgol brofiad go iawn. Dysgu addasu a newid

o gymeriad i gymeriad, o fod yn frenin Ffrainc yn *Henry V* – 'imaginative, surprising, and successful', yn ôl un beirniad, i Touchstone yn *As You Like It* – 'Touchstone's wit was given an almost saturnine quality by the manner and make-up of Hugh Griffith, and contributed much to the interest if not the happiness of all who listened to the play'.

Ar wahân i fân rannau yn Shakespeare, fe ges i ran a hanner yn *Doctor Faustus*, gan Marlowe – rhan y diafol ei hun, Mephistopheles. Dwi'n cofio Charlotte, fy chwaer, yn deud na fydda hi byth yn anghofio teithio i Stratford i ngweld i'n actio Mephistopheles. Finna wedi fy ngwisgo mewn gwisg goch laes ac yn galw ar y diafoliaid a'r rheini'n codi o grombil y llwyfan yn ystod araith unfed awr ar ddeg Doctor Faustus, pan mae o'n sylweddoli fod yn rhaid iddo fo dalu'r pris yn llawn am werthu ei enaid i'r diafol:

> The stars move still, time runs, the clock will strike,
> The devil will come, and Faustus must be damned.
> Oh, I'll leap up to my God! Who pulls me down?
> See, see where Christ's blood streams in the firmament!

Roedd y wasg yn hael iawn 'u clod am fy nehongliad o Mephistopheles, ond mi aeth un braidd yn bell pan ddudodd: 'Mr Hugh Griffith discovered that the spotlight falling on his eye when he looked in a certain direction reflected as a flash of fire from the eye, thus projecting a very striking image, especially consistent with the character for the unsuspecting audience.' Chwarae teg iddo fo am fod mor garedig, ac efallai mod i wedi llwyddo i greu fflach o dân ar y noson yr oedd o yn y gynulleidfa, ond y gair yn sir Fôn am yr hyn y mae o'n ei ddisgrifio ydi ffliwc! Duw a ŵyr, dach chi angen tipyn go lew o lwc hefyd i ddal 'ych tir yn y busnes yma, fel y dudais i o'r blaen. Dim ots pa mor dalentog ydach chi, mae angen y lwc. Ac mi oeddwn i'n lwcus iawn mod i yn Stratford, yn cael cyfle i ailddechrau gneud enw i mi fy hun ar ôl absenoldeb o saith mlynedd, ac yn cael dangos mod i cystal am chwarae'r ffŵl ag yr oeddwn i am chwarae'r brenin, a hynny o flaen cynulleidfa ddethol o ddilynwyr y theatr a beirniaid oedd yn dallt eu crefft. Cofiwch, doeddwn i ddim yn cytuno efo nhw bob tro. A deud y gwir, doeddwn i byth yn cytuno efo nhw os oeddan nhw'n fy meirniadu fi! Os dach chi am lwyddo yn y gêm yma mae hi'n syniad da i chi amgylchynu'ch hun efo actorion o safon, pobol fel Paul Scofield a Donald Sinden a Richard Harris. Dyna i chi dri o'r actorion oedd efo mi yn Stratford y tymor hwnnw. Harris oedd yn actio Macbeth a finna oedd y First Witch, yn llefaru geiriau cynta'r ddrama:

> When shall we three meet again,
> In thunder, lightning, or in rain?

Er mai rhan fechan oedd gin i yn y cynhyrchiad, mae'n rhaid mod i wedi plesio un beirniad, a ysgrifennodd amdana i, 'Mr Hugh Griffith's witch seized attention and merits praise'. A dwi ddim yn meddwl mai cyfeirio at y trwyn mawr a'r llgada mwy yr oedd o! Mae 'na bum llinell tua diwedd y ddrama lle mae Macbeth wedi derbyn y newyddion fod ei wraig wedi marw, a dyna pryd mae o'n llefaru'r geiriau adnabyddus:

> Tomorrow and tomorrow and tomorrow,
> Creeps in this petty pace from day to day.

Ac ar ddiwedd yr araith, mewn pum llinell yn unig, mae Shakespeare yn llwyddo i grynhoi breuder bywyd:

> Life's but a walking shadow; a poor player,
> That struts and frets his hour upon the stage,
> And then is heard no more; it is a tale
> Told by an idiot, full of sound and fury,
> Signifying nothing.

Ella eich bod chi'n meddwl, oherwydd eich bod chi'n enwog, fod yr holl glod a'r mawl a'r bri yn golygu rhywbeth ond, yn y pen draw, dydi o'n golygu dim byd, medda Shakespeare – 'signifying nothing'.

Ar ôl gorffen fy nhymor efo cwmni'r Royal Shakespeare fe ddaeth 'na gyfle, yn 1947, i wneud pob math o wahanol betha: radio, theatr a sinema. Roeddwn i'n teithio 'nôl a blaen i Gymru er mwyn actio mewn dramâu radio dan gyfarwyddyd Dafydd Gruffydd ac Aneirin Talfan Davies, yn benna. Aneirin Talfan, gyda llaw, ddaru gomisiynu W. J. Gruffydd i gyfieithu *King Lear* i'r Gymraeg ar gyfer y radio, a dwi'n meddwl mai fi ydi'r unig actor erioed i chwarae Lear yn Gymraeg ac yn Saesneg, fel y gwnes i'n ddiweddarach yn y Grand yn Abertawe.

Dau gynhyrchiad dwi'n eu cofio dan ofal Dafydd Gruffydd oedd *Cenhadon Hedd*, cyfres am gewri'r pulpud oedd yn siwtio fy llais i'r dim, a'r ddrama *Amlyn ac Amig* gan Saunders Lewis, efo fi'n chwarae Amlyn, W. H. Roberts, Niwbwrch, yn chwarae Amig – dyna i chi lais – a Meredydd Evans, neu Merêd fel mae pawb yn ei adnabod o, yn chwarae rhan y Bardd. Toedd beirniad radio'r *Cymro* ddim yn ffan mawr o'r perfformiad, mae'n amlwg: 'Er cystal actor yw Hugh Griffith, mentraf ddweud nad oedd yn ei Amlyn, ddigon o farddoniaeth nac angerdd wrth ddringo i uchafbwynt.' Ac eto, yn yr un papur, yr un flwyddyn, dyma oedd gan y beirniad theatr i'w ddweud am fy mherfformiad yn y Duchess Theatre fel y Cardinal Monticelso yn *The White Devil*: 'Wrth ei wylio yn ei wisg goch a'i het fawr yn hyrddio barn ar y byd, y cnawd a'r diafol, ni allwn yn fy myw beidio â dwyn i gof John Williams, Brynsiencyn ac eraill o hoelion wyth Môn yn traethu'r un neges i gynulliad Sasiwn dair canrif yn ddiweddarach.' 'Hysbys y dengys dyn...' Mae'n amlwg fy mod i *wedi* cyrraedd yr uchafbwynt y tro hwnnw. Ond hwn oedd y *crit* wnaeth fy mhlesio yn y *London Theatre*:

His performance is one of the most convincing that I have ever witnessed. Not for many years have I seen so magnificent an impersonation as that of Hugh Griffith as the prosecuting Cardinal.

Magnificent, sylwch. Nid *good*, nac *excellent* hyd yn oed, ond *magnificent*.

Yn yr un flwyddyn fe fûm i'n chwarae rhan fechan iawn mewn ffilm am fywyd caled pysgotwyr penwaig oddi ar arfordir gogledd yr Alban. Dyna'r cwbwl dwi'n ei gofio amdani, ar wahân i'r ffaith mai *Silver Darlings* oedd ei henw hi, am mai dyna oedd y pysgotwyr yn galw'r penwaig, ac mai Clifford Evans oedd yn chwarae un o'r prif rannau, ac yn cyfarwyddo.

Ym mis Awst 1947 roeddwn i yn yr Eisteddfod Genedlaethol ym Mae Colwyn yn beirniadu'r ddrama. Mi fasa'n well o lawer taswn i heb fynd achos y cwbwl wnes i, ar ôl cyrraedd, oedd tynnu nyth cacwn yn fy mhen, gan fod fy sylwadau gonest am y perfformiadau wedi cythruddo rhai a digio eraill, yn enwedig Cwmni Drama Llangefni. Ond er mai un o Farian-glas oeddwn i, doeddwn i ddim yn mynd i ddangos ffafriaeth i gwmnïau Môn. Roedd yn rhaid i mi gadw at fy safonau fy hun, deud fy marn yn onest, a pheidio â phlygu i neb. I feirniadu gwaith dramodydd, mae'n rhaid i feirniad fod yn ŵr o brofiad ehangach na'r rhai y mae'n eu beirniadu, ac yn gallu gwerthfawrogi'n llwyr, trwy ei brofiad ei hun, y cymhlethdodau technegol a chreadigol – un sy'n gyfarwydd â safon ucha cynhyrchu ac actio. Nid teg fyddai i Fardd Cocos roi'i linyn mesur ar waith Bardd yr Haf. Yn anffodus, roedd gwŷr o'r ffasiwn safon i feirniadu dramâu yn brin iawn yng Nghymru ar y pryd, a dyna pam y plediais yn gyhoeddus ar lwyfan Bae Colwyn yn erbyn cystadlu a beirniadu. Awgrymais mai rheitiach o lawer fyddai i'r Eisteddfod ofyn i feirniad fynd at y cwmni cyn iddynt berfformio a rhoi cyfarwyddyd iddynt ymlaen llaw, yn lle aros nes bod y drwg wedi'i wneud. Yn wir, petai'r Eisteddfod wedi gofyn i mi fynd i Langefni, er enghraifft, i weithio efo'r cwmni, mi faswn wedi mynd. Er mwyn codi safon y ddrama Gymraeg yn gyffredinol, fe ddylai'r Steddfod sefydlu gweithdy lle gallai'r dramodydd anfon ei ddrama a chael awgrymiadau ynglŷn â saernïaeth a chreffitwaith. Dwi 'di sôn am gwmni drama Langefni yn benodol oherwydd y nhw gafodd y feirniadaeth galeta gen i. Roeddan nhw'n perfformio drama o waith John Gwilym Jones, *Y Brodyr*. Gwaith cynnar iawn ydi'r ddrama hon, a gresyn i'r dramodydd roi caniatâd i'r cwmni ei pherfformio, cyn ei hailbobi a chael gwared ar ddarnau dianghenraid. Yn wir, ar ôl i mi draddodi fy meirniadaeth, fe ges ar ddeall fod y cwmni wedi gofyn i Cynan a oedd o'n credu fod angen golygu'r ddrama, a'i fod o wedi dweud y byddai hynny'n ei chryfhau, ond fod John Gwilym Jones ei hun yn gwrthwynebu a ddim am i neb ddarnio'r cyfanwaith. Felly, fe gyrhaeddodd y prawf terfynol yn ei chyflwr elfennol ac anaeddfed. Dwi wedi cadw'r feirniadaeth ers yr holl flynyddoedd a dyma oedd gin i i'w ddweud am Langefni a'u perfformiad nhw:

Siomedig iawn...nid oedd yma ôl llaw cynhyrchydd yn deall ei waith...diffyg arweiniad yn amlwg ar waith yr actorion...Y Fam yn tueddu i or-actio...ar y cyfan fe'm syfrdanwyd o weld safon mor isel, ac anodd oedd i mi godi ar y diwedd i seboni yn erbyn fy ewyllys.

Traddodi'r feirniadaeth yr oeddwn i ar ran fy nghyd-feirniaid Haydn Davies a Kitchener Davies, ond y fi a'i cafodd hi gan y wasg – un yn awgrymu fy mod dan ddylanwad y ddiod ar y llwyfan: 'Prin bod ei leferydd yn ddealladwy. Cyfres o ebychiadau aneglur a gafwyd, yn hytrach na chyfres o frawddegau cymen.' Un arall yn dweud y dylwn i fod wedi dilyn esiampl Emlyn Williams, gafodd gynnig i feirniadu ond

a wrthododd am ei fod yn teimlo nad oedd o mewn cysylltiad
â Chymru. Cic i mi oedd honna – am nad oeddwn i'n actio yng
Nghymru, yna doedd gen i ddim hawl i geisio rhoi cyngor yn
seiliedig ar brofiad yn y theatr broffesiynol yn Lloegr. Blydi
rybish! Diolch i'r *Daily Post*, mi ddaru nhw fy nghefnogi i, gan
dynnu sylw fy meirniaid at y ffaith fy mod i'n siarad fel un ac
awdurdod ganddo, gan ychwanegu:

> He is an actor who cared enough about his art to throw up
> a comfortable job and plunge into the chancy whirlpool
> of the professional theatre. That is more than most of the
> arch priests of the Welsh theatre movement has done.

Bae Colwyn oedd y Genedlaethol gynta i mi gael gwahoddiad
i feirniadu ynddi – a'r ola! Dydw i rioed wedi bod yn brin o ddeud
fy marn yn blwmp ac yn blaen, a doedd *bigwigs* y Steddfod
a'r ddrama yng Nghymru ar y pryd ddim yn fodlon derbyn
beirniadaeth a oedd, yn y pen draw, er eu lles nhw. Taswn i
wedi penderfynu aros yng Nghymru ar y pryd a cheisio ennill
bywoliaeth fel actor, y gwir ydi na fasa hi ddim wedi bod yn
bosib i mi wneud hynny. Doedd 'na ddim dramâu gwreiddiol
gwerth eu halen ar gael. Iawn ar gyfer llwyfan y capel neu'r
neuadd bentref er mwyn cael chydig o hwyl ddiniwed. Ond
doedd eu safon nhw ddim digon da o bell ffordd i ddyn ennill
bywoliaeth yn eu sgil. Diffyg traddodiad theatrig, dyna'r prif
reswm pam nad oedd gynnon ni ddramodwyr o safon yng
Nghymru ar y pryd, ar wahân i Saunders Lewis.

*

Ar ôl cyrraedd adra, roedd 'na lythyr yn fy nisgwyl, llythyr a
fyddai'n golygu fod fy mhriodas efo Flora ar ben, *by reason
of the wilful refusal of the wife to consummate the marriage.*

Dwi'n cofio ar y pryd fy mod wedi fy mrifo'n ofnadwy pan ges i delegram ganddi ar fwrdd y llong yn Lerpwl ar ôl dŵad yn ôl o India yn deud ei bod hi isio ysgariad. Erbyn hyn, wrth edrych yn ôl, dwi'n gweld pa mor anodd oedd hi i ni'n dau, ac iddi hi yn enwedig, yn gorfod bod ar wahân am gymaint o flynyddoedd.

Beth bynnag, dri mis ar ôl yr ysgariad, fe briodais Gunde. Adelgunde Margaret Beatrice von Dechend, dyna'i henw hi'n llawn. Enw crand, ac yn wir mi oedd hi o deulu crand iawn, ei thad hi'n un o feibion Is-ganghellor y Reichsbank yn Berlin, cyn iddo fo adael y wlad a mynd i Melbourne i fyw. Yno y ganwyd Gunde, yn yr un flwyddyn â fi, 1912, ond yn Tasmania y treuliodd ei phlentyndod. Fe briododd ei modryb Pauline efo'r Tywysog Maximillian Melikoff, ac ymhen blynyddoedd, pan symudodd Pauline i Lundain, fe fyddai Gunde a finna'n picio draw i'w gweld hi. Fe hyfforddodd Gunde fel pensaer ym Mhrifysgol Melbourne, ond actores oedd hi am fod, ac felly pan fu ei thad farw, fe ddaeth hi a'i mam draw i Brydain. Ac fel roeddwn i'n sôn yn gynharach, fe wnes i ei chyfarfod mewn theatr yn Llundain a syrthio mewn cariad efo hi'n syth. Wyddoch chi be? Wrth ailddarllen yr hyn dwi newydd sgwennu, mae o'n darllen fel ffilm, 'tydi? Ac wrth edrych yn ôl ar fy mywyd i, ella 'i bod hi'n anodd gweld y ffin weithiau rhwng y ffaith a'r ffansi.

Flwyddyn ar ôl i ni briodi roedd Gunde yn feichiog. Roeddan ni'n dau wedi gwirioni. Dwi'n cofio mod i'n gweithio'n galed iawn ar y pryd, rhyw ddeuddeng awr y dydd, ond roeddwn i'n ffonio'r doctor yn ddyddiol i neud yn siŵr ei fod o'n mynd i weld Gunde yn rheolaidd. Ar ôl tri mis a hanner fe wnes i ddechrau ama fod 'na rywbeth o'i le. Fe ffoniais y doctor – dim ateb. Penderfynais adael y ffilmio a dychwelyd i Warwick Square. Erbyn i mi gyrraedd roedd y doctor yno'n rhoi archwiliad i Gunde ar ôl i'w ffrind gorau alw heibio'r fflat a dod o hyd iddi wedi llewygu.

Ar ôl i mi helpu fy hun i frandi mawr o'r *cocktail cabinet* fe ddaeth y doctor drwadd.

'Mr Griffith,' medda fo, 'it's a good thing I came. She might have died.'

'Felly, be dach chi am neud?' medda fi.

Mi gododd y ffôn a ffonio'r ysbyty a deud wrthyn nhw am gael gwely'n barod i Gunde gan ei fod o am wneud y llaw-driniaeth yn syth bìn. Yna fe ffoniwyd am dacsi ac aethpwyd â Gunde i mewn.

Roedd yn rhaid i mi ddychwelyd i Ealing i gario mlaen efo'r ffilmio, ac mi oedd hi'n anodd iawn bod yn ddoniol ar ffilm, credwch chi fi, a'ch gwraig yn yr ysbyty. Ar ddiwedd y dydd mi fyddwn yn teithio 'nôl i'w gweld hi, a dwi'n cofio mynd â chês o siampên efo mi, a'i roi o dan y gwely er mwyn i ni fwynhau gwydraid bach efo'n gilydd yn ystod yr ymweliad. Mi fuodd Meredith Edwards, oedd yn actio efo fi yn y ffilm *A Run For Your Money*, yn gefn mawr i mi yn ystod y cyfnod hwn, yn enwedig ar ôl i'r ysbyty esbonio i ni na fyddai'n bosib i ni gael plant wedyn. Ar ôl yr *ectopic pregnancy* roeddan nhw wedi tynnu un o'r tiwbiau. Y gobaith oedd y byddai'n bosib i Gunde feichiogi gan fod 'na un arall ar ôl, ond bu'n rhaid iddi ddychwelyd i'r ysbyty ymhen ychydig fisoedd a chael tynnu'r ail diwb hefyd. Gunde druan! Roedd o'n gyfnod ofnadwy iddi hi, ac roedd sylweddoli na chaem ni byth blant yn ddyrnod drom iawn i ni'n dau. Ceisiodd Meredith Edwards ein cysuro drwy awgrymu y gallem ystyried mabwysiadu plentyn yn y dyfodol. Ond ddaru ni ddim, ac wrth edrych yn ôl ar ein priodas fe fydda i'n gofyn i mi fy hun weithiau ai'r rhwystredigaeth o wybod na allem gael plant oedd wrth wraidd y berthynas stormus fu rhyngom?

ENWOGRWYDD YN GALW

DIOLCH i Dduw, ac i'r theatr a'r sinema, daeth cynigion gwaith o bob cyfeiriad yn ystod y cyfnod anodd yma, a llwyddais i chwalu cymylau duon iselder, a oedd yn mynnu fy llethu, drwy weithio ddydd a nos. Bûm yn actio'r Parchedig John Williams (ond nid o Frynsiencyn) yn y ddrama ysgafn *A Comedy of Good and Evil* yn yr Arts Theatre yn Llundain, a rhan hefyd yn *The Playboy of the Western World* yn y Mercury Theatre. Yn ddiweddarach, cefais ganmoliaeth uchel iawn am fy rhan mewn drama gan Machiavelli yn y Mercury Theatre, a Richard Findlater, beirniad theatr uchel ei barch, yn dweud amdana i 'Hugh was outstanding'. A phwy oeddwn i i anghytuno efo fo! Golygai gweithio yn Llundain fy mod yn gallu dychwelyd at Gunde bob nos a threulio'r diwrnod yn ei chwmni. Neu o leia, dyna oedd y cynllun. Ond, wrth gwrs, os nad oeddwn i'n actio gyda'r nos, roeddwn i'n ffilmio yn ystod y dydd – ac weithiau'n gneud y ddau yr un pryd! Ac felly, erbyn i mi gyrraedd adra yn amal iawn byddai Gunde wedi hen fynd i'r gwely.

Cefais rannau bychain mewn ffilmiau fel *The First Gentleman*, yn chwarae Esgob Salisbury, ac yn y ffilm *London Belongs to Me* y fi oedd y Parchedig Headlam Fynne, efo Richard Attenborough yn y brif ran. Chwarae rhan crwner wedyn yn y ffilm *So Evil My Love*, a chyfarfod â Chymro arall, sef Ray Milland – Cymro oedd wedi ennill Oscar. Tawn i'n onest, toedd y ffilmiau yma ddim ymhlith y rhai mwya cofiadwy a welwyd yn y sinema. Ydach chi'n cofio Bensall, y bytlar? Pwy fasa? Ond dyna'r rhan roeddwn i'n ei chwarae yn y ffilm ddirgelwch *The Case of the Missing Heiress*, efo'r sgript wedi'i sgwennu gan Roy

Plomley, y dyn ddaru greu un o'r rhaglenni mwya poblogaidd erioed ar y radio, *Desert Island Discs*. 'An unremarkable mystery thriller which has dated badly' oedd barn un beirniad am y ffilm. Ac roeddan nhw yr un mor hael eu canmoliaeth ar ôl gweld The Three Weird Sisters, lle roeddwn i'n chwarae rhan Mabli Hughes, y glöwr egwyddorol: 'A disgrace, despite the casting of Hugh Griffith. A horrid little melodrama.' Cyfle oedd y ffilm mewn gwirionedd i'r sgriptiwr, Dylan Thomas, ymosod yn filain ar Gymru. Yn y ffilm yma yr ymddangosodd y llinell gofiadwy 'Land of my fathers? My fathers can keep it!' am y tro cynta. Mae o'n disgrifio Cymru fel hyn mewn un rhan:

> slag heaps and pit heads and vile black hills. Huh! How vile was my valley. I'm sick of all this Celtic clap trap about Wales…Little black back biting hypocrites, all gab and whine. Black beetles, with tenor voices, and a sense of sin like a cripple's hump.

Braidd yn gas, efallai, ond wedi deud hynny, mae 'na elfen o wir yn y geiriau. Mi fydda i'n meddwl yn amal ein bod ni'n genedl o ragrithwyr sy'n hoffi cwyno. Gyda llaw, Dylan Thomas gafodd y cynnig i sgwennu sgript ar gyfer ffilm y buodd fy hen gyfaill Meredith Edwards a fi'n actio ynddi hi, sef *A Run for Your Money*, ond doedd 'na ddim digon o arian yn cael ei gynnig i Dylan, felly fe wrthododd y gwaith. Fel mae'n digwydd, Meredith a finna oedd yn gyfrifol am y rhan fwya o'r sgript yn y pen draw, ond mwy am hynny yn nes ymlaen.

Ddiwedd 1948 roeddwn i'n bell iawn o Lundain, i fyny yng ngogledd Cymru yn ardal Rhyd-y-main, Dolgellau a Llanfachreth yn ffilmio *The Last Days of Dolwyn* – ffilm gynta Richard Burton, wedi'i chyfarwyddo gan Emlyn Williams. Y stori'n syml oedd fod Rob Davies wedi cael ei orfodi i adael pentref Dolwyn yn hogyn ifanc ar ôl dwyn arian o'r capel. Ac roedd o wedi dychwelyd er mwyn talu'r pwyth yn ôl, drwy foddi'r pentre. Dipyn bach yn eithafol, a deud y lleia! Dame Edith Evans oedd yn chwarae rhan gofalwraig y capel, un o'r actoresau mwya poblogaidd ar lwyfannau Llundain ar y pryd, fel y crybwyllwyd eisoes, ac roedd hi a'i llysfab Gareth, yn cael ei chwarae gan Richard, oedd yn benderfynol o stopio Rob Davies. Er mai hon oedd ffilm gynta Richard, fe wyddwn yn iawn fod 'na ddyfodol disglair o'i flaen. Roedd o'n edrych yn dda ar y sgrin ac roedd rhywbeth apelgar yn ei lais.

Ond ddim yn ei lais canu. Roeddan ni'n aros yn y Bont-ddu yn ystod y ffilmio ac fe anfonais air at Meredydd Evans yn gofyn iddo fo ddŵad draw. Fe gafodd ei gyflwyno i Richard fel arbenigwr ar ganu alawon gwerin, a phan glywodd Richard hynny, roedd am i Merêd ei glywed o'n canu 'Ar lan y môr'. Ar ar ôl clywed Richard, doedd dim rhaid i Merêd boeni am ei safle fel y canwr caneuon gwerin gorau fuo gynnon ni – a ffrind triw iawn hefyd, fo a Phyllis. Ar set y ffilm yma ddaru Richard a Sibyl Williams, ei wraig gynta, gyfarfod. Merch ifanc ddeunaw oed oedd Sybil ar y pryd. Ymhen blwyddyn neu ddwy roedd hi a fi a Richard efo'n gilydd eto, yn Stratford.

Ar ôl chwarae *bit parts* mewn ffilmiau cyn hyn, fe fydda i'n fythol ddiolchgar i'r cyfarwyddwr Emlyn Williams am fy nghastio fel gweinidog Dolwyn, rhan efo tipyn o afael ynddi. Heb os, bu'r ffilm hon yn drobwynt yn fy ngyrfa ar y sgrin. Cefais gyfle i ddangos, o gael rhan go iawn, fy mod yn gallu cyfleu'r holl emosiynau angenrheidiol, 'drwy lefaru yn naturiol', fel dudodd un adolygydd. Ac yn ôl un arall, y fi oedd 'yr unig gymeriad, efallai, sy'n gwbwl argyhoeddiadol'. A hynny, efallai, oherwydd mod i wedi chwarae'r rhan yn reit gynnil, heb fynd yn felodramatig. Doedd hi ddim yn rhan fawr, ond roedd yn ddigon mawr i mi wneud argraff: 'Y mae Hugh Griffith yn cyfoethogi'r ffilm yn ddirfawr ac yn dechrau magu personoliaeth fel un o brif arwyr sgrin fawr y genedl.' Ac nid yn unig y genedl Gymreig oherwydd, ar ôl *Dolwyn*, fe ges i ran yn y ffilm enwog *Kind Hearts and Coronets*, efo Alec Guinness. Yn wir, ffilm Guinness oedd hon gan ei fod o'n chwarae wyth rhan wahanol, ond o leia doedd o ddim yn chwarae'r Lord High Steward, gan mai fi oedd hwnnw.

Tasach chi'n gofyn i bobol ar y stryd efo pa ffilm y basan nhw'n fy nghysylltu i, mae'n bur debyg y basa *Grand Slam* yn weddol agos at y brig. *Ben Hur* hefyd, y ffilm y ces i Oscar amdani, am actio Arab oedd yn prynu a gwerthu ceffylau. Yn wir, dyna oedd rhai pobol yn fy ngalw i – yr Arab o Fôn, cyfeiriad at nodweddion Arabaidd fy ngwyneb, a hefyd synnwn i ddim, at y bywyd afradlon, yng ngolwg rhai, y bûm i'n ei fyw. Mi fasan nhw hefyd, dwi'n meddwl, yn enwi *A Run for Your Money*, Ealing Comedy, a ffilm gynta fy ffrind Meredith Edwards. Fi awgrymodd ei henw i'r cyfarwyddwr, fo a Donald Houston. Beth bynnag, flynyddoedd yn ddiweddarach, dwi'n cofio Meredith yn hel atgofion am y ffilm ac yn sôn fel y daeth o i lawr o'r Rhos, 'yn dal ac yn denau ac yn nerfus, ond mi gerddais i mewn gan sgwario fel coliar, a siarad Saesneg efo acen Gymreig dewach nag arfer'. Fe gafodd y rhan, ac ar ôl i'r ffilm gael ei dangos, o dan y llun o Mered ar y poster roedd y geiriau 'great new screen comedy discovery'. Da iawn fo.

Clifford Evans oedd yn gyfrifol am y stori am Twm a Dai, sef Meredith a Donald Houston, yn ennill cystadleuaeth. A'r wobr? Can punt a thocynnau i weld gêm rygbi rhwng Cymru a Lloegr yn Twickenham. Mae Dai yn cael ei arwain ar gyfeiliorn gan Moira Lister, a dw inna, fel Huw'r telynor meddw sy'n Gymro oddi cartre ac yn byw yn Llundain, yn perswadio Meredith i fynd i chwilio am y delyn, sydd mewn *pawn shop*, oherwydd mod i eisiau pres i brynu cwrw. Yn y diwedd dwi'n cael fy nhelyn yn ôl ac yn dychwelyd i Gymru, ar ôl blynyddoedd yn cerdded strydoedd Llundain. Gwan iawn oedd y sgript – ac fe wnes i fygwth deud hynny wrth y cyfarwyddwr hefyd. Ond fe ddaru Meredith fy narbwyllo i beidio â bod mor benboeth, gan awgrymu y dylem ei hactio fel ag yr oedd, ond ei hactio'n sâl, ac yna gynnig gwelliannau. A dyna ddaru ni.

Nid y fi oedd yr unig un o'r teulu a gafodd ran yn y ffilm. Mi oedd 'na ran fechan i Branwen hefyd. Un o'r corgwn yr oedd fy ngwraig wedi'u bridio oedd Branwen, ac roedd 'na Matholwch a Bendigeidfran hefyd. Dwi'n credu i Burton gael Matholwch yn anrheg. Beth bynnag, mewn un olygfa, roedd y cyfarwyddwr am i mi a Meredith redeg i lawr y stryd, ac fe awgrymais y byddai'n ddoniol pe baem ni'n rhedeg oherwydd fod 'na gi ar ein holau. Syniad da, meddai'r cyfarwyddwr, ond lle gawn ni gi? Wel, medda fi, fel mae'n digwydd...a dyna sut y cafodd Branwen ran fechan yn y ffilm, ac y cafodd Gunde ffi fechan am logi'r ci i ni am y diwrnod. Wel, busnes 'di busnes.

Cefais fwy nag un cyfle ar ôl hynny i actio efo Meredith. A dwi'n ein cofio ni'n cerdded efo'n gilydd i fyny Queen Street yng Nghaerdydd i gyfeiriad y BBC yn Park Place, ac yn mynd heibio Swyddfa'r Blaid ar y pryd. Dyma fi'n stopio tu allan ac yn gofyn i Meredith yn blwmp ac yn blaen a oedd o'n aelod o'r Blaid.

'Nacdw,' medda fo. 'Dwi'n credu mewn bod yn *internationalist*. Y *nationalists* sydd wedi rhwygo'r byd 'ma.'

'Diawl!' medda fi. 'Fedri di ddim bod yn *internationalist* heb fod yn *nationalist* i ddechra!'

Ac i mewn â ni a chael ein croesawu gan J. E. Jones, ac fe ymaelododd Mered yn y fan a'r lle.

Ar ôl gorffen ffilmio *A Run for Your Money* fe ges i lythyr gan R. O. F. Wynne o Garthewin. Roedd o wedi addasu ysgubor y plas yn 1937 a'i throi'n theatr, yn sicr y theatr enwoca a'r mwya dylanwadol o'r theatrau bychain a sefydlwyd yng Nghymru'r ugeinfed ganrif. Ond roedd hynny cyn i Theatr Fach Llangefni agor ei drysau, wrth gwrs, gan roi cyfle i'r cyhoedd weld talent fy chwaer, Elen Roger Jones, ar y llwyfan! Byrdwn y llythyr oedd fod yr Wynniaid yn trefnu gŵyl yng Ngarthewin y flwyddyn ganlynol ac am i mi fynd yno i siarad am fy ngwaith fel actor. Atebais fy mod yn casáu gwneud hynny, ac wedi cael profiad cas yn Eisteddfod Bae Colwyn, ond y buaswn yn fodlon gwneud unrhyw beth arall i gefnogi'r ŵyl, ar wahân i siarad a darlithio.

Felly fe dderbyniais y gwahoddiad i fod yn un o is-lywyddion yr ŵyl, gan y byddai hynny'n rhoi cyfle i mi drafod dyfodol y theatr yng Nghymru gyda'i chefnogwyr mwya selog. Roeddwn i'n awyddus iawn i weld theatr broffesiynol Gymreig yn cael ei sefydlu, fel y gwyddoch eisoes. Un o noddwyr theatr Garthewin o'r cychwyn oedd Saunders Lewis. Ar gyfer Cwmni Garthewin y sgwennodd ei ddrama *Blodeuwedd*, ac fe ystyriai theatr Garthewin yn gartref sefydlog i'w syniadau ac yn Fecca'r ddrama Gymraeg. Yn ychwanegol at hynny, roedd yntau hefyd yn credu mai dim ond drwy sefydlu theatr broffesiynol y deuai'r ddrama yn gelfyddyd yng Nghymru. Wrth gwrs, chewch chi ddim theatr werth chweil oni bai fod gynnoch chi ddramodwyr mawr, a chewch chi ddim dramodwyr o safon oni bai fod ganddyn nhw weledigaeth o fywyd. Yn ogystal â theatr broffesiynol, roeddwn i hefyd am weld sefydlu ysgol ddrama lle gellid trwytho'r myfyrwyr yn holl agweddau'r theatr heb fod yn rhaid iddyn nhw fynd i Loegr am hyfforddiant a bywoliaeth fel y bu'n rhaid i mi a fy nhebyg. Fe fyddai'r ysgol a'r theatr yn cydweithio ac fe fyddai'r myfyrwyr yn cael cyfle i chwarae rhannau bychain yng nghynyrchiadau'r theatr tra oedden nhw'n cael eu hyfforddi yn y coleg. Erbyn i'r ysgol ei sefydlu'i hun yn iawn, byddai'r theatr wedi creu cwmnïau teithiol a fyddai'n gallu cynnig gwaith i'r myfyrwyr ar ôl iddyn nhw adael yr ysgol. Byddai'n rheidrwydd ar unrhyw un fyddai'n bwriadu dysgu drama, neu fod yn gynhyrchydd, neu'n gyfarwyddwr, neu'n actor proffesiynol, fod wedi cael hyfforddiant yn yr ysgol ddrama, er mwyn sicrhau'r safonau ucha posib. Fe fyddai creu Theatr Genedlaethol yn fodd i ddiogelu'r iaith Gymraeg rhag

Fi yn faban bach. Hyd yn oed bryd hynny,
roedd gen i yr hyn y byddai un adolygydd yn
Punch yn eu disgrifio maes o law fel
'Old Testament eyes'!

Mam a Nhad.

Fi, Charlotte, Elen a Tom y tu allan i Angorfa.

Fi, tua deng mlwydd oed.

Fi ar gychwyn yn y banc yn un ar bymtheg oed.

Aber-soch: fi a thair cyfeilles yn gyrru ymlaen yn dda!

F'annwyl Mary a chriw o ffrindiau ar fwrdd llong i Enlli.
Dacw fi yn y blaen a hithau yn y canol.

Criw ohonom ar gychwyn i Enlli.

Priodas Elen a Gwilym yn Angorfa, Marian-glas yn 1937.
O'r chwith: Robin (brawd Gwilym), Charlotte, Gwilym, Elen, Beryl (chwaer Gwilym) a fi.
Roedd dau was a dwy forwyn yn y briodas hon!

Flora tua 1939.

Lieutenant Hugh Emrys Griffith, India,
adeg yr Ail Ryfel Byd.

Gunde a minnau ar ddiwrnod ein priodas.

Y teulu yng ngardd y Tŷ-banc, Aber-soch, cartre teulu Elen.
Yn y cefn: fi, Mam, Meri Rhiannon, Charlotte a Dafydd.
Yn y blaen: Wil Roger, Gruff a Bethan.

Dathlu pen-blwydd Mam yn 70: fi, Tom, Elen, Mam a Charlotte.

Dau drip i'r Eisteddfod Genedlaethol:
Uchod, gyda Mam ac Ysgrifennydd yr Eisteddfod yn Llangefni.
Isod, crwydro'r Maes gydag Elen.

Napoleon Bonaparte, rhan a enillodd
Fedal Bancroft i mi yn RADA.

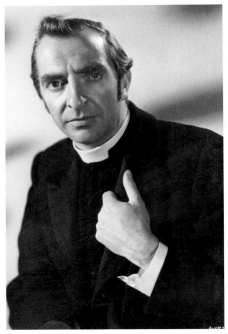

Y gweinidog parchus yn
Last Days of Dolwyn.

Last Days of Dolwyn.

Cyfnod hapus Stratford.
Richard Burton a minnau'n gwneud ati
mewn llun a dynnwyd gan Osian Ellis.

Fi fel Owain Glyndŵr yn
Henry IV Part I.

Richard fel Henry a minnau fel Archesgob Caergaint yn *Henry V*, 1951.

Ar lwyfan gyda Richard Burton yn Efrog Newydd,
yn y ddrama *Point of Departure*.

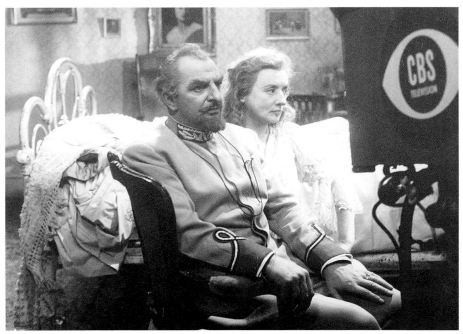

Yn y ddrama deledu *Waltz of the Toreadors* gyda Mildred Natwick,
sylwch ar gamera CBS yng nghornel y llun.

Falstaff cofiadwy!

Gwedd ddieithr iawn, fel Caliban yn *The Tempest*.

Portread ardderchog ohonof gan y ffotograffydd o Gymro, Angus McBean.

Cyfle arall i bortreadu eglwyswr mawr – Thomas Cranmer, yn *The White Falcon*.

Yr Arab o Fôn! Sheik Ilderim yn *Ben Hur*, y rhan a enillodd Oscar i mi.

Sgets gan Charlton Heston ohonof a dynnwyd adeg ffilmio *Ben Hur*.

Ymarfer gyrru'r cerbydau ar set *Ben Hur*.

Dysgu trin cleddyfau yn *Ben Hur* gyda
Charlton Heston yn gwylio.

Llun wardrob o *Ben Hur*, i gofio pa ddillad
oedd amdanaf.

Llun a dynnais o William Wyler,
y cyfarwyddwr dawnus, a'i wraig Margaret.

Gyda Tony Curtis – a rhyw het ryfeddol –
yn *On My Way to the Crusades*.

Gyda William Holden yn *The Counterfeit Traitor.*

Gyda dau o sêr mwyaf Hollywood,
Gene Wilder a Donald Sutherland, yn *Start the Revolution Without Me.*

Yn *How to Steal a Million*, gyda Peter O'Toole (uchod) ac Audrey Hepburn (isod).

The Playboy of the Western World, J. M. Synge.

Yn fy nghar, adeg ffilmio *The First Gentleman* yn stiwdios Ealing –
sylwch ar faner y Ddraig Goch ar drwyn y car!

Y Brenin Llŷr, ar lwyfan Theatr y Grand, Abertawe.

Mae'n edrych fel paradwys, ond roedd ffilmio *Mutiny on the Bounty* yn brofiad uffernol.

A Run for your Money, gyda dau gyd-Gymro,
Meredith Edwards a Donald Houston

Ein ci bach, Branwen, a gafodd anfarwoldeb yn *A Run for your Money*.

Pedair gwedd wahanol arnaf: y potsiar yn *The Titfield Thunderbolt*, Mandria yn *Exodus*, Sgweier Western yn *Tom Jones* a Morton Mitcham yn *The Good Companions*

Fel Caradog Lloyd-Evans yn *Grand Slam* gyda Marika Rivera, 'my little Butterfly'.

Yr Oscar a fi.

Y ddwy dystysgrif a gefais gan yr Academi Ffilmiau am gael fy enwebu yng nghategori'r actor cynorthwyol gorau: *Ben Hur* a *Tom Jones*.

O flaen yr Old Red Lion, Cherington.

Gunde a minnau'n ymlacio yn ein gardd yn Cherington.

Llun a dynnwyd ohonof gan David Bailey ar gyfer *Vogue*.

Hen wyf . . .

UN O'R ARDAL HON OEDD

HUGH GRIFFITH

1912 - 1980

A DDAETH YN ACTOR BYD-ENWOG
YMFALCHIAI BOB AMSER YN EI WREIDDIAU

TO COMMEMORATE AN OSCAR-WINNING ACTOR

Y gofeb i Hugh a welir ar flaen hen ysgol Marian-glas.

Bedd y teulu ym Mynwent Llaneugrad.

y llif cyson o adloniant Saesneg a ddeuai i'n cartrefi ni drwy gyfrwng y sinema, y radio, a'r teledu hefyd, yn nes ymlaen.

Flynyddoedd yn ddiweddarach fe ges i wahoddiad i fod yn brifathro cynta coleg drama oedd yn mynd i gael ei sefydlu yng Nghastell Caerdydd. Gwrthod wnes i, gan ddweud yn blaen wrth yr awdurdodau nad oedd 'na ddim pwynt sefydlu coleg drama os nad oedd gynnoch chi'r dramâu a'r theatr yng Nghymru i roi gwaith a bywoliaeth i'r actorion hynny. Anfonais gopi iddyn nhw o'r cynllun a oedd gen i ar gyfer ysgol ddrama yng Nghymru. Ches i ddim hyd yn oed ddiolch am fy nhrafferth. Pe bai cynllun felly wedi cael ei fabwysiadu yr adeg honno mi fyddai'r theatr yng Nghymru wedi cael ei Chymreigio, yn union fel y mae'r bobol ifanc wedi Cymreigio'r canu modern yn y blynyddoedd dwetha. Ac mi fyddwn innau wedi cael treulio fy oes yn gweithio ymhlith actorion Cymreig.

Fe agorodd y National Music and Drama College ym mis Medi 1949 yn y castell yng Nghaerdydd. Roedd o'n Seisnig o ran ei enw – ac o ran ei weledigaeth, er bod y pennaeth drama cynta, Raymond Edwards, yn Gymro o'r Rhos.

Ond roedd 'na betha pwysicach o lawer ar fy meddwl i'r flwyddyn honno, sef dau gynhyrchiad. Un cynhyrchiad yn Saesneg yn Theatr y Grand yn Abertawe, a'r llall ar y radio, wedi'i gyfarwyddo gan Dafydd Gruffydd, a'r ddau'n gynyrchiadau o ddrama fwya Shakespeare, mae'n bur debyg – *King Lear*. Tad Dafydd, W. J. Gruffydd, oedd yn gyfrifol am y cyfieithiad Cymraeg. Yr olygfa sy'n peri'r broblem fwya i unrhyw actor sy'n derbyn y sialens i bortreadu Llŷr ydi golygfa'r storm. Mae'n rhaid i'r effeithiau fod yn uchel er mwyn creu storm gredadwy ar y llwyfan, ac eto mae'n rhaid i'ch llais chi gael ei glywed. Nid gweiddi ydi'r ateb. Y cwbwl fasa hynny'n ei wneud fasa dinistrio'r *vocal cords*. Felly be wnes i? Wel, mynd yn ôl i'r cyfnod hwnnw pan oeddwn i'n hogyn ifanc yn Aber-soch, yn cerdded y traeth yn llefaru darnau o Shakespeare i sŵn y tonnau'n torri, sgrech y gwynt a chri'r gwylanod. Yn hytrach na cheisio distewi'r storm, yr hyn yr oeddwn i'n ei wneud oedd ei marchogaeth hi, a defnyddio *upper register* y llais y byddai'r hen bregethwyr yn ei greu wrth fynd i hwyl erstalwm. 'If these stones were books, I would preach to you,' meddai Lear, a dyna wnes i – annerch y storm a mynd i hwyl. A wyddoch chi be? Ar ôl i chi benderfynu eich bod chi am chwarae'r rhan mewn rhyw ffordd arbennig, mae o'n rhoi tipyn o foddhad i chi i ddarllen sylwadau gan feirniad yn y wasg sy'n deall be dach chi wedi drio'i neud:

> In the storm scenes, most Lears have no method of coping except to shout until their voices crack, but Hugh Griffith, going effortlessly into hwyl, achieved a pitch and cadence which reverberated clearly through the noises of the tempest.

A dyna sut y gwnes i ddehongli'r rhan ar lwyfan y Grand hefyd, efo Wilfrid Brambell, a chwaraeodd Steptoe ar y teledu ymhen blynyddoedd, yn chwarae'r Ffŵl. Y fi oedd y Cymro cynta erioed yn hanes y theatr ym Mhrydain i actio'r Brenin Llŷr ac fe gyfeiriodd un neu ddau at y ffaith fy mod wedi ymgodymu â'r rhan fel Celt a Chymro, a doedd hynny ddim yn dderbyniol gan y purwyr. Ond doedd pob beirniad ddim yn cytuno â'r safbwynt cul hwnnw:

> If Lear was a mad old Ancient Briton, a Welsh actor might be expected to realise qualities of this personality and behaviour which escapes a Saxon interpretation.

Tydw i erioed wedi ceisio cuddio'r ffaith mai Cymro ydw i drwy siarad mewn rhyw acen ffug, ac felly mae'n ddigon naturiol fod y Cymreigrwydd hwnnw wedi lliwio'r ffordd dwi wedi dehongli gwahanol rannau dros y blynyddoedd.

Tri deg a saith oed oeddwn i'n chwarae Lear, ac roeddwn i wedi gobeithio – yn wir, wedi breuddwydio – am gael chwarae'r rhan yn nes ymlaen mewn bywyd, pan oedd gin i fwy o brofiad, a hynny yn Stratford. Roedd Peter Hall, un o gyfarwyddwyr gorau dramâu Shakespeare, yn credu y dyliwn i fod wedi cael cyfle i wneud hynny er mwyn i gynulleidfa ehangach fod wedi gweld fy mherfformiad. Ond erbyn i mi fod yn barod o safbwynt profiad theatrig doeddwn i ddim yn ddigon cryf fy iechyd i ddringo'r fath Everest o ran. Ac felly, roedd yn rhaid i mi fodloni fy hun ar ail-greu atgofion am y perfformiad yn Theatr y Grand yn 1949.

Tra oeddwn i yn Abertawe fe ddaeth yr hen gyfaill Eic Davies i ngweld i. Ar y pryd roedd o'n athro Cymraeg ym Mhontardawe ac roedd o'n awyddus iawn i mi ymweld â'r ysgol er mwyn rhoi gair o gyngor i un ferch ifanc yr oedd o'n credu y gallai hi fod yn actores yn y dyfodol. Gan fod gin i lawer o barch i'r gwaith da yr oedd Eic yn ei wneud ym myd y ddrama amatur fe es i draw i'r ysgol un pnawn, a'i gweld hi'n actio Viola yn *Twelfth Night*. O'r foment gynta y dechreuodd hi lefaru doedd gen i ddim amheuaeth o gwbwl fod ganddi dalent go arbennig, ac ar ôl treulio rhyw awr yn ei chwmni'n awgrymu un neu ddau o bethau iddi er mwyn gwella'r perfformiad, awgrymais i Eic y dylai geisio am le yn RADA, fy hen goleg i. Ymhen hir a hwyr fe gofiodd hithau fy nghyngor ac fe aeth i'r coleg drama ac ennill Medal Bancroft, un o brif wobrau'r coleg, fel y gwnes i. Pwy oedd yr hogan ifanc? Neb llai na Siân Phillips, sy'n cael ei chydnabod fel un o actoresau gorau'r theatr a'r sgrin.

Yn rhyfedd iawn, roeddwn i a'i gŵr cynta, Peter O'Toole, yn dipyn o fêts. Mi fuodd o a finna mewn nifer o ffilmiau efo'n gilydd, a taswn i heb yfed cymaint yn ei gwmni ella baswn i'n medru cofio enwau rhai ohonyn nhw!

Ro'n i'n sôn ryw bennod neu ddwy yn ôl pa mor bwysig

i mi oedd fy mod i'n driw i nghefndir ac, yn wir, yn *Gone to Earth* dwi'n talu gwrogaeth mewn ffordd gynnil i'r cefndir hwnnw. Yn y ffilm, fi oedd Andrew Vessons, gwas y sgweiar, ac mewn un olygfa dwi'n galw'r gwartheg, ac yn gwneud hynny fel roedd taid Ponc yr Efail yn eu galw nhw, 'Tw-bo, tw-bo, tw-bo.' Ella medrwch chi fynd â'r dyn allan o sir Fôn ond...

Roedd 1950 yn flwyddyn dda iawn. Digon o waith a hwnnw'n amrywiol – ar y llwyfan, ar y sgrin ac ar y radio. Ac eto, roedd arian yn brin. Y noson o'r blaen roeddwn i'n edrych drwy hen lythyrau roeddwn i wedi'u cadw o'r cyfnod yma ac fe ddois i ar draws un wedi'i anfon at Gunde fy ngwraig, o Hull. Ar daith yr oeddwn i, yn chwarae rhan Thomas Cranmer yn y ddrama *White Falcon*, cyn iddi fynd i'r West End.

> Darling Gunde, Hull. Oh God! What a ghastly business this really is. All this Hull and hell, and kippers, and tatting around the provinces, and I haven't even half my salary... Another 5 weeks of this we'll be out of pocket, when you consider rent and things and the income tax still to be paid out of this £50 per week.

O ddarllen y llythyr yna eto, mae dau beth yn amlwg. Er fy mod i'n gneud lot fawr o waith doeddwn i ddim yn gneud lot fawr o bres. Neu, wrth gwrs, yr oeddwn i'n gneud lot o bres ond yn ei wario fo, ac yna'n mynd yn isel ac yn sgwennu llythyr poenus at Gunde.

Ac os nad oeddwn i'n gneud digon o bres, sut oeddwn i'n medru prynu anrhegion drud i'm ffrindiau ar gyflog o £50 yr wythnos? Dyma i chi lythyr arall gin fy hen gyfaill Saunders Lewis, yn diolch i mi am ddwy botel o Volnay '37 yr oeddwn i wedi'u hanfon ato fo gan wybod mor ffond oedd o o'i win – ond dim ond gwin drud, wrth gwrs.

Annwyl Hugh,

Yr ydych yn hael a charedig tu hwnt ac fe yfir yma i'ch iechyd a'ch ffyniant. Gwrandewais ar recordiad Nos Sul o'ch Thomas à Becket a mwynheais eich dehongliad gwych o Gymreigiad Tom Parry. Peidiwch â dyfod i Aberystwyth heb ddyfod yma am brynhawn, yr oedd eich cwmni yn wledd hyfryd i minnau.

Erbyn diwedd y flwyddyn yr oeddwn yn actio yn nrama enwog Anouilh, *Point of Departure*, yn y Lyric, Hammersmith, efo Dirk Bogarde a Mai Zetterling. Cawsom ein canmol i'r cymylau. Yn ôl y *Times*, fe roddais i 'virtuoso display' ac ennill yr American Equity Prize am y perfformiad gorau mewn unrhyw ddrama yn Llundain ar y pryd. Ond doedd Efrog Newydd ddim mor hael eu canmoliaeth pan es i draw i berfformio'r ddrama yno efo Richard Burton a Dorothy McGuire. Braidd yn sur ei groeso oedd y Big Apple!

Roeddwn i'n casáu'r dehongliad Americanaidd o'r ddrama cymaint fel fy mod wedi bygwth mynd adra. Nid yn unig roedd ei theitl wedi newid i *Legend of Lovers* – er mwyn denu pobol ifanc, synnwn i ddim – ond fe aethpwyd ati i ddarnio'r ddrama a newid ei chynnwys. Felly, allan â fi o'r ymarfer gan gyhoeddi i'r byd a'r betws fy mod i'n mynd i hwylio 'nôl i Brydain ar y *Queen Mary*. Ond ar ôl cyrraedd Pier 90 roedd yr hen *Mary* wedi hwylio, a felly 'nôl a fi i'r gwesty efo nghynffon rhwng fy nghoesau. Fe welodd Richard fi'n edrych yn benisel.

'Thought you were going home,' medda fo.

'Dammit!' medda fi. 'I was. But I'm not Jesus. I can't walk the bloody Atlantic.'

Ar ôl dychwelyd o'r States fe ges i ran yn syth mewn dwy ffilm yn 1951: *The Galloping Major* a *Laughter in Paradise*. Yr unig beth dwi'n ei gofio am *Laughter in Paradise* ydi mai hon oedd ffilm gynta Audrey Hepburn. Roedd hi i fod i chwarae un o'r prif rannau, ond gan ei bod hi'n actio mewn drama lwyfan ar y pryd fe gafodd hi ran lawer llai, fel merch yn gwerthu sigaréts. Ia, hogan i danio'r dychymyg oedd Miss Hepburn!

Ond nid oherwydd y ffilmiau, na Miss Hepburn, y mae gen i le i gofio 1951, ond oherwydd mai honno oedd y flwyddyn y cefais i'r cyfle i rannu llwyfan efo rhai o'r actorion gorau ar lwyfan mewn unrhyw theatr yn y byd. Roedd yr hogyn o Fôn yn dychwelyd i Stratford – fel aelod o gwmni'r Royal Shakespeare.

BURTON, STRATFORD A FI

'A LITTLE Wales in Warwickshire.' Fel'na y disgrifiodd Richard Burton ein cartref dros dro yn Oxhill, ryw naw milltir o Stratford, tra oeddem ni efo cwmni'r Royal Shakespeare. Burton a Sybil, ei wraig, Osian Ellis a'i wraig, a finna a Gunde, a'i chorgwn. Pan ddaeth Meredith Edwards draw am dro i'n gweld fe ofynnodd i un o'r bobol leol ble roedd y tŷ.

'You go down the road and then you'll suddenly be greeted by hundreds of corgis – that's the house.'

Yn ôl Osian Ellis, roedd 'na dri chwpwl yn rhannu'r biliau bwyd, ond dim ond dau gwpwl yn rhannu'r biliau gwin, a phrin fod yn rhaid i mi ddeud wrthach chi mai Mr Burton a finna oedd yn talu'r biliau hynny. Roedd 'na Gymry eraill yn actio yn y cwmni hefyd – Bill Squires a Rachel Roberts, ac roedd Graham Jenkins, brawd Burton, a Donald Houston yn ymwelwyr cyson. Fe ddôi'r actor Robert Hardy i Oxhill i aros yn y 'Welsh Country Club', fel y galwai o'r lle. Doedd yr actorion eraill yn y cwmni ddim yn rhy gyfeillgar, ac felly be fyddwn i a Burton yn ei wneud fydda mynd i lawr am beint i'r Dirty Duck, tafarn yr actorion, a siarad Cymraeg yn uchel er mwyn eu cynddeiriogi nhw. Ella mai dyna sut y ces i fy medyddio fel 'the uncrowned king of the Welsh clan'. Enw arall arnon ni'r Cymry oedd 'The Welsh Taffia', a finna fel Godfather, neu Gogfather efallai, o gofio fy ngwreiddiau.

Y Dirty Duck oedd y dafarn lle roedd yr actorion i gyd yn cyfarfod i drafod y dramâu a pherfformiad hwn a'r llall; roedd y partïon yn parhau tan oriau mân y bore a phobol yn deifio i mewn i'r afon o risiau'r dafarn. Dwi'n cofio fy nghefndar

Richard yn dŵad i lawr i aros efo mi ac i ni fynd â fo i'r dafarn i gyfarfod yr actorion eraill. Ar ôl iddo fo fynd adra mi ges i lythyr reit swta gynno fo'n deud ei fod o'n poeni amdana i'n yfed cymaint o gwrw a 'licar' yn y Dirty Duck yng nghwmni Richard. Awgrymodd y dylwn 'gyrraedd rhyw fesur o gymedroldeb' ac y dylwn:

> [ddweud]…wrth y cyfaill o Bont-rhyd-y-fen fod eisiau disgyblaeth ar fwyta a diota ar ben popeth arall, neu ofer fydd y cwbwl. Trefn ar bethau frawd, heb ddim nogio.

Yes, sir! No, sir! Three bags full, sir!

Wnes i ddim gwrando, wrth gwrs, ac mae'r brandis bach wedi mynd yn frandis mawr ac yn frandis mwy dros y blynyddoedd. Ond dyna fo, dwi'n rhy hen, ac yn rhy wirion, i newid rŵan. A beth bynnag, doedd arna i ddim angen anogaeth o gyfeiriad Mr Burton cyn y medrwn fwynhau fy hun. Petawn i'n dŵad o gefndir gwahanol ella y baswn i'n bihafio'n wahanol. Diod y diafol oedd alcohol yn ein tŷ ni adra, ac ella mai gorymateb oeddwn i i'r cefndir capelaidd, piwritanaidd, ynghanol criw o bobol oedd wedi arfer cael peint, fel Richard efo'i dad yn y Clwb ym Mhont-rhyd-y-fen. A rŵan, dyma gyfle i minna fyw'r bywyd rhydd, ymhell o olwg busneslyd y gymdeithas glòs y ces i fy magu ynddi hi. Erstalwm roedd actorion yn mynd o dre i dre ac o dafarn i dafarn yn diddori pobol. Cyrraedd ac yna ffarwelio, newid aelwyd bob yn eilddydd, symud ymlaen.

Mae 'na stori'n cael ei hadrodd amdana i – mwy nag un, ac mae rhai ohonyn nhw'n wir! – mod i wedi cael gormod i yfed un amser cinio yng nghwmni'r actor gwych hwnnw, Wilfred Lawson; roedd y ddau ohonom yn actio yn y *matinee* yn y pnawn. A Wilfred ar fin dŵad i'r llwyfan, a minnau'n baglu drwy linellau Mr Shakespeare, dyma'r gynulleidfa'n dangos eu hanfodlonrwydd gyda fy stad alcoholaidd drwy ddechrau bwio a chymeradwyo'n ara bach. Yn ôl y stori, mi 'nes i stopio'r cynhyrchiad a throi at y gynulleidfa gan ddweud, 'You may think that I'm pissed. Wait till you see the Duke of Buckingham.'

Dwi ddim yn cofio'r achlysur fy hun, felly synnwn i ddim nad oedd y stori'n wir. Cofiwch, mae'n wir y bu'n rhaid i fwy nag un cyfarwyddwr ddioddef fy antics dros y blynyddoedd. Ond dyna fo, bu'n rhaid i minnau hefyd gydweithio efo mwy nag un cyfarwyddwr sâl yn fy nydd hefyd.

Roedd y ffaith fod Burton yn perfformio yn Stratford yn dynfa fawr i gynulleidfaoedd o bob rhan o'r byd. Dwi'n cofio Bogart, Lauren Bacall, Stanley Baker a Charles Laughton yn hedfan draw i weld y perfformiadau ac, wrth gwrs, roedd ymweliad y bobol yma'n esgus am bartïon gwallgo yn Oxhill ar ôl gorffen y perfformiad nos. Mi fedra i weld Laughton rŵan yn sefyll ynghanol y stafell yn adrodd am y tri llanc yn y ffwrn dân – Shadrach, Mesach ac Abednego. Mi fydda Burton wedyn yn adrodd talpiau o Keats a finna'n deud ambell i stori am y theatr, neu'n adrodd talp o 'Hiraeth am Fôn' Goronwy Owen.

Tra oedd hyn yn digwydd yn y stafell fyw mi fydda Gunde druan yn y gegin yn gneud bwyd i bawb. A chwc dda oedd hi hefyd, nid y basa Richard yn gwerthfawrogi ei choginio hi gan mai *chips with everything* oedd ei ddeiet o. Mi oeddan ni hefyd yn cael hwyl garw yn perswadio pobol yn y parti fod 'na ysbrydion yn y tŷ. Rhyw chwarae plant oedd o mewn gwirionedd. Mi fyddan ni'n diffodd y golau, ar ôl i bawb gael tipyn i'w yfed, ac yna, wrth i mi adrodd rhyw stori neud am ysbrydion Oxhill, fe fyddai Osian Ellis, oedd wedi mynd i guddio'n gynharach yn y twll dan grisia, yn dechrau chwarae'r delyn yn dawel.

Mi oedd o'n dymor trwm iawn o actio i mi, gan fy mod i'n chwarae pedair rhan i gyd – John o Gaunt yn *Richard II*, yr Archesgob yn *Henry V*, Caliban yn *The Tempest* ac Owain Glyndŵr yn *Henry IV*. Mi oeddwn i'n hoffi un *crit* ges i am fy mherfformiad yn *Richard II* yn fawr:

He came through like a Celt, still fiery despite his white locks, and even in the death scene, speaking as from the pulpit of some Welsh Chapel. An outstanding performance.

Yn *The Tempest* roeddwn i'n rhannu'r llwyfan efo William Squire, Michael Redgrave, Burton a Rachel Roberts, oedd yn chwarae rhan fechan fel ysbryd. Mi gymerai oriau i mi wisgo'r *make-up* a thrawsnewid fy hun i'r creadur hanner dyn a hanner pysgodyn yr oedd Prospero wedi'i garcharu ar yr ynys. Y sialens i mi oedd agor llygaid y gynulleidfa i weld fod 'na enaid clwyfus o dan yr holl *make-up* a hwnnw'n crefu am gydymdeimlad. Ac yn wir, fe lwyddais i ddarbwyllo un neu ddau o'r adolygwyr, a gyfeiriodd at y ffaith fod fy mherfformiad yn llawn 'intensity and pity'.

Dwi 'di deud o'r blaen, ac mae'n siŵr y duda i o eto, fod fy mherthynas i efo'r wasg wedi bod yn un ddigon diddrwg didda dros y blynyddoedd. Ond wyddoch chi be? Mae'n rhaid i mi dynnu fy het i'r adolygwr sgwennodd am fy mherfformiad fel John o Gaunt yn *Richard II*. Fe fuodd o'n graff iawn wrth sôn am fy nehongliad o'r araith enwog honno:

> This royal throne of kings, this sceptered isle,
> This earth of majesty, this seat of Mars.

Dweud ddaru o ei fod o'n teimlo mai Cymru ac nid Lloegr oedd ar fy meddwl wrth adrodd geiriau Shakespeare am *demi-paradise*. Ia! Dyna sut roeddwn i'n medru actio rhan Gaunt gyda'r fath argyhoeddiad, drwy feddwl am Gymru wrth lefaru geiriau oedd yn disgrifio Lloegr! Disgrifio sir Fôn yr oedd Shakespeare, wrth gwrs, yn y llinell 'This precious stone, set in the silver sea' ac, yn nes ymlaen, 'This land of such dear souls, this dear, dear land'.

Ond fel Owain Glyndŵr y gwnes i'r argraff fwya tra oeddwn i

yn Stratford. I mi, roedd cael portreadu un o fawrion ein cenedl, yn fraint. 'That damned Glendower', fel y galwodd Shakespeare o, gan ei wneud yn dipyn o gyff gwawd. Pan ofynnwyd i mi chwarae'r rhan teimlwn mai fy nyletswydd oedd derbyn y cynnig – petai ond er mwyn sicrhau mai Cymro, a hwnnw'n Gymro Cymraeg hefyd, a'i chwaraeai, ac er mwyn dŵad â thipyn o urddas ein hiaith a'n diwylliant ni fel cenedl i'r ddrama. Felly roeddwn i'n chwarae John o Gaunt, cenedlaetholwr o Sais pybyr, yn y prynhawn ac Owain, cenedlaetholwr o Gymro, yn y nos. Gorchwyl pur anodd, credwch chi fi.

Yr hyn a wnaeth gynhyrchiad 1951 o *Henry IV, Part 1* yn gofiadwy, ac yn wahanol i unrhyw gynhyrchiad a fu cyn hynny, oedd fod Glyndŵr wedi siarad Cymraeg. Yn ôl rhai arbenigwyr, mae 'na gofnod bod dau actor Cymraeg eu hiaith yn aelodau o'r cwmni gwreiddiol, ac efallai eu bod nhw wedi chwarae rhan Glyndŵr a'i ferch, Lady Mortimer, yng nghyfnod Shakespeare. Ond er bod Shakespeare wedi dangos diddordeb anarferol a pharch tuag at y Gymraeg yn y ddrama, wnaeth o ddim rhoi geiriau Cymraeg yng ngenau'r actorion. Felly, fe benderfynais roi ychydig o gymorth i Mr Shakespeare a sgwennu deialog Gymraeg fy hun ar gyfer yr olygfa gyntaf yn y drydedd act, sydd wedi'i lleoli yn nhŷ'r Archddiacon ym Mangor. Doedd Burton ddim yn hapus o gwbwl fod yn rhaid i Sibyl, oedd yn chwarae Lady Mortimer, ddysgu Cymraeg. 'Falle fod Sybil yn Gymraes, ond dyw hi ddim yn siarad Cymraeg,' oedd ei eiriau wrtha i, gan ychwanegu, 'Yr unig air mae hi'n wybod ydi "bach" ac all hi ddim dweud hwnnw'n iawn!' Ond roedd y cyfarwyddwr, Anthony Quayle, o blaid ac yn gweld y byddai'r olygfa fechan yn yr iaith Gymraeg yn ennyn chwilfrydedd pobol ac yn eu perswadio, os oedd angen gwneud hynny, i ddŵad i weld y ddrama.

Roedd y wasg wrth eu bodd efo fy mherfformiad i fel Glyndŵr: 'A part he was born to play', ac efo'r ffaith fy mod i wedi rhoi help llaw i Shakespeare: 'He has written some excellent Welsh dialogue...Shakespeare's Welsh characters are being played by actors who can really talk in Welsh and the effect is electrifying, and assists appreciably in creating an atmosphere of dignity.'

Ar ddiwedd yr olygfa, mae cyfarwyddiadau llwyfan Shakespeare yn dweud: 'The Lady sings a Welsh song'. Am y tro cyntaf yn hanes y ddrama fe ganodd Sybil y geiriau 'Pan oeddwn ar frig noswaith, yn y gwŷdd', efo Osian Ellis yn canu'r delyn yn y cefndir.

Wel, meddach chi, sut eiriau sgwennodd Hugh, sgwn i? Fel mae'n digwydd, dwi 'di dŵad o hyd i gopi ynghanol yr holl lythyrau, ysgrifau, erthyglau, toriadau o bapurau newydd, mewn cant a mil o focsys. Felly dyma nhw, air am air fel y cawson nhw eu sgwennu:

Henry IV, Part I
Shakespeare Memorial Theatre, 1951
Welsh words for Act III, Scene I, written by Hugh Griffith

Glendower:	Bydd ddewr a gwrol fy merch. Cei ddilyn yn fy ngofal i gyda'th Fodryb Persi, a buan iawn y gweli dy Fortimer annwyl eto.
Lady M:	Ond mae nghalon bron â thorri. Pwy ŵyr na welaf mohono byth.
	O fy nhad, gadewch i mi fynd gydag ef. Nid oes arnaf ofn yn siŵr.
Glendower:	Na, na. Nid lle i wragedd yw rhyfeloedd, fy ngeneth i. Rhaid i ti aros a chanlyn gyda mi.
Lady M:	(*furious:*) Ni allaf aros hebddo. Mae'n rhaid i mi gael mynd, a chaiff neb fy arbed chwaith.
	(*pleading to Mortimer*):
	O, fy nghalon, paid â'm gadael.
	Un ydym ni ein dau.
	Os oes raid i ti fynd, dof gyda thi;

Nid oes arnaf ofn, merch i filwr wyf.
(*making him look into her eyes*):
Syll, f'anwylyd, i ddwfn fy llygaid
A gwêl ynddynt iaith fy nghalon;
Iaith cariad yw, cariad sy'n llosgi'm bron.
(*she kisses him*)

Glendower: Nay, if you melt, then will she run mad.

Lady M: (*leading him by the hand to the rushes*)
Gorffwys, f'anwylyd, yma ar y brwyn
A dod dy ben yn esmwyth yn fy nghôl,
Fe ganaf i ti'r gân a geraist gynt
Sy'n hudo cwsg a hiraeth yn ei hôl,
Cei yna ddeffro'n llawn o nerth
I herio'th elyn â dy fraich a'th fraw.

Pan glywai Osian Ellis y geiriau hyn mi fydda fo'n dechrau canu'r alaw 'Y Gwŷdd' ar y delyn wrth ochor y llwyfan, a Sybil yn canu'r geiriau'n dawel.

Dyna i chi dalent oedd yn y cynhyrchiad hwnnw: Burton fel Henry, Anthony Quayle yn actio Falstaff, yn ogystal â pherfformiadau gan Robert Hardy ac Alan Badel. Y rhain oedd hufen y byd theatrig ar y pryd.

Mae pobol wedi deud dros y blynyddoedd mod i'n anodd iawn i weithio efo fo. Wel, beth bynnag am hynny, doedd Richard yn sicr ddim yn hawdd o gwbwl. Actor hunanol oedd o, yn ôl Anthony Quayle oedd yn ei gyfarwyddo yn *Henry V*. I Richard, dim ond Richard oedd yn bwysig, hyd yn oed pan oedd o i fod i gydweithio mewn golygfeydd gydag actorion eraill. Ac er i Quayle gael gair yn ei glust a gofyn iddo fo wneud ychydig o newidiadau, wnâi o ddim gwrando. Gwyddai, oherwydd ei fod mor olygus, nad oedd yn rhaid iddo wneud llawer i dynnu sylw'r gynulleidfa. Mi ges i dipyn o drafferth efo fo pan oeddan ni'n dau efo'n gilydd ar Broadway, yn chwarae tad a mab. Roeddwn i'n siarad efo fo, fel tad yn siarad efo mab, ac yn sydyn fe sylweddolais nad oedd o'n gwrando arna i o gwbwl. Yn hytrach, roedd o'n syllu at ryw bwynt rywle yn y balconi. Fe arhosais cyn cerdded ato'n ara deg ac edrych ar hyd y llinell yr oedd o'n syllu arni, a dweud, 'What are you looking at? I'm talking to you.' Wnaeth o ddim defnyddio'r tric yna efo fi ar ôl hynny.

Ac mi oeddan ni'n chwarae triciau ar ein gilydd yn amal hefyd; dwi'n dal i gofio'r noson y ces i'r gorau ar Richard. Ar ddechrau'r drydedd act yn *Henry V* mae'r brenin yn annerch ei filwyr oddi ar gefn ei geffyl cyn y frwydr fawr yn erbyn y Ffrancod:

> Once more unto the breach, dear friends, once more
> Or close the wall up with our English dead.

Pan godai'r llen, yr hyn a welai'r gynulleidfa oedd llwyfan mewn hanner tywyllwch a chlamp o geffyl mawr yn aros i Harri ei farchogaeth i fuddugoliaeth. Nid un go iawn, wrth gwrs, ond un oedd yn edrych yn go debyg. Beth bynnag, ychydig droedfeddi oddi wrth din y ceffyl, ac yn guddiedig tu ôl i garreg ffug, roedd 'na *springboard,* ac fe fyddai Richard yn rhedeg ymlaen gan weiddi, 'Once more unto the breach, dear friends' – BANG – yn taro'r *springboard*, yn hedfan drwy'r awyr, yn glanio yn y cyfrwy, yn tynnu'i gleddyf allan a'i chwifio uwch ei ben, a chario mlaen efo'r araith. Dramatig iawn, a pheryglus hefyd, oni bai fod y *springboard* yn cael ei osod yn yr union fan, ddim yn rhy agos at y ceffyl a ddim yn rhy bell. Ychydig fodfeddi yn ormod i'r chwith neu i'r dde ac fe fyddai'r glanio, os byddai glanio, yn anghyfforddus, a deud y lleia. Ar y noson arbennig hon fe redodd y brenin i mewn, gan weiddi fel arfer; fe drawodd y *springboard* ond, yn anffodus, doedd hwnnw ddim yn y lle iawn, ac fe laniodd Richard yn gam ac yn boenus, efo'i goes am fol y ceffyl a'i fraich chwith am wddw'r anifail. Ond rywsut neu'i gilydd, er ei fod o allan o wynt erbyn cyrraedd yr 'English dead', roedd wedi llwyddo i dynnu ei gleddyf allan, sythu ei goron, a chael ei wynt ato. Ond pwy oedd wedi meiddio chwarae'r fath dric? Dyna, meddai Richard wrthyf yn ddiweddarach, oedd yn mynd drwy ei feddwl, wrth gario mlaen orau y gallai i annerch y milwyr wrth ei draed, wyth ohonyn nhw i gyd. Ond am funud bach...Y noson hon, roedd 'na filwr ychwanegol yno. Naw i gyd. Ac roedd y nawfed yn edrych yn debyg iawn i Archesgob Caer-gaint, sef y rhan yr oeddwn i'n ei chwarae yn y ddrama. Roeddwn wedi diosg gwisg yr Archesgob a heb yn wybod i neb wedi gwisgo fel milwr ac ymuno â'r milwyr eraill yn y tywyllwch cyn dechrau'r olygfa. Pan edrychodd Richard arnaf yn ystod yr araith, codais fy mawd a rhoi winc fawr iddo cystal â dweud, 'Ia, boi bach. Y fi symudodd dy geffyl di.'

Y SGRIN FAWR

PAN ofynnwyd i ddyn oedd yn gweithio fel *lift attendant*, sut oedd petha: 'O,' medda fo, 'i fyny ac i lawr.' A dyna'n union sut y mae hi ar actor. Weithiau dach chi ar y brig, dro arall yn y gwaelodion, i fyny ac i lawr ar y rolar-costar emosiynol. Ar ôl cyrraedd yr uchelfannau yn Stratford fe ddaeth y cyfnod ofnadwy yr oeddwn i'n sôn amdano fo ar Broadway yn y ddrama *Point of Departure*, pan wnes i fygwth gadael a hwylio adra. Ac mi faswn *wedi* gneud hefyd tasa'r blydi *Queen Mary* yn dal yno. Fe fuo'n rhaid i mi aros am chwe blynedd cyn cael y cyfle i ddychwelyd i Efrog Newydd yn fuddugoliaethus yn y ddrama *Look Homeward, Angel*.

I neud petha'n waeth, ar ôl i mi ddŵad yn ôl o'r Merica roedd yn rhaid i mi gael tynnu fy mhendics yn y Finchley Memorial Hospital, ac mi oedd hynny'n golygu colli gwaith pan oedd gwaith yn brin. Colli gwaith, a cholli ffrindiau. Ddiwedd 1952, roeddan ni'n claddu Dylan Thomas, a dwi'n cofio mynd i'r angladd efo Gwen Watkins, gwraig y bardd Vernon Watkins. Mynd dan ein pwysau a galw mewn tafarn neu bedair ar y ffordd.

Roedd y cynhebrwng yn eglwys St Martin, Talacharn, a thri offeiriad yn gwasanaethu. Cariwyd yr arch gan ffrindiau lleol Dylan, oedd yn cynrychioli'r ardal – tafarnwr, gyrrwr tacsi a dyn llaeth yn eu plith. Tu ôl i'r arch fe gerddai Caitlin gan afael yn dynn ym mraich y cyfansoddwr Daniel Jones, a thu ôl iddyn nhw, y teulu, ffrindiau a'r pentrefwyr, a Vernon Watkins y bardd yn cario torch i Dylan mewn bag plastig gwyn, fel tasa fo wedi gobeithio na fyddai angen y dorch ac y byddai'r bag yn handi i fynd â hi adre. Ar lan y bedd roedd 'na dipyn o drafferth oherwydd bod dyn camera'n ceisio gwthio'i hun yn nes. 'Oes rhaid i chi ffilmio hyn? Ydi o'n hanfodol?' gofynnodd Vernon. 'Hanfodol? Wrth gwrs 'i fod o,' oedd yr ateb. 'Nid digwyddiad lleol ydi hwn. Mae angladd Dylan yn *world news*.'

Roedd 'na stori arall ar led flynyddoedd wedyn. Yn ôl un o ffrindiau Dylan, oedd hefyd yn fardd ac yn cadw dyddiadur, roeddwn i wedi sefyll yn rhy agos at y bedd agored mewn stad alcoholaidd – ac wedi disgyn i mewn. Stori dda – dyna fasa *world news*. Ond mi fedra i eich sicrhau chi na ddigwyddodd y ffasiwn beth. Taswn i *wedi* disgyn i mewn, yno y baswn i rŵan, *six feet under*, yn cadw cwmni iddo fo o dan y dywarchen.

Dyna sy wedi fy mlino fi ar hyd fy oes. Oherwydd mod i wedi cael yr enw o fod yn dipyn o dderyn brith, cymeriad lliwgar, *larger than life*, mae pobol wedi sgwennu pob math o straeon a rwtsh amdana i. Ydyn, mae rhai o'r straeon yn wir, ond peidiwch â'u credu nhw i gyd. Cofiwch nad ydi'r rhan fwya o'r newyddiadurwyr sy'n sgwennu amdanoch chi, yn enwedig yn y *tabloids*, ddim yn poeni am wirionedd y stori. *Publish and be damned* ydi'r *motto*.

Taswn i wedi gneud rhywbeth mor amharchus â disgyn i mewn i'r bedd agored dwi'n amau'n fawr a faswn i wedi cael gwahoddiad i ymuno â Richard Burton, Edith Evans, Emlyn Williams ac eraill yn theatr y Globe yn Llundain i berfformio mewn noson deyrnged i Dylan, wedi'i threfnu gan y bardd Louis MacNeice.

Roeddwn i eisoes wedi chwarae rhan Capten Cat yn y *première* radio o *Under Milk Wood*. Dylan ei hun oedd wedi bwriadu chwarae rhan y storïwr, y First Voice, ond fe benderfynwyd bod llais Burton yn fwy addas. Ia, Blind Captain Cat oeddwn i, yn hiraethu am Rosie Probert. Tebyg iawn i'r sefyllfa yn *Grand Slam*, lle dwi'n chwarae rhan Caradog Lloyd-Evans ac yn mynd efo giang o gefnogwyr rygbi i Baris gan obeithio gweld fy 'little butterfly' unwaith eto. Mi oeddwn i dipyn bach yn siomedig na

ofynnwyd i mi ailchwarae rhan Capten Cat yn y ffilm a wnaed o'r
ddrama yn 1972 ond O'Toole gafodd y rhan. Er fy mod yn parchu
ei waith fel actor yn fawr iawn dwi'n meddwl mod i'n edrych yn
debycach i gapten llong na fasa fo byth, yn enwedig efo'r locsyn
oedd gin i ar y pryd. Dwn i ddim be oedd yn bod ar bawb ar
noson cofio Dylan, ond yn sicr doedd Richard ddim ar ei orau,
Edith yn dda i ddim ac wrth ddarllen un o straeon byrion Dylan
fe aeth Emlyn Williams ar goll yn llwyr ar ôl iddo fo droi dwy
dudalen efo'i gilydd. Y cyfan wnes i oedd hel atgofion amdano fo.
Fe ofynnais iddo fo unwaith a fasa fo'n hoffi chwarae rhan y Ffŵl
yn nrama Shakespeare. Chwerthin wnaeth o, a dweud, 'You'd
be casting near to type, man,' efo'i sigarét yn sownd yn ei wefus
waelod. Rhyw fil o flynyddoedd yn ôl mi fasa Dylan wedi bod
yn ffŵl yn llys rhyw dywysog Cymreig, yn traethu'r geiriau yr
oedd o wedi'u sgwennu, yn ogystal â chwarae'r ffŵl. Roedd hi'n
bwysig fod y bardd yn meddu ar lais llefaru da, un oedd yn gallu
cyfleu'r emosiynau i gyd fel bod y gynulleidfa'n teimlo'n hapus,
yn drist, yn flin, yn ofnus, yn hyderus – yn ôl y gofyn. Y tro ola
i mi weld Dylan yn darllen ei waith oedd yn Efrog Newydd ac
roedd y gynulleidfa'n bwyta o'i law o, wedi'u gwefreiddio gan ei
lais unigryw.

Mae gin i yn fy meddiant lythyr dwi'n ei drysori'n fawr o'r
cyfnod yma, llythyr oddi wrth Saunders Lewis, y bûm yn ei
gwmni ar ôl bod yn stiwdios y BBC yng Nghaerdydd yn gneud
drama radio am Llywarch Hen. Fe aethom allan efo'n gilydd am
bryd o fwyd yn y brifddinas a bob tro y bydda i isio cofio'r amser
da, dim ond i mi ddarllen y llythyr hwn ac fe lifa'r atgofion fel y
gwin coch gorau:

Annwyl Huw [nid Hugh sylwch!],
Y Mouton d'Armaillacq 1934 sy'n aros ar gof taflod fy
ngenau yn bennaf. Yr oedd y Chablis yn hyfryd, y port yn
fwyn, y Fine Maison yn nerthol, ond y Medoc 1934 oedd y

brenin. Ni chefais ginio fel yna ers blynyddoedd. Fe'i cofiaf. A'r tro nesaf y dowch i Gaerdydd fe gawn un arall – fy nhro i. Fy niolch calon. Gwrandewais ar eich Llywarch Hen, yr oedd fel y Mouton d'Armaillacq yn aeddfed, ac fel cloch goeth ei sain.

Saunders

Yn ogystal â'r llythyr mae 'na ddarn o bapur arian o du mewn i focs sigaréts a sgwennu ar ei gefn. Roedd 'na ddyn ar y bwrdd drws nesa y noson honno, wedi'n clywed ni'n siarad Cymraeg ac wedi gofyn i ni am gyfieithiad o'r emyn 'Iesu, Iesu, rwyt ti'n ddigon'. Yn ysgrifenedig ar y darn papur tenau, yn llaw Saunders, mae'r geiriau hyn:

> Jesus, Jesus, you yourself are enough,
> You are infinitely more precious than the world
> The riches that are merely in your name
> Are more precious than all the riches in India.

Nid un o weithiau llenyddol gorau Saunders, mae'n wir, ac ella mai dyna pam na chawsom ni hyd yn oed wydraid o port gan y cyfaill am ein trafferth!

*

Roedd Gunde fy ngwraig a finna wedi bod yn chwilio ers blwyddyn neu ddwy am dŷ yn y wlad, rhywle oedd tua hanner ffordd rhwng Cymru a Llundain. A phan welson ni'r Old Red Lion Inn ger Shipston-on-Stour yn Warwickshire fe syrthiodd y ddau ohonon ni mewn cariad efo'r lle yn syth. Er ei fod mewn dipyn o stad pan welson ni o roedden ni'n medru gweld y potensial. Tŷ llawn cymeriad, yn dyddio o oes Elizabeth I, pan oedd yn dŷ tafarn. Mae 'na siawns go lew y bydda Shakespeare wedi galw i mewn am beint gan mai hon oedd y dafarn gynta y basa fo wedi dŵad ar ei thraws ar ôl gadael Stratford – neu o leia dyna ddudodd yr *Estate Agent*, a fasa fo byth yn deud clwydda, wrth gwrs!

Roedd 'na erw o dir o gwmpas y tŷ ac mi es ati i gloddio llyn a chodi pont gerrig fechan. Ar wahân i hynny, roedd 'na ddeg erw ar hugain o dir er mwyn magu gwartheg Jersey, a digon o le i gorgwn Gunde redeg o gwmpas. Yn ogystal â'r gwartheg, roedd gin i ddau ful bach a'r rheini'n *medru* mynd. Jo a Jan oedd eu henwau ac mi fydden nhw'n tynnu'r *Pembroke tumblecart* oedd gin i ac yn mynd â fi i'r dafarn leol am beint. Chwarae teg iddyn nhw, roeddan nhw'n gwbod eu ffordd adra ar eu pennau'u hunain hefyd os oedd raid. Mi es ati i droi'r hen *tap room* yn stydi i mi fy hun. A deud y gwir, roedd y lle'n fwy o weithdy na stydi daclus. Darnau o bapurau sgrap ymhobman efo syniadau am gerddi a dramâu arnyn nhw. Silffoedd yn llawn o lyfrau Cymraeg, Saesneg a Ffrangeg, a digon o le i'r hen Shakespeare, wrth gwrs. Cadair ledr gyfforddus tu ôl i fwrdd yn dal *ashtray* yn llawn o stympia sigaréts. Lluniau mewn siarcol a phaent yma ac acw, heb eu gorffen. Nodiadau ar gyfer darlithoedd, lluniau o'r teulu, pecynnau sigaréts a *decanter* ar gyfer y brandi, a phâr o slipars gwyrdd wrth y drws.

Gunde oedd wedi addurno'r stafell fyw, mewn gwyrdd ysgafn os dwi'n cofio'n iawn: llenni a rygiau Persian ar y llawr a chadeiriau cyfforddus – i gyd yn gweddu i'w gilydd. A fanno y byddan ni'n eistedd yn gwrando ar Wagner neu Brahms wrth edrych allan ar yr ardd – y rhaeadr fechan, y blodau a'r goeden fala seidar – yn sipian coffi'n sidêt allan o'r cwpanau Portmeirion, a hwnnw'n drwch o hufen tew, diolch i Seren, un o'r gwartheg Jersey.

Weithiau fe awn i'r gegin i botsian o gwmpas a chreu pryd o fwyd i Gunde a finna. Dro arall, os oedd y tywydd yn braf, fe fyddai'r ddau ohonan ni'n cael *lunch* tu allan: *paté*, salad, tost efo menyn yn dew arno fo, gwin coch *vintage* a wedyn pêrs mewn brandi i orffan – heb y pêrs weithiau!

Dyfal donc a dyr y garreg, meddan nhw, a chydag amser mi godais i garej allan o'r cerrig oedd yn gorwedd o gwmpas y lle, a hynny mewn pryd i weithredu fel ysbyty i'r Bentley clwyfedig. Ar fy ffordd i Lundain i ffilmio yr oeddwn i, am chwech o'r gloch y bore, pan sgidiodd y car i mewn i goeden gyda'r fath rym nes malu'r llyw. Yno y bûm i'n gorwedd am hanner awr nes i mi gael fy nhynnu allan gan ddyn ambiwlans a nghludo i'r ysbyty. Roeddwn i mewn plastar am bedwar mis, wedi malu fy mhelfis ac yn dda i ddim i neb. Dim gwaith, a dim arian yn dŵad i mewn. O leia, dim digon.

Chwarae teg i Emyr Humphreys, un o'r cynhyrchwyr radio gorau rioed, fe ges i gynnig chwarae rhan Fugas ganddo fo yn nrama Saunders, *Gymerwch Chi Sigarét?* Pan esboniais wrtho fo mod i'n methu sefyll am amser hir oherwydd y ddamwain ei ateb yn syth oedd, 'Wel, gewch chi eistedd o flaen y meic 'ta.' Ac felly y bu. Fe alwodd Saunders i mewn yn yr ymarferion unwaith neu ddwy a dwi'n cofio iddo fo ddŵad draw i wneud sylw am fy mherfformiad drwy sibrwd yn fy nghlust: 'Llai o John Williams, Brynsiencyn, Hugh bach.'

Un peth sy'n anodd iawn i mi ei gofio wrth edrych yn ôl ydi pryd ddigwyddodd petha ac ym mha drefn. Mi oeddwn i wedi actio mewn nifer o ffilmiau ym mlynyddoedd cynnar y pumdegau. Un ohonyn nhw, yn 1954, oedd *The Million Pound Note* efo Gregory Peck, lle roeddwn i'n chwarae riportar – er na ches i ddim credit ar y sgrin, chwaith. Oedd, roedd y rhan mor fach â hynny. Wedyn fe chwaraeais i ran hen drempyn yn *The Beggar's Opera*, efo Laurence Olivier yn y brif ran. Roedd o'n lleidr pen-ffordd yn y carchar a finna'n drempyn oedd wedi sgwennu opera amdano fo. (Ia, stori gredadwy arall!) A dyna oedd y ffilm mewn gwirionedd, perfformiad o'r opera yr oeddwn i, neu'r trempyn yn hytrach, wedi'i sgwennu. Ymhen blynyddoedd fe addaswyd y stori ar gyfer y llwyfan fel *The Threepenny Opera*, efo'r gân enwog am Mack the Knife.

Wrth restru'r ffilmiau fel hyn, yr argraff mae rhywun yn ei rhoi ydi ei fod o wedi bod yn ofnadwy o brysur drwy'r amser. Ond mae'r ffilmiau 'ma'n cael eu gneud un flwyddyn a chael eu rhyddhau'r flwyddyn ganlynol. Felly, er ei fod o'n edrych ar bapur eich bod chi wedi cael blwyddyn arbennig o dda, mwy na thebyg eich bod chi wedi gweithio'n galed un flwyddyn ac yn cael blwyddyn dawel y flwyddyn ganlynol. Fel y stori ddiarhebol am fysys – dach chi'n aros awr am un, a wedyn mae 'na dri'n cyrraedd yr un pryd. Blynyddoedd o lawnder neu o newyn, felly mae hi i bob actor. Dyna pam mae'n rhaid i chi fod yn drefnus efo materion ariannol a thrio rhoi pres heibio yn y dyddiau da ar gyfer y dyddiau drwg. Er fy mod i wedi treulio tipyn o amser mewn banciau – gormod, a deud y gwir – un gwael fûm i am gynilo, a fuodd dyn y dreth incwm a finna erioed yn ffrindiau.

Un gyfres y gwnes i fwynhau cymryd rhan ynddi tua chanol y pumdegau oedd *Quatermass,* yn rhannol oherwydd mai dyma'r rhan gynta i mi ei chwarae ar y sgrin ers i mi gael y ddamwain car. Fi oedd Doctor Leo Pugh, *assistant* Quatermass a mathemategydd o fri. Fe ges i gyfle yn y ffilm i dalu teyrnged i'm hen athrawes, Miss Williams. Mewn un olygfa mae un o'r cymeriadau'n synnu at fy ngallu mathemategol, ac medda finna, 'The village teacher at Marian-glas, old Miss Williams, used to set me sums to do, and I always got them right – you'll go far in Maths, she said.' Mae'n anodd credu fod y cyfarwyddwr wedi caniatáu i mi newid y sgript i'r fath raddau, a sôn am Farian-glas; ac eto, os nad oeddwn i'n hapus efo unrhyw sgript, doeddwn i ddim yn fyr o ddeud hynny – ac awgrymu newidiadau hefyd, fel y gwnes i yn *A Run for Your Money* ac yn Stratford, pan rois i eiriau Cymraeg yng ngheg Owain Glyndŵr.

Un o'r ffilmiau y gwnes i fwynhau actio ynddi yn ystod y cyfnod hwn oedd ffilm am drên o'r enw *The Titfield Thunderbolt*, ffilm gynta Ealing mewn Technicolor. Ffilm ydi hi am bentref bach yn Lloegr sy'n mynd i golli ei wasanaeth trên, ac felly mae'r pentrefwyr yn dŵad at ei gilydd i frwydro yn erbyn y penderfyniad. Fi oedd yn actio Dan Taylor, gyrrwr trên wedi ymddeol, ac yn dipyn o botsiar – a hefyd, credwch neu beidio, yn hoff iawn o'i ddiod. Fe sgwennwyd y sgript gan Tibby Clarke ar ôl iddo fo fod yng ngogledd Cymru a gweld brwdfrydedd y criw oedd yn rhedeg rheilffordd Tal-y-llyn. Yn eironig ddigon, wyddoch chi pwy oedd yn byw drws nesa i Tibby Clarke? Wel, Dr Richard Beeching, yr hen ddiawl roddodd ei fwyell drwy gledrau'r gwasanaeth rheilffyrdd yng Nghymru ryw saith mlynedd yn ddiweddarach.

Hyd yma, dim ond mewn rhannau bach yr oeddwn i wedi cael fy ngweld, yn enwedig ar ffilm ond, yn 1956, fe ges i glamp o ran mewn drama dda, ac o ganlyniad, ar ôl bod yn actio'n broffesiynol am ddeng mlynedd, roeddwn i'n seren dros nos! Caffed amynedd ei pherffaith waith, meddai'r hen air ac, o'r diwedd, roedd y rhan a'r ddrama, *Waltz of the Toreadors*, gan yr enwog Jean Anouilh, yn berffaith i mi. Hen gadfridog boldew ydi General Leon Saint-Pé ac mae mewn cariad efo Ghislaine, merch ifanc a gyfarfu o ugain mlynedd ynghynt ac sy'n dal i ddawnsio ar lwyfan ei atgofion. Bellach, does ganddo ddim byd i edrych ymlaen ato ond henaint ac ymddeoliad anhapus efo gwraig sy'n dioddef o *hypochondria*. Ond mae gwaredigaeth wrth law, pan ddaw Ghislaine yn ddirybudd a waltsio i mewn i'w fywyd unwaith yn rhagor. Ond dyna ni, ffars ydi'r ddrama – be dach chi'n ddisgwyl, ond yr annisgwyl? Mae'r cadfridog wrth ei fodd ond, yn anffodus iddo fo, rhaid iddo gystadlu am ei ffafrau efo gŵr ifanc deniadol.

Ar ôl y noson gynta roedd y wasg yn hael eu canmoliaeth ac yn cyfeirio at fy mherfformiad fel perfformiad comedi'r flwyddyn. Yn wir, mi ddudodd Anouilh ei hun na fasa fo ddim wedi medru dod o hyd i Ffrancwr fasa wedi medru chwarae'r rhan yn well na mi. Tipyn o ddeud. Mae'r *cuttings* gin i wrth fy ochor rŵan:

> Hugh Griffith has now become the finest piece of naturalistic acting to be seen in the West End. [Nid y *Cloriannydd* sy'n deud hyn, cofiwch, ond y *Times*.] West End stardom came last night to Hugh Griffith after years of fine but obscure work in the background of the stage and screen. [Hynny ydi, 'Tan neithiwr doedd gynnon ni ddim blydi syniad pwy oedd o.'] He spent 8 years as a bank clerk before throwing up security for the uncertainties of the stage at the age of 26. [27, fel mae'n digwydd.] Last night, this craggy Welshman returned to the West End for his first important role for six years. It was a triumphal evening.

Dwi'n hoff iawn o'r ansoddair yna, *craggy*. Ac mae'n fwy canmoliaethus na rhai disgrifiadau ohona i: 'Body as big as a mattress', neu 'Eyebrows like handlebar grips and a face like an Easter Island statue whose mother had mated with a gargoyle'. Nid ymgais sy 'ma i wneud hwyl am fy mhen i, ond yn hytrach i geisio disgrifio'r wyneb unigryw yma fuo gin i erioed. Dyma oedd yn fy ngneud i'n wahanol.

Oeddwn, roeddwn i'n seren y noson honno, a bu'r siampên yn llifo'n ddi-stop am bedwar cant a hanner o berfformiadau. Ond fel dudis i o'r blaen, hen rolar-costar peryglus ydi'r busnes yma. Ar y brig un funud, yn y gwaelodion y funud nesa. Y fi oedd wedi ymladd i berfformio'r ddrama yn yr Arts Theatre Club, efo Peter Hall yn cynhyrchu. Wedyn fe ymladdodd perchenogion y Criterion Theatre i gael yr hawliau er mwyn ei throsglwyddo yno, a dyna ddigwyddodd. Theatr lawn bob nos. Meddyliwch faint o bres wnaethon nhw ar gorn fy llwyddiant i. Ac eto, yn ddirybudd ac yn ddiseremoni ar ôl blwyddyn a hanner, fe ges i'r sac.

TROI AM HOLLYWOOD

H EB os nac oni bai roedd *Waltz of the Toreadors* yn llwyddiant mawr i mi mewn mwy nag un ystyr. Ers i mi glywed y ddrama ar y radio y tro cynta, a chael fy nghyfareddu gan y stori a'r cymeriadau, gwyddwn y byddai'n rhaid i mi chwarae'r rhan ar y llwyfan ryw ddiwrnod. Ond fe fu'n rhaid i mi frwydro am bedair blynedd i berswadio gwahanol gwmnïau rheoli y byddai'r ddrama yn llwyddiant masnachol. Yn y pen draw fe gytunodd yr Arts Theatre Club i'w llwyfannu, ac ar ôl i mi weithio arni'n ddi-dâl am ddau fis, fe ddechreuodd y cyhoedd ddŵad i'w gweld hi ac, ymhen hir a hwyr, fe'i trosglwyddwyd i theatr y Criterion. Am bedwar cant a hanner o berfformiadau fe droediais y llwyfan bob nos, gan golli ugain perfformiad yn unig. Weithiau mi fyddwn mewn cryn boen oherwydd y ddamwain car ond gan fy mod wedi colli'r ugain perfformiad hynny, ac oherwydd fy mod i'n anghytuno â thelerau fy nghytundeb, fe benderfynodd yr impresario Donald Alberry roi'r sac i mi. 'A dispute between actor and management' oedd esboniad y wasg. Basa 'a knife in the back' wedi bod yn nes at y gwir. Tydw i erioed wedi bod yn un i orwedd i lawr a gadael i bobol fy nhrin i fel baw.

Er bod y newyddion yn sioc, a deud y lleia, fe geisiais ymateb yn gadarnhaol, drwy anfon llythyr at Syr Daniel Davies, un o gonglfeini Ymddiriedolaeth Pantyfedwen. Beth bynnag oedd agwedd drahaus Donald Alberry tuag ataf, roeddwn i'n dawel fy meddwl fy mod wedi profi gyda llwyddiant *Waltz of the Toreadors* y gallwn fod nid yn unig yn actor llwyddiannus ond yn ddyn busnes llwyddiannus hefyd, yn hen steil yr *Actor*

Managers erstalwm. Byrdwn y llythyr at Syr Daniel oedd fy mod yn teimlo fod angen rhywun efo'r profiad theatrig oedd gen i, fel actor a rheolwr, i hybu'r theatr yng Nghymru.

Fy mwriad oedd sefydlu cwmni – Welsh Actor Management – i gynhyrchu dramâu ar gyfer y theatr, y teledu a ffilm, a'r gynta fyddai *A Comedy of Good and Evil* gan Richard Hughes, gyda noson agoriadol yn theatr y Prince of Wales, Caerdydd, cyn symud y ddrama i Abertawe, Lerpwl ac yn y pen draw i Lundain ac Efrog Newydd. Yr arlunydd Cymreig Ceri Richards fyddai'n cynllunio'r setiau a Daniel Jones yn cyfansoddi'r miwsig. Oedd, roedd o'n syniad uchelgeisiol ac, yn ychwanegol at hyn i gyd, roeddwn i hefyd yn gofyn am gefnogaeth ariannol o £5,000 – swm enfawr. Rhy fawr, fel trodd petha allan, oherwydd fe ddaeth ateb oddi wrth David James ei hun yn ymddiheuro na allai weld ei ffordd yn glir i ariannu'r fenter. Felly, bu'n rhaid i mi ganolbwyntio ar fy actio ac anghofio am geisio achub y theatr yng Nghymru – am y tro, beth bynnag.

Hen athro coleg crintachlyd, bostfawr ac anghofus oedd Professor Welch, y rhan a chwaraeais yn y ffilm *Lucky Jim*, efo Ian Carmichael yn y brif ran. Addasiad o nofel ddychanol Kingsley Amis oedd y ffilm, wedi'i seilio ar brofiadau Amis fel darlithydd ym Mhrifysgol Abertawe. Y farn gyffredinol ar y pryd oedd fod y llyfr yn llawer mwy cynnil ei hiwmor ond fod y brodyr Boulting wedi penderfynu peintio ar ganfas llawer mwy er mwyn ehangu apêl y ffilm. Ychydig dwi'n ei gofio am y ffilm erbyn hyn ar wahân i'r ffaith fod Welch, yr Athro Hanes hunanbwysig yr oeddwn i'n ei chwarae, bob amser yn ateb y ffôn drwy ddeud 'History speaking' – fel tasa fo'n derbyn yr alwad ar ran y ddynoliaeth! Os dwi'n cofio'n iawn hefyd, roedd 'na fwy nag un olygfa lle roedd yr alcohol yn llifo, a Carmichael yn meddwi ci Bertrand, mab yr Athro, oedd yn cael ei chwarae gan Terry Thomas, drwy roi *cherry brandies* iddo fo. 'Na chi wastraff.

Doedd Kingsley Amis ddim yn hapus o gwbwl pan glywodd mai Terry Thomas oedd wedi cael ei ddewis i chwarae'r rhan. Ond unwaith yr agorodd Terry ei geg, dangos y bwlch rhwng ei ddannedd blaen, a siarad yn yr acen *far-back* 'na oedd ganddo fo, roedd hyd yn oed Amis yn gorfod cytuno fod y castio'n berffaith. Ac yn wir, er bod barn y gynulleidfa'n rhanedig am lwyddiant y ffilm yn gyffredinol, fe gafodd Terry a finna ein canmol am ein perfformiadau. Yn 1957 y gwelwyd y ffilm yn y sinema; hon oedd y flwyddyn y penodwyd Harold Macmillan yn brif weinidog. 'Some people have never had it so good,' medda fo ac yn wir, roedd y flwyddyn honno'n un dda iawn i'n teulu ni. Fe enillodd fy nghefndar Tom Parry Jones, neu Tomi Tŷ Pigyn fel roeddwn i'n ei adnabod o, y Fedal Ryddiaith yn yr Eisteddfod Genedlaethol am ei gyfrol o straeon *Teisennau Berffro*. Ac fe ges inna fy nerbyn i'r Orsedd a chael fy anrhydeddu efo'r wisg wen. Ar ôl y ffiasgo yn Eisteddfod Genedlaethol Bae Colwyn, 1947 – pan oeddwn i'n beirniadu'r dramâu, a neb isio clywed y gwir – doedd y Genedlaethol ddim wedi fy ngwahodd yn ôl, nes i mi gael gwahoddiad gan ysgrifennydd Eisteddfod Pwllheli 1955, Harri Gwynn, i gydfeirniadu prif gystadleuaeth cyfansoddi drama'r Eisteddfod efo John Gwilym Jones. Gan i mi fod yn hallt fy meirniadaeth o John Gwilym Jones am wrthod golygu'i ddrama ar gyfer y llwyfan yn 1947, roeddwn yn meddwl mai doeth fyddai gwrthod y gwahoddiad. Felly, tybed ai gweithred gymodlon oedd rhoi'r wisg wen i mi, ynteu cydnabyddiaeth haeddiannol o'm llwyddiant yn fy ngyrfa fel actor? Dwn i ddim. Beth bynnag am hynny, roeddwn i'n hapus iawn i dderbyn yr anrhydedd.

Ro'n i'n hapus hefyd fod y ffilm *The Good Companions*, lle roeddwn i'n actio efo Rachel Roberts, wedi cael derbyniad gwresog. 'First-rate performances by Hugh Griffith as an old Welsh Wizard,' meddai'r papur newydd. Cyn bo hir, fe fyddai'r hen Welsh Wizard yn swyno'r gynulleidfa unwaith eto, y tro hwn yn America. Ac i'r cyfandir hwnnw yr hwyliais efo Gunde – First Class ar y *Queen Mary* – ddiwedd 1957, i actio rhan y tad yn y ddrama *Look Homeward, Angel*, yn Efrog Newydd, efo Jo Van Fleet ac Anthony Perkins yn y cast. Braidd yn bryderus oeddwn i ynglŷn â'r holl fenter oherwydd y tro dwetha i mi fod ar Broadway oedd mewn drama efo Burton, *Point of Departure*, ac fe ges fy llarpio'n fyw gan y wasg. Ond ar ôl darllen y ddrama ddiweddara hon, a gweld pwy oedd yn y cast, fe wyddwn y byddai'n llwyddiant mawr. Yn wir, dwy awr yn unig wedi i mi dderbyn y sgript fe ffoniodd fy asiant y cynhyrchydd i ddweud fy mod i ar fy ffordd. Yr unig broblem oedd fy mod wedi dechrau ffilmio *The Key* efo William Holden, Sophia Loren a Trevor Howard, ac roedd yn rhaid i Carol Reed gytuno i'm rhyddhau o'm cytundeb – ac fe wnaeth. Flynyddoedd yn ddiweddarach, a finna'n gweithio efo fo eto ar y ffilm *Mutiny on the Bounty*, fe gefais gyfle i dalu'n ôl iddo, drwy ei gefnogi pan gerddodd o, a finna i'w ganlyn, oddi ar set y ffilm, ac o olwg Marlon Brando.

Fe agorodd *Look Homeward* ar 28 Tachwedd 1957 yn theatr Ethel Barrymore ar Broadway, ac o'r noson gynta roedd y wasg yn fawr eu clod. Ella fod y *crit* yn yr *American Journal* yn deud y cyfan:

> A stroke of sheer genius is the selection of Hugh Griffith, a limey import, to portray the father. Suitably bearded and with wild eyes roaming in all directions, he gives a resounding impression of the beleaguered stonemason. He never lets us forget, however, that he is a suffering and tragic man, who dominates the stage like a drunken Michelangelo of graveyard Angels.

Yn y gynhadledd i'r wasg ar ôl y perfformiad ar y noson agoriadol fe ofynnwyd i mi a oedd rhywbeth yn bod ar fy llygaid, gan fy mod yn edrych yn gyflym i wahanol gyfeiriadau yn ystod y perfformiad. 'Ddim o gwbwl,' medda fi. 'Pan dach chi'n actio, mae'n rhaid i chi gadw un llygad ar eich cyd-actorion – ac un arall ar y Box Office yr un pryd!' Cwestiwn arall ofynnwyd i mi oedd un yn ymwneud â'm dull o actio. Roedd Lee Strasberg wedi agor yr Actors Studio yn Efrog Newydd ryw chwe blynedd ynghynt, lle roedd y myfyrwyr i gyd yn dysgu'r 'method' – ffordd naturiol o actio. 'The scratch and mumble style of acting' yn ôl rhai, fel fi, oedd ddim yn ffan mawr o ddull Strasberg o ddysgu. Cofiwch chi, fe fu 'na actorion enwog iawn yn ei stiwdio: Paul Newman, James Dean, Marilyn Monroe a Marlon Brando. Ond nid Hugh Griffith! A phan ofynnodd un o'r newyddiadurwyr i mi, 'Are you a Method actor, Mr Griffith?' atebais o'n syth, 'No. But I am a Methodist!' Fûm i rioed yn brin o atebion parod. Ac fe wyddwn sut i chwarae'r gêm efo'r wasg. Roeddan nhw wrth eu bodd yn cael rhyw frawddeg fachog i'w rhoi yn y papur ac fe fyddai hynny'n golygu mwy o sylw i mi. Pawb yn hapus.

Tra oeddwn i'n actio yn *Look Homeward* roedd Burton ar Broadway yr un pryd yn actio yn y ddrama *Time Remembered* efo Helen Hayes. Felly, fe benderfynodd y ddau ohonan ni wahodd dau o'n ffrindiau, Meredydd Evans a'i wraig Phyllis, oedd yn byw yn Boston, ac amryw o Gymry eraill, gan gynnwys Osian Ellis, draw i weld y ddau gynhyrchiad. A dwi'n cofio Merêd yn f'atgoffa, flynyddoedd yn ddiweddarach, am yr hyn wnaeth Burton a finna yn ystod ein gwahanol berfformiadau ar Fawrth y cyntaf. Fe aeth Merêd a Phyllis i weld Burton mewn *matinee*. Tywysog o'r ddeunawfed ganrif oedd o i fod, ac fe ddaeth i'r llwyfan wedi'i wisgo'n bwrpasol mewn pâr o deits a dyblet. Ond fe sylweddolodd Merêd fod 'na rywbeth arall yn addurno'r dyblet – bathodyn o'r ugeinfed ganrif efo cennin Pedr yn ei ganol! Wrth gwrs, roedd hi'n ddydd Gŵyl Dewi ac roedd Burton yn gwisgo'r genhinen yn ei galon bob amser, yn ogystal ag ar ei frest. Cofiwch, os nad oedd o'n gweithio, mi fasai'n gwisgo crys coch Cymru, pâr o sanau coch a hyd yn oed drôns cochion o dan ei drowsus! Hanner amser, fe aeth Merêd a Phyllis *backstage* i gael gair efo Burton, gan gyfeirio at y genhinen. Ac medda Burton, 'Arhoswch chi nes gwelwch chi Hugh heno.' Y noson honno roedd y ddau yn y theatr i ngweld inna'n mynd drwy fy mhetha ac, yn ôl Merêd, roeddach chi'n fy nghlywed i'n bytheirio o bell cyn i mi ymddangos ar y llwyfan – yn gwisgo clamp o genhinen, gan gynnwys y gwreiddiau! Fe gawson ni barti a hanner y noson honno yn fflat Lena Horne i ddathlu Gŵyl Ddewi, ac i nodi'r achlysur fe ddarllenais ran o'r cywydd 'Hiraeth am Fôn' gan yr hen Goronwy yn ôl fy arfer.

Fel canlyniad i'm llwyddiant ar Broadway yn *Look Homeward*, fe gefais fy enwebu am wobr Tony i'r actor gorau. Ond roedd 'na wobr fwy yn fy aros, er na wyddwn i mo hynny ar y pryd. Heb yn wybod i mi, yn y theatr un noson roedd Sam Zimbalist, un o gynhyrchwyr mwyaf pwerus Hollywood, a William Wyler, oedd yn cael ei gydnabod fel un o'r cyfarwyddwyr ffilm gorau yn y byd ar y pryd; roedd o wedi cael ei enwebu am Oscar ddeuddeg gwaith, ac wedi llwyddo i ennill tri, a newydd dderbyn cynnig MGM i gyfarwyddo'u ffilm nesa. Hon, yn ôl Zimbalist, fyddai'r ffilm a fyddai naill ai'n achub MGM yn ariannol neu'n cau drysau'r stiwdio am byth. Dyna pam yr oedden nhw wedi mynd am un o'r cyfarwyddwyr gorau oedd ar gael. Ond pam oedd MGM mewn trafferthion? Mewn gair – teledu. Roedd dyfodiad y teledu wedi cael effaith andwyol ar stiwdios Hollywood, ac ar MGM yn arbennig. Fe dyfodd nifer y stiwdios teledu yn America o 30 yn 1946 i 500 bum mlynedd yn ddiweddarach. Doedd pobol ddim eisiau mynd i'r sinema. Doedd dim rhaid iddyn nhw adael y tŷ i gael eu diddanu. Roedd y cyfan yno iddyn nhw – y cyffro, yr hwyl, y rhamant – ar y sgrin fach, a phowlen o *popcorn* ar fraich y gadair. Felly, fe benderfynodd MGM y bydden nhw'n gamblo dyfodol y cwmni, drwy wario $15 miliwn, ffortiwn ym mhres heddiw, a chreu'r ffilm fwya erioed mewn hanes, o ran maint a chyllideb – y ffilm a fyddai'n denu'r miloedd yn ôl i'r sinema. A'r ffilm honno oedd *Ben Hur*!

YR ARAB O FÔN

ROEDD Charlton Heston, seren *The Ten Commandments,*
eisoes wedi derbyn gwahoddiad i actio'r brif ran, Ben Hur,
a rŵan roedd pobol MGM yn chwilio am rywun i actio rhan yr
Arab, Sheik Ilderim. Dyna pam yr oeddwn i'n eistedd ar draws
y bwrdd i Wyler a Zimbalist mewn caffi ar Broadway y bore
hwnnw, yn gwrando'n astud ar y cynnig oedd ganddyn nhw.
Ar ôl gweld fy mherfformiad ar Broadway y noson gynt roedd y
ddau'n gytûn mai fi, yr Arab o Fôn, yn fy ngwisg wen orseddol,
fyddai'n chwarae Ilderim, yr hyfforddwr ceffylau cyfrwys a
fyddai'n llwyddo i berswadio Ben Hur i rasio'i geffylau yn erbyn
Messala, y ffrind a drodd yn elyn.

Rŵan 'ta, mae 'na ddywediad yn y busnes yma y byddwch
chi'n gyfarwydd ag o, mae'n siŵr: 'Peidiwch byth â gweithio efo
anifeiliaid na phlant.' Yn yr achos yma, doedd 'na ddim sôn am
blant, ond y cynnig oedd gweithio efo anifeiliaid, Willy Wyler,
a rhai o actorion gorau'r sgrin fawr, mewn cynhyrchiad oedd
wedi cymryd chwe blynedd i'w baratoi. Pum wythnos o waith,
a stafell foethus yn yr Hotel Hassler, Villa Medici yn Rhufain,
a brenin a brenhines Denmarc yn gymdogion yn y stafell drws
nesa, dyna oedd yn fy nisgwyl. Sut fedrwn i wrthod? Wnes i
ddim. Ond chydig feddyliais i ar y pryd y byddai fy mherfformiad
nid yn unig yn dod ag enwogrwydd byd-eang yn ei sgil ond yn
sicrhau Oscar i mi, ac un ar ddeg i'r ffilm ei hun – y nifer fwya
erioed yn hanes y diwydiant ar y pryd. Y fi oedd y dewis cynta
ar gyfer rhan y *sheik*, ond nid Charlton Heston oedd y dewis
cynta i chwarae Ben Hur. Yn wir, fo oedd y pumed dewis. Burt
Lancaster oedd y ffefryn i chwarae'r brif ran ond fe wrthododd

gan ei fod yn *atheist*, a ddim am gael ei weld yn hyrwyddo Cristnogaeth. Gwrthod wnaeth Marlon Brando, Rock Hudson a Kirk Douglas hefyd. Cynigiwyd rhan Messala i Paul Newman, cyn i'r actor Gwyddelig Stephen Boyd gael ei ddewis. Yn ôl yr hanes, fe dyfodd Boyd locsyn yn arbennig ar gyfer y rhan. Yn anffodus iddo fo, doedd dim angen y blewiach, gan fod y Rhufeiniaid, yn y cyfnod hwnnw, yn eillio'u hwynebau'n lân. A dyna fu'n rhaid iddo fynta 'i wneud.

Rheswm Newman dros wrthod y rhan? Yn ei eiriau ei hun, 'I haven't got the legs for a Roman tunic' – neu o leia, dyna ydi'r stori. Ydi hi'n wir, pwy a ŵyr? Ac fe ellid gofyn yr un cwestiwn am hanesion amheus iawn eu tarddiad yn gysylltiedig â'r ffilm sydd wedi dŵad i'r amlwg dros y blynyddoedd. Roedd Charlton Heston yn gwisgo wats ar ei arddwrn pan oedd o'n gyrru'r ceffylau yn y ras fawr. Fe welwyd Ferrari coch yn y cefndir yn ystod y ras. Lladdwyd un actor tra oeddan nhw'n ffilmio'r ceffylau yn y 'Chariot Race'. Yn yr olygfa lle dwi'n cyflwyno'r ceffylau i Charlton Heston dwi'n siarad Cymraeg efo nhw. Ar ddiwedd y ffilm, mae Ben Hur yn edrych ar Grist yn cael ei groeshoelio, ac mae Charlton Heston yn crio go iawn. Y gwir ydi nad oes 'na ddim sail o gwbwl i unrhyw un o'r honiadau yna, ar wahân i'r ola. Tydi wyneb Crist ddim yn cael ei weld yn y ffilm, a tydach chi ddim yn clywed ei lais o chwaith. Ar ddiwedd y ffilm does 'na ddim cydnabyddiaeth iddo fo yn y *credits*. Ei enw oedd Claude Heater, canwr opera o Oakland, California. *Ben Hur* oedd ei ffilm gynta – a'i ffilm ola. Ond er nad ydi ei wyneb yn cael ei ddangos yn y ffilm, mae Wyler yn dangos yr effaith y mae ei bresenoldeb yn ei gael drwy roi'r camera ar wyneb y person sy'n edrych arno. Y *shot* o Ben Hur yn edrych ar Grist yn cael ei groeshoelio oedd un o'r rhai ola i Wyler ei saethu, a synnwn i ddim nad oedd y dagrau go iawn ar ruddiau Heston yn ddagrau o ryddhad, gan fod bron i flwyddyn o ffilmio di-dor wedi gorffen.

Mae hanes y ffilm yn dechrau ar dudalennau nofel a sgwennwyd yn 1880 gan Lew Wallace, a oedd yn gadfridog yn ystod Rhyfel Cartref America. Hon oedd y nofel a werthodd fwy o gopïau na'r un nofel arall yn America yn ystod y bedwaredd ganrif ar bymtheg. Yn fras, fe aeth Wallace ati i adrodd hanes Crist drwy lygaid Iddew o dras bonheddig, Judah Ben Hur, a chynnwys yr holl elfennau angenrheidiol, yn ei dyb o, i sicrhau y byddai'n eang ei hapêl – cyfeillgarwch, gelyniaeth, brad, dialedd, cystadleuaeth, gwrthdaro, creulondeb, maddeuant a chariad. Ac wrth gwrs, cyffro ras y cerbydau rhyfel rhwng Messala a Ben Hur yn yr arena fawr yn Jerwsalem. O'r holl olygfeydd yn y ffilm, hon 'di'r un y mae pawb ei chofio, ac yn wir, pan addaswyd y nofel a'i throi'n ddrama ar gyfer y llwyfan, fe ddaethpwyd â holl gyffro'r ras i'r theatr. Adeiladwyd llwybr ar y llwyfan oedd yn symud yn gyson. Yna hyfforddwyd wyth o geffylau, pedwar yr un i Messala a Ben Hur, i redeg yn ddi-stop i'r dde, tra oedd cefnlen wedi'i pheintio gyda lluniau o'r arena, cystadleuwyr eraill, cerbydau rhyfel yn dymchwel, torf yn gweiddi, i gyd yn symud i'r chwith, gan greu'r argraff fod y ceffylau'n rasio. Cyntefig, meddach chi? Wel oedd, wrth gwrs, o'i chymharu â'r un olygfa yn y ffilm, ond ar y pryd roedd cynulleidfaoedd wedi'u gwefreiddio.

Er mai is-deitl y ffilm ydi 'A Tale of the Christ', mewn gwirionedd hanes dau ffrind, Ben Hur a Messala, ydi canolbwynt y stori. Mae Messala wedi'i fagu yn Jwdea, ac wedi dychwelyd fel pennaeth (tribune) y dalaith Rufeinig, sydd â'r dasg o chwalu'r gwrthryfel Iddewig. Bellach mae Ben Hur yn arweinydd cyfoethog ymhlith yr Iddewon ac mae Messala'n gofyn am gymorth a chyngor ei ffrind i dawelu'r protestiadau yn erbyn Rhufain. Gwrthod wna Ben Hur, gan ddweud yn blwmp ac yn blaen wrth Messala, 'Pan fydd Rhufain, ryw ddydd, yn cael ei gorchfygu, fe glywir gwaedd fuddugoliaethus, na chlywyd ei thebyg erioed o'r blaen.' Mae'n amhosib peidio â chymharu'r ffordd roedd y Rhufeiniaid yn erlid yr Iddewon yng nghyfnod Crist â'r driniaeth erchyll a gafodd yr Iddewon gan y Natsïaid o dan arweiniad Hitler yn ystod yr Ail Ryfel Byd, bymtheng mlynedd yn unig cyn i ffilm Wyler ddod i'r sgrin.

Mae Ben Hur yn talu'r pris am anufuddhau i ddymuniadau Messala, ac yn cael ei anfon i fod yn gaethwas ar un o longau'r Rhufeiniaid, dan awdurdod Quintus Arius, rhan sy'n cael ei chwarae yn y ffilm gan Jack Hawkins. Penderfynodd Wyler, wrth ddewis actorion ar gyfer y gwahanol rannau, y byddai'n dewis actorion Americanaidd i chwarae'r Iddewon, actorion o Brydain i chwarae'r rhannau Rhufeinig, ac un Cymro i chwarae rhan yr Arab Ilderim! Yn ôl Wyler, roedd sŵn yr acen Seisnig i glust y gynulleidfa Americanaidd yn awgrymu awdurdod a threfn.

Ar ôl bod yn gaethwas yng nghrombil y llong am dair blynedd, gan achub bywyd Quintus Arius yn y cyfamser, mae Ben Hur yn dychwelyd i Rufain, yn ddyn rhydd sy'n gallu mwynhau breintiau Rhufeinig, fel mab mabwysiedig i Quintus Arius. Ond mae Ben Hur am ddychwelyd i Jerwsalem, ac ar ei ffordd yno mae'n cyfarfod Balthasar o Alexandria, un o'r tri gŵr doeth a welodd eni'r Crist. Ac fel mae'n digwydd, ffrind penna Balthasar ydi'r Sheik Ilderim, hyfforddwr ceffylau Arabaidd, ac yn wir yn y ffilm dach chi'n clywed fy llais cyn i chi fy ngweld ar y sgrin.

*

'Na! Na! Nid y chwip!' Dyna fy ngeiriau cynta yn y ffilm. Ar gefn fy ngheffyl, dwi'n edrych yn awdurdodol iawn, yn gwylio fy ngheffylau'n cael eu hyfforddi. Penwisg wen, locsyn trwchus llawn, gwisg â streipiau marŵn a gwyn, *sash* lydan o liw gwin am fy nghanol. Fi, Hugh Griffith, ydi'r Sheik Ilderim, sy'n enwog drwy'r wlad am ei geffylau rasio a'i allu i daro bargen. Mae 'na gysgod i'w gael o dan y coed *dates* sy'n amgylchynu'r werddon ar gyrion Jerwsalem ond dwi'n eistedd yn y cyfrwy, o dan wres yr haul poeth, yn gweiddi'n flin a diamynedd wrth weld fy ngheffylau gwyn gosgeiddig yn carlamu mewn cylch.

'Os gwnei di chwipio fy mhlant i unwaith eto, mi sugna i bob defnyn o waed yn dy gorff di!' Rhybudd arall i'r hyfforddwr, wrth iddo daranu o amgylch y trac a cheisio cael y ceffylau i gyflymu. Ond mae o'n methu'r tro, a dw inna'n gwylltio ac yn neidio o gefn fy ngheffyl (neu o leia, mae'r stynt-man yn neidio!) i mewn i'r cerbyd fel mae o'n chwyrnellu heibio, gan sgrechian ar yr hyfforddwr.

'Wyt ti'n meddwl y gelli di drin fy ngheffyla fel anifeiliaid?' medda fi, gan dynnu ar y ffrwyn i reoli'r meirch. Yna, mae fy nghyfaill Balthasar yn fy nghyflwyno i Ben Hur, ac ar ôl deall fod hwnnw wedi rasio yn Rhufain, dwi'n awyddus i wybod mwy, ac yn gwahodd Ben Hur i aros yn fy mhabell dros nos er mwyn i mi gael clywed am ei brofiadau yn y Circus Maximus, profiadau a fydd o gymorth i mi wrth baratoi'r ceffylau ar gyfer y ras fawr yn Jerwsalem. Mae'r camera'n symud o amgylch y babell gan ddangos moethusrwydd sy'n brawf gw+ eladwy o'r cyfoeth y mae Ilderim wedi'i gasglu dros y blynyddoedd: carpedi gwlân trwchus, amryliw a chlustogau mawr, cyfforddus ym mhob cornel o'r babell, a'r lampau olew pres sy'n crogi o'r nenfwd yn goleuo'r lle. Tra dwi'n tywallt gwin i lestr arian yn llaw Ben Hur dwi'n ei holi am ei hanes, ac am wybod sawl gwraig sydd ganddo.

Ar ôl datgelu nad yw'n briod, ond y bydd yn priodi gwraig ryw ddiwrnod, dwi'n methu credu'r ffasiwn beth. 'Un wraig!' medda fi. 'Un Duw, dwi'n dallt hynny. Ond dim ond un wraig? Tydi hynny ddim yn waraidd. Mae gen i chwech o wragedd...neu hyd yn oed saith – efallai!'

Wedi'r wledd, mae'r hen *sheik* yn gofyn i Ben Hur ddaru o fwynhau'r bwyd, gan awgrymu y dylai ddangos hynny. Ond tydi Ben Hur ddim yn deall fod Ilderim am iddo dorri gwynt, sef y dull Arabaidd o ddangos fod y bwyd yn flasus. O'r diwedd mae

Ben Hur yn llwyddo i wneud, ac mae hynny'n plesio Ilderim yn fawr.

Fedrwch chi ddim edrych ar yr olygfa fach yma heb chwerthin, a dyna pam ges i gymaint o hwyl yn chwarae'r rhan. Roedd yr hen Arab yn ymddwyn mor wahanol i'r cymeriadau ffurfiol a difrifol o'i gwmpas, fedrach chi ddim llai na chymryd ato fo. Wrth gwrs, ar wahân i'r llinellau doniol, roeddwn inna wedi mynd dan groen y cymeriad ac yn dŵad â hiwmor gweledol i'r olygfa. Pan gynigiodd y gwas liain i mi i sychu fy nwylo ar ôl bwyta, er enghraifft, yn hytrach na gafael yn y lliain, fe sychais fy nwylo ar ei drowsus.

'A rŵan,' medda'r hen *sheik* wrth Ben Hur, 'mae'n rhaid i mi ddeud nos da wrth fy nghariadon. Pan fyddan nhw'n barod i gysgu maen nhw'n mynd yn ddiamynedd ac yn eiddigeddus. Maen nhw'n aros i weld pa un dwi'n ei gofleidio gynta.' Ar ôl i Ilderim guro'i ddwylo, mae llenni cefn y babell yn agor, ac yno, yn sefyll yn berffaith lonydd mae ei gariadon – pedwar o geffylau gwyn. Fe hyfforddwyd 78 o geffylau i gyd ar gyfer y ffilm, ac roedd y rhan fwya ohonyn nhw'n dod o Iwgoslafia – ceffylau Arabaidd efo un neu ddau Lipanzer yn eu plith. Glen Randell oedd y prif hyfforddwr, y dyn ddaru hyfforddi Trigger i Roy Rogers a Silver i'r Lone Ranger, gyda llaw. Wrth i'r ceffylau gerdded yn araf i mewn i'r babell mae Wyler yn dangos wyneb Ben Hur yn syllu mewn syndod ar yr olygfa.

'Dyma fy nghariadon i,' medda fi wrtho fo. 'Maen nhw o linach y ceffylau Arabaidd oedd yn rasio i'r Pharoaid cynhara. Dwi 'di eu henwi nhw ar ôl y sêr. Tyrd yma, Antares. Ti ydi'r arafa ond mi fedri di redeg drwy'r dydd heb flino.' Wrth i mi siarad efo Antares mae un o'r ceffylau'n gweryru er mwyn ceisio cael fy sylw, a dwi'n troi ato fo.

'Ydw! Dwi'n dy garu dithau hefyd.' Ymlaen â fi at y nesa, Regal, sy'n rhwbio'i phen mor annwyl a chyfeillgar yn fy nillad.

'Do,' medda fi wrthi'n gariadus, "dan ni'n dau wedi bwyta'n dda. Ac mae popeth yn iawn.' Mae'r cyfan yn edrych mor naturiol, er bod Wyler wedi gofyn i mi ail-wneud yr olygfa nifer o weithiau. Roedd ei safonau mor uchel, doedd o byth yn hapus efo'r *take* cynta. Yn wir, roedd o'n cael ei adnabod fel '40 takes Wyler' neu 'Once-more Wyler', ac yn deud ei feddwl yn blaen. 'It's easier to be a nice guy,' medda fo unwaith, 'but you can't do a picture that way.' Doedd ganddo fo ddim diddordeb mewn seboni actorion er mwyn gneud iddyn nhw deimlo'n dda. Disgwyl mwy ganddyn nhw bob amser roedd Willy, er mwyn iddyn nhw fod yn dda. Ac os oedd Willy'n gweiddi 'Cut! That's it,' fe allech fod yn sicr na allai neb fod wedi cyfarwyddo nac actio'r olygfa'n well. Doedd o ddim yn dangos ffafriaeth chwaith, a byddai'n trin pawb yr un fath. Dwi'n cofio Heston yn dweud wrtha i fod Wyler wedi dweud wrtho un noson, 'Chuck. I'm not happy with what you're giving me.'

A Heston yn gofyn, 'In what way?'

'I don't know,' medda Wyler. 'It's up to you to find out.'

'Well,' meddai Heston, 'what can I do?'

Ac ateb oeraidd Wyler oedd, 'Be better.'

Mae'r trydydd ceffyl eisiau sylw rŵan ac yn dylyfu gên i ddangos ei fod wedi blino. 'Iawn,' medda'r *sheik*, 'gei di fynd i gysgu cyn bo hir,' gan droi ei gefn ar y ceffyl sy'n ei wthio'n chwareus yn ei gefn, cystal â deud, 'Fi 'di Aldebran a dw inna yma hefyd.'

'Dwi ddim wedi d'anghofio di,' meddai Ilderim. 'Ti ydi'r march cyflyma ohonyn nhw i gyd.'

Ro'n i'n sôn yn gynharach am y straeon di-sail sydd wedi tyfu o gwmpas y ffilm hon. Stori arall, sydd ddim yn wir, ydi mod i wedi siarad Cymraeg efo'r ceffylau. Mae'n wir fod Wyler wedi gofyn i mi a oeddwn i'n siarad Arabeg a finna'n deud mod i wedi dysgu chydig ar y ffordd i India adeg y rhyfel. Ac er mwyn cael chydig o hwyl efo fo, mi wnes i ddeud ychydig o frawddegau yn Gymraeg. 'Jeez, Hugh, I didn't know you spoke Arabic that well!' medda fo. Ella mod i wedi siarad Cymraeg efo'r ceffylau yn ystod yr ymarfer. Tydw i ddim yn cofio. Ond waeth pa mor galed wnewch chi wrando ar yr olygfa orffenedig, wnewch chi ddim clywed gair o Gymraeg.

Mae Ben Hur yn dŵad draw at y ceffylau ac mae yn eu mwytho ac maen nhw'n amlwg yn hapus yn ei gwmni. 'Diddorol,' medda fi. 'Tydan nhw ddim fel'na efo pawb.' Mae'r ceffylau'n gadael y babell yn ara deg a finna'n troi at Ben Hur.

'Pan fyddan nhw'n rasio yn Jerwsalem, fe fyddan nhw'n rasio yn erbyn y gorau yn y byd, heb sôn am bencampwr y Dwyrain, y Cadfridog Messala efo'i bedwar diafol du. Mae o eisiau ennill, costied a gostio, bob tro.'

'Messala? Yn y Syrcas?' meddai Ben Hur, gan droi ac edrych arnaf.

'Bydd,' medda fi. 'Dach chi'n ei nabod o?'

'Ydw, dwi'n ei nabod o,' medda Ben Hur.

'Ei nabod, ond ddim yn ei hoffi ryw lawer, mae'n amlwg. Judah Ben Hur, mae fy mhobol yn chwilio am ddyn allai yrru'r ceffylau yma i fuddugoliaeth dros Messala. Fe allet ti wneud hynny. Fe allet ti wasgu wyneb trahaus y Rhufeiniwr balch yma i mewn i dywod yr arena. Rwyt ti wedi gweld y ceffylau. Y cwbwl maen nhw ei angen ydi gyrrwr sy'n deilwng ohonyn nhw, un fyddai'n eu rheoli nid gyda chwip ond gyda chariad. O gael meistr felly, fe fasan nhw'n barod i redeg yn gynt na'r gwynt.'

'Amhosib,' meddai Ben Hur, gan godi a mynd.

'Piti garw,' medda finna. 'Mi allet ti dorri ei grib a'i ddarostwng o flaen yr union bobol y mae o wedi'u diraddio. Oni fyddai hynny'n ateb dy bwrpas?'

'Rhaid i mi ddelio â Messala yn fy ffordd fy hun,' ydi ateb Ben Hur, a phan mae Balthasar yn awgrymu nad oedd gan neb yr hawl i ladd person arall, mae Ben Hur yn cychwyn allan o'r babell, a finna'n gafael yn ei fraich.

'Ystyria hyn, Judah Ben Hur,' medda fi. 'Does 'na ddim cyfraith yn yr Arena. Mae llawer yn cael eu lladd.'

Mae'r olygfa nesa'n agor gyda'r camera'n dangos llawr mosaig ac yn datgelu'n araf ein bod ni mewn baddondy Rhufeinig, lle mae Messala'n ymlacio efo'i filwyr o'i gwmpas. Dw inna'n cerdded i mewn, wedi fy ngwisgo'n urddasol mewn gwisg wen (eisteddfodol yr olwg!), gwregys o sidan pinc llachar a dwy gyllell fechan arian ynddo, a choban streipiog werdd ac arian. Ar ôl cyfarch y milwyr yn ffug-barchus, mae Messala'n fy nghroesawu i ganol y gwmnïaeth wrth i ngweision gario cist yn llawn o ddarnau aur a'i gosod ar y llawr.

'Mae'r gêmau'n agosáu,' medda fi, 'a dwi'n bwriadu rasio fy ngheffylau gwynion yn erbyn ceffylau duon Messala. Does gen i ddim amheuaeth pwy fydd yn ennill, oherwydd mae Judah Ben Hur wedi cytuno i rasio yn fy enw i.' Mae'r olwg ar wyneb Messala, ar ôl i mi enwi Ben Hur, yn werth ei gweld, ac i rwbio halen yn y briw, dwi'n gofyn i'r milwyr:

'Wnaiff rhywun roi arian ar yr Iddew a fu'n gaethwas? Wnewch chi roi pedwar yn erbyn un i mi?'

Cytuna Messala. 'Pedwar am un,' medda fo. 'Y gwahaniaeth rhwng Iddew ac Arab.'

Mae pawb yn chwerthin, a finna i'w canlyn, ond mae fy chwerthiniad i'n awgrymu na fydd Messala'n chwerthin ar ôl y ras.

'Beth am £1,000?' medda fi, gan wenu'n chwareus.

Mae wyneb Messala'n gwelwi, ond fedr o ddim gwrthod yng ngŵydd ei gyd-filwyr, ac felly mae o'n derbyn y bet, cyn martsio allan, yn amlwg wedi gwylltio, fel llosgfynydd yn mudlosgi. Mae'r *shot* ola ar fy wyneb i, wrth i mi gau'r llyfr betio'n glep, yn awgrymu'n glir fy mod wedi rhwydo Messala.

Y ras rhwng Messala a Ben Hur ydi uchafbwynt y ffilm, ac mae Messala'n colli, ac yn colli'i fywyd hefyd.

Mae 'na ddiwedd hapus i'r stori. Daw Ben Hur o hyd i'w fam a'i chwaer yn byw efo'r gwahangleifion mewn ogofâu ar gyrion Jerwsalem. Ond yn ystod y storm sy'n dilyn croeshoelio Crist mae'r glaw yn golchi eu clwyfau'n lân.

Doedd Wyler ddim yn hapus efo'r sgript wreiddiol gan Karl Tunberg. Yn ôl Wyler, roedd hi'n rhy elfennol a chyntefig ac yn annaturiol ei deialog. Yn wir, y peth gorau am y sgript, yn ôl Wyler, oedd disgrifiad Tunberg o'r Râs Fawr. Dim ond tri gair o gyfarwyddyd oedd 'na yn y sgript – 'The Chariot Race'. Gadawyd y cyfan i ddychymyg y cyfarwyddwr. Er mwyn ystwytho'r ddeialog a chryfhau'r sgript yn gyffredinol fe gyflogwyd Gore Vidal, awdur a dramodydd Americanaidd, a gyflwynodd is-blot a fyddai'n awgrymu fod 'na berthynas hoyw rhwng Messala a Ben Hur, a'u bod nhw'n ymladd oherwydd fod Ben Hur wedi troi ei gefn ar Messala. Amheus iawn oedd Wyler o'r syniad.

Mae'n rhaid i mi ddeud fod y sefyllfa yma rhwng Vidal a Wyler yn f'atgoffa o'r stori am Olivier yn chwarae Iago a Ralph Richardson yn chwarae Othello. Olivier yn awgrymu i'r cyfarwyddwr, Tyrone Guthrie, y byddai'n ddiddorol dehongli Iago fel rhywun hoyw oedd wedi colli ei ben yn lân ac mewn cariad efo Othello. 'Wel,' medda Guthrie, 'triwch o i gael gweld. Ond er mwyn Duw, peidiwch â deud wrth Ralph!' Ac ateb tebyg gafodd Gore Vidal gan Wyler, 'Peidiwch â sôn wrth Heston.' Ond doedd y berthynas rhwng Gore Vidal a Wyler ddim yn un ffrwythlon, a deud y lleia, ac yn y pen draw fe gyflogwyd Christopher Fry i ailsgwennu'r sgript.

Fe sgwennodd Heston ychydig o nodiadau dychmygol hefyd am gefndir Messala a Ben Hur, ond fe wnaeth y camgymeriad o'u dangos i Wyler gan feddwl y byddai'r cyfarwyddwr yn gwerthfawrogi'i ddiddordeb. Ond roedd Wyler yn flin.

'Chuck,' medda fo, 'i actio y gwnes i dy gyflogi di – nid i sgwennu.'

Cyfarwyddwr a oedd yn rhoi'r pwyslais ar bwysigrwydd cael y manylion lleiaf yn iawn oedd Wyler. Yn yr olygfa lle mae Ben Hur yn dychwelyd o'i gaethiwed ac yn ymweld â chartref y teulu, mae o'n cerdded yn araf drwy un o'r stafelloedd yn ei dŷ. Fe ofynnodd Wyler i Heston actio'r olygfa wyth gwaith. Yn y diwedd fe ofynnodd Charlton iddo pam, yn wyneb y ffaith mai dim ond cerdded yr oedd o, heb ddweud dim byd, fod yn rhaid iddo fo wneud hynny drosodd a throsodd?

'Wel,' meddai Wyler, 'y tro cynta, mi wnest ti roi cic i ddarn o botyn, ac roeddwn i'n gobeithio y byddet ti'n ailadrodd hynny.'

Ateb Heston oedd ei fod wedi osgoi cicio'r potyn ar ôl y tro cynta, am ei fod o'n credu nad oedd Wyler yn hoffi'r sŵn.

Pan fyddai Wyler yn cyfarwyddo doedd dim amheuaeth pwy oedd y bòs, ac fe fyddai bob amser yn mynnu ei ffordd ei hun. Roedd o'n fyddar yn un glust ac os nad oedd o isio clywed beth oedd gynnoch chi i'w ddweud, fe fyddai'n troi'r glust honno i'ch cyfeiriad.

Mae 'na un olygfa yn y ffilm lle mae Ben Hur yn cerdded ar draws yr anialwch mewn cadwynau ac yn cyfarfod Crist, sy'n cynnig dŵr iddo fo. Cyn i Ben Hur gael cyfle i yfed mae milwr Rhufeinig yn gweiddi, 'Dim dŵr iddo fo.' Doedd Wyler ddim yn hapus efo'r olygfa. Roedd 'na rywbeth o'i le ynddi, ac fe sylweddolodd mai actor gwahanol i'r un yr oedd wedi'i ddewis oedd yn cael ei ffilmio. Mynnodd wybod ble roedd yr actor yr oedd o wedi'i ddewis.

'Mae o yn Rhufain,' oedd yr ateb. 'Roedd o eisiau gormod o bres.'

'Sdim ots gen i,' meddai Wyler. 'Hwnnw dwi isio. Ewch i'w nôl o.'

'Ond dim ond pedwar gair sy gynno fo i'w dweud.'

'Sdim ots. Fo dwi isio.'

'Mae hi'n mynd i gymryd amser i ni ddod o hyd iddo fo.'

'Sdim ots,' medda Wyler, 'fe arhosa i.'

Ac aros wnaethon nhw. Fe gostiodd hynny $15,000 – ond fe gafodd Wyler ei ffordd ei hun.

Naw munud yn unig ydi hyd y ras rhwng Messala a Ben Hur ar y sgrin, ond fe gymerodd bum wythnos i'w saethu a thair arall i'w golygu. Deunaw erw oedd maint y set ar gyfer y ras ac fe'i codwyd yn stiwdios Cinecittà, y tu allan i Rufain – y set fwya erioed yn hanes y sinema. Seddau o amgylch i bymtheng mil o *extras* ac yng nghanol y cylch lle byddai Ben Hur a Messala'n rasio codwyd tair delw enfawr o dduwiau dychmygol a'r rheini'n dri deg troedfedd o uchder. Pan welodd Wyler y set orffenedig roedd o wedi'i syfrdanu gan ei maint a'i gwychder, ac fe ddywedodd wrth Andrew Morton, y cyfarwyddwr a fyddai'n saethu'r ras, ei fod o eisiau gweld y cerbydau rasio a'r holl geffylau hefyd yn gorymdeithio cyn y ras, er mwyn cael esgus i ddangos y set yn ei holl ogoniant.

Fe fuodd Heston yn ymarfer sut i yrru'r cerbyd am wythnosau cyn y ras, fo a Stephen Boyd, er bod gan Heston fwy o ymroddiad na Boyd. Roedd ganddo fwy o brofiad hefyd, oherwydd roedd o wedi gyrru cerbyd yn y ffilm *The Ten Commandments*. Ond dim ond dau geffyl oedd yn rhaid iddo'u rheoli yn y ffilm honno. Roedd disgyblu pedwar ceffyl yn mynd i fod yn fwy anodd o lawer. Ei hyfforddwr oedd dyn stynt gorau'r diwydiant, Yakima Canutt, a Joe, mab Yakima, fyddai'n cymryd ei le ar gyfer y rhannau mwya peryglus. Dilyn y *rodeo* o dalaith i dalaith, dyna sut y dysgodd Canutt y grefft o feistroli ceffylau, ac fe ddaeth i amlygrwydd pan gafodd rannau bychain yn rhai o ffilmiau cowboi cynnar Tom Mix. Yn nes ymlaen fe ddaeth o a John Wayne yn ffrindiau agos, ac roedd y ddau ohonyn nhw'n arloeswyr yn y grefft o greu stynts oedd yn edrych yn anodd, yn beryglus ac yn gyffrous, drwy ddefnyddio technegau syml a diogel. 'Keep it simple, keep it safe, make it exciting' oedd yr arwyddair. Mae'n bur debyg mai'r stynt yn y ffilm *Stagecoach*, gyda John Wayne yn y brif ran a John Ford yn cyfarwyddo, ydi un o stynts enwoca Canutt, lle mae o'n neidio o geffyl i geffyl ac yn disgyn rhwng y ceffylau blaen ac yn gadael iddyn nhw garlamu drosto, o fewn modfeddi i'w gorff.

Canutt oedd y gorau, a fo ddysgodd Heston a Boyd sut i yrru'r cerbydau rhyfel. Fe fu Heston yn ymarfer am ryw bedair wythnos cyn dechrau saethu, ond fe dreuliodd Canutt bum mis yn hyfforddi'r ceffylau. Unwaith y dechreuodd y ffilmio aeth y gair ar led fod y ras yn un gyffrous iawn ac fe drefnwyd fod bysys yn cael dŵad draw am y diwrnod i weld y ffilmio. Daeth sêr y sgrin oedd yn Rhufain ar y pryd draw hefyd – Bette Davies, Ava Gardner, Susan Hayward, Alec Guinness ac Anna Magnani. Byddai'n rhaid ffilmio'r ras ddwywaith, unwaith er mwyn canolbwyntio ar Heston a Boyd, a'r eildro er mwyn creu'r damweiniau gan ddefnyddio dymis a dynion stynt.

Yn ôl yr hanes, cyn dechrau'r ras fe gafodd Heston air bach efo Canutt a mynegi ei bryderon am y ras. Teimlai'n hyderus wrth ymarfer, ond mater arall oedd rasio yn yr arena yn erbyn wyth *chariot* arall. 'Gwranda,' meddai Canutt wrtho. 'Gwna di'n siŵr dy fod ti'n aros yn y cerbyd – mi wna i a'r golygydd yn siŵr y byddi di'n ennill y blydi ras!' Ac fe wnaeth! Diwedd gwaedlyd sydd 'na i'r gystadleuaeth rhwng Ben Hur a Messala, gyda Messala'n defnyddio pob math o ystrywiau i atal Ben Hur rhag ennill. Ond yn y pen draw mae o'n gneud camgymeriad, yn cael ei luchio allan o'r cerbyd, ac ar ôl cael ei lusgo ar hyd y llawr, mae carnau'r ceffylau'n ei gicio'n ddidrugaredd gan ei adael i waedu i farwolaeth o flaen y dorf. Fe ymatebodd y pymtheng mil o *extras* yn reddfol i'r digwyddiad a neidio o'u seddau a rhedeg ar ôl cerbyd Heston, gan weiddi a dawnsio'n fuddugoliaethus. Iddyn nhw, roedd y cyfan yn hollol gredadwy, ac am yr eiliad honno roeddan nhw wedi anghofio mai *extras* mewn ffilm oeddan nhw. Messala oedd wedi cael ei ladd, nid Stephen Boyd, a Ben Hur oedd wedi ennill, nid Charlton Heston.

Ond y foment fwya dramatig yn y ras ydi'r un lle mae Ben Hur yn gyrru ei gerbyd dros gerbyd arall sydd wedi cael damwain yn gynharach ac yn gorwedd ar draws ei lwybr. Cyn saethu'r olygfa roedd Joe Canutt, a fyddai'n gyrru'r cerbyd yn lle Heston, wedi claddu ramp yn nhywod yr arena er mwyn codi olwynion y cerbyd i'r awyr. Ond yn ystod y ffilmio saethodd cerbyd Heston i fyny'r ramp mor gyflym nes y lluchiwyd Canutt yn beryglus o annisgwyl i'r awyr, gan beri iddo ddisgyn o'r cerbyd. Llwyddodd, rywsut neu'i gilydd, i osgoi carnau'r ceffylau, dringodd yn ôl i'r cerbyd a chario mlaen. Ar ddiwedd y dydd byddai Wyler, fel pob cyfarwyddwr, yn edrych ar y *rushes*, sef y golygfeydd oedd wedi cael eu saethu'r diwrnod hwnnw, a phan welodd Canutt yn disgyn o'r cerbyd ac yna'n dringo 'nôl, roedd o wedi'i wefreiddio. Dywedodd wrth Heston y byddai'n rhaid iddo fo ailadrodd hynny, yna fe allai'r golygydd dorri o lun pell o Canutt yn disgyn o'r cerbyd i lun agos o Heston yn dringo 'nôl i mewn. Doedd Heston ddim yn hapus o gwbwl ond fe gytunodd i wneud yr hyn yr oedd Wyler wedi'i ofyn iddo fo – neu'n hytrach wedi deud wrtho am ei neud – ac o ganlyniad roedd yr olygfa'n fythgofiadwy.

Yn wir, dyna oedd y farn gyffredinol am y ffilm – bythgofiadwy. Fe sicrhaodd llwyddiant y cynhyrchiad fod dyfodol stiwdios MGM yn ddiogel. Gwnaed miliynau o bunnau o elw i'r cwmni, a daeth peth o'r elw hwnnw hefyd drwy werthu tywelion efo'r geiriau 'Ben Hur' a 'Ben His' arnyn nhw! Enillodd y ffilm un ar ddeg o Oscars i gyd, y nifer mwya erioed hyd hynny yn hanes y sinema, ac fe enillais innau un am yr actor cynorthwyol gorau. Ond doeddwn i ddim yno ar y noson i dderbyn fy ngwobr. Yn hytrach, roeddwn gartra yn Llundain pan ddaeth galwad ffôn oddi wrth fy chwaer Elen i ddweud fy mod wedi cael Oscar.

'Pam na ddaru chi ddim mynd i Hollywood?' Dyna'r cwestiwn ofynnwyd i mi ar y pryd gan riportar i'r *Evening*

Standard. Mae'r toriad o'r papur yn dal gin i – fel mae cannoedd o doriadau, sydd wedi fy nghanmol a nghondemnio dros y blynyddoedd. Dyma'r ateb a roddais i ar y pryd, sef 5 Ebrill 1960: fy mod wedi bwcio awyren i fynd â fi i Hollywood ddwywaith, ac wedi canslo ddwywaith oherwydd y baswn i wedi edrych yn ffŵl petawn i wedi mynd yr holl ffordd yno a heb gael Oscar. Trefnais fod William Wyler, y cyfarwyddwr, yn derbyn y wobr ar fy rhan petawn i'n digwydd ennill. Ond beth bynnag oedd fy ateb i gwestiwn y riportar, nid dyna oedd y gwir. Roedd fy mhortread llwyddiannus o'r Arab Ilderim wedi creu problem i aelodau'r Academi. Mae gennyf yn fy meddiant lythyr, wedi'i ddyddio 18 Mawrth 1960, oddi wrth Hal Scott, oedd yn gweithio i gylchgrawn *Variety* yn Hollywood. Dyma'r frawddeg allweddol:

> I did call MGM, but they felt that it would not be politic to bring you over to accept an award for portraying an Arab when you're going to appear next in a picture about Jews.

Y ffilm honno, gyda llaw, oedd *Exodus*, ac ymhen y mis roeddwn wedi hedfan allan i Gyprus i ddechrau ffilmio. Dyna'r gwir felly. Mi fasa'r hen Hugh wedi creu embaras i fawrion Hollywood, ac o'r herwydd doedd 'na ddim lle i mi ar y carped coch. Ia, *'politic'* oedd y gair, ac roedd 'na gic wleidyddol hefyd yng ngeiriau olaf y cyfarwyddwr William Wyler a dderbyniodd yr Oscar ar fy rhan:

> I am extremely happy to accept this highly deserved award for Mr Hugh Griffith, for his humorous and sympathetic characterisation of an arab sheik. My only regret is that the people of the Emirates will not be allowed to see his performance.

Un ffaith ddigon diddorol am yr Oscar. Yn ôl pob sôn, yr actores Bette Davis fathodd yr enw Oscar ar y wobr, oherwydd, wrth edrych ar y ddelw fechan, euraid, noeth o'r cefn, roedd hi'n cael ei hatgoffa o ben-ôl ei gŵr, Harmon Oscar Nelson.

Cefais nifer o delegramau yn fy llongyfarch, yn eu plith, un gan Charlton Heston:

Was sure you would make it, but could not believe rest of us would join you. It is a great feeling. Congratulations from your charioteer. Chuck.

Cefais un gan Tom Parry, Prifathro Coleg Aberystwyth ar y pryd, ac un gan Gwenallt hefyd, sy'n gorffen efo'r geiriau: 'Rwyt yn fwy enwog dramor erbyn hyn nag yng Nghymru, ond mae'n rhaid i ti ddychwelyd rywbryd i gael clod yng Nghymru'.

Ond onid dyna'r gwirionedd oesol? Er mwyn i chi ennill clod a chael eich gwerthfawrogi yn y busnes yma, mae'n rhaid i chi adael Cymru. Tydi'r proffwyd na'r actor ddim yn dderbyniol yn ei wlad ei hun, ac yng Nghymru mae'n cael ei gymryd yn ganiataol. 'Os mynni glod, bydd farw' medda'r hen air. Ac os mynni glod fel actor – dos i Hollywood, medda finna.

O WOBR I WAITH

Y MUNUD y gorffennais i *Ben Hur* fe lifodd y cynigion i mewn. Wrth gwrs, roeddwn i wedi ymrwymo i ymddangos yn *Exodus*, ond o ddarllen eto lythyr a anfonais i at Mam, mae rhywun yn sylweddoli pa mor wallgo oedd bywyd i actor prysur. Yn ôl y cyfeiriad, roeddwn i'n aros mewn lle crand iawn:

Chateau Marmont,
8221, Sunset Boulevard,
Hollywood
Newydd orffen pum wythnos ar *Ben Hur* ac wedi cael cynnig gneud *TV Playhouse*, am ryw ddyn yn hedfan o gwmpas ei blwyf anferth yn Awstralia. Gwrthod wnes i ar y dechrau, ond mi ddaru nhw gynnig dyblu'r arian, felly fe wnes i dderbyn. Y diwrnod wedyn dyma alwad arall yn cynnig i mi recordio *Waltz of the Toreadors* yn New York.

Felly mi oedd gin i 10 diwrnod i wneud hynny cyn dechrau'r ffilmio ar *TV Playhouse*. Roeddwn i'n gweithio'n amal tan 4 yn y bore er mwyn gorffen. Beth bynnag, ddwy awr ar ôl i mi orffen, ffwrdd â mi i'r maes awyr i ddal y *flight* am chwarter i saith, tra'n newid fy nillad a thynnu fy *make-up* yn y car. Ar y set am ddeg y bore wedyn. Nifer fawr o linellau i'w dysgu ond mae Gunde yn dda iawn yn chwarae'r cymeriadau eraill, diolch amdani. Mae *Ben Hur* yn agor yn Efrog Newydd ymhen yr wythnos a wedyn yn Llundain, ganol Rhagfyr.

Roedd *Exodus* yn ffilm fawr, er nad oedd gen i fawr o ran ynddi hi. Ffilm am frwydr Israel am annibyniaeth yn 1947 oedd hi, ac wedi'i chyfarwyddo gan Otto Preminger efo Paul Newman, Eva Marie Saint, Peter Lawford, Ralph Richardson a Lee J. Cobb. Tawn i'n un o'r bobol *arty-farty* yn y busnes – a chredwch chi fi, mae 'na ddigon ohonyn nhw – mi faswn i'n deud mai *cameo role* oedd gen i yn *Exodus*. Wrth gwrs, enw crand ar ran fechan ydi *cameo role*, ond doedd o ddim yn beth drwg o gwbwl i fod mewn ffilm efo cynifer o sêr. Ac eto, wedi dweud hynny, doedd y ffilm honno ddim yn llwyddiant mawr. Yn rhy hir a llafurus yn ôl y beirniaid, ac fe allai Paul Newman fod wedi baeddu ei wyneb a'i ddwylo'n amlach yn ôl beirniad arall: 'Too clean-shaven' oedd y sylw. Newman oedd yn chwarae'r brif ran, yr arweinydd Iddewig Ari Ben Canaan, oedd yn ceisio rhyddhau Iddewon oedd wedi'u carcharu mewn gwersyll yng Nghyprus a'u hebrwng yn ôl i Balestina, ac yna sefydlu Gwladwriaeth Rydd Israel. A fi, Mandria, oedd y gŵr o Gyprus fyddai'n ei helpu drwy gael llong, yr *Exodus*, fyddai'n cludo'r bobol yn ôl i Balestina. Yn ystod y dangosiad cyntaf o *Exodus*, a theirawr o ffilm Otto Preminger wedi llusgo heibio, fe gododd y comedïwr Americanaidd enwog Mort Sahl ar ei draed a gweiddi i gyfeiriad y sgrin, 'Otto! Let my people go!' Beth bynnag am hynny, fe enillodd y ffilm Oscar am y gerddoriaeth ac fe enillodd Sal Mineo (oedd yn enwog am ei ran yn y ffilm *Rebel Without a Cause* efo James Dean) wobr Golden Globe am ei ran yn y ffilm, yn ogystal â chael ei enwebu am Oscar fel actor cynorthwyol.

Mi oedd 'na fwy nag un wedi fy ngalw yn seren am fy ngwaith ar y llwyfan yn y West End yn Llundain. Ond am fy ngwaith yn y sinema y cefais i gydnabyddiaeth ryngwladol. Ar ôl gweld fy nehongliad cynnil o'r *spymaster* yn *The Counterfeit Traitor*, 'Hugh Griffth, Marian-glas: International Film Star' oeddwn i ac, ar ryw ystyr, roedd ennill yr Oscar yn cadarnhau'r darlun yna ohona i. Mae gin i gytundeb o mlaen rŵan, cytundeb am wyth niwrnod o waith ar y ffilm honno. Rŵan, dwi'n cofio mod i'n gweithio ar hon cyn i mi glywed mod i wedi ennill Oscar am fy rhan yn *Ben Hur* – neu mi faswn wedi cael cyflog mwy o lawer! Wedi deud hynny, mi oedd $7,500 am wyth niwrnod o waith ffilmio yn Nenmarc, a $350 o dreuliau yr wythnos, yn neis iawn, diolch yn fawr. Ond am wneud be? Chwarae rhan Collins mewn ffilm *spy* gyffrous efo William Holden a Lily Palmer. Dwi'n dal i gofio un llinell oedd gin i yn y ffilm. Mae Holden yn gofyn i mi: 'How does a person get to be so cold-blooded?' a medda finna: 'Watching German planes bomb London helps enormously!'

Dramatig, 'ta be?

Mae teitl y ffilm *The Day They Robbed the Bank of England* yn deud popeth amdani: criw o ladron ar ran yr IRA yn ceisio dwyn aur o seleri Banc Lloegr. Chafodd hi fawr o ganmoliaeth gan y papurau, ond fe ddaru nhw ganmol perfformiad un actor ifanc i'r cymylau – Peter O'Toole. Ac ar sail ei ran yn y ffilm honno y cafodd o'r brif ran yn ffilm David Lean *Lawrence of Arabia*, a dod yn enw rhyngwladol dros nos. Peidiwch byth â meddwl fod unrhyw ran yn rhy fychan. Wyddoch chi ddim pwy sy'n gwylio pwy, na be, yn y busnes yma.

Ia, yn sicr y sinema ac nid y theatr oedd fy mhrif gynhaliwr bryd hynny. Roedd bywyd yn dda – digon o waith, digon o arian, a'r haul yn gwenu. Ond yn y busnes yma fe allwch chi fentro y daw 'na stormydd annisgwyl i'ch rhan. Pan dderbyniais ran yn y ffilm *Mutiny on the Bounty* efo Marlon Brando doeddwn i ddim yn meddwl ar y pryd y byddwn i'n teithio ar foroedd tymhestlog am rai misoedd ac y byddai'r amser yma ymhlith y cyfnodau mwyaf anhapus yn fy mywyd fel actor.

Doedd 'na ddim awgrym ar y dechrau un o'r uffern oedd o mlaen i. Roeddwn i'n falch iawn fod Syr Carol Reed wedi gofyn i mi fod yn y ffilm ac yn hapus iawn efo'r cytundeb a'r ffaith y byddwn i'n cadw cwmni i'r actor lliwgar, gwyllt a gwallgo Richard Harris – oedd yn mynnu fy ngalw'n Hughie, bob gafael – ynghyd â Trevor Howard, John Mills ac, wrth gwrs, Marlon Brando. Cefais gytundeb o $60,000 am ugain wythnos o waith, $500 y dydd yn ychwanegol os oeddwn i'n gweithio dyddiau ychwanegol yn ystod y cyfnod yma, a $3,000 yr wythnos os oedd y ffilmio'n ymestyn yn hwy na 26 wythnos. Tocyn dosbarth cynta i ddau, yno ac yn ôl, a $500 yr wythnos o dreuliau. Hedfan allan i LA ac aros mewn moethusrwydd yn Beverly Hills. Neb o MGM yno, na Marlon Brando chwaith – roedd o eisoes wedi hedfan allan i Tahiti, lle roedd y ffilm yn cael ei gwneud. Cawsom wylio'r hen ffilm o *Mutiny on the Bounty* efo Charles Laughton fel Captain Bligh. Cefais orchymyn i dyfu barf oherwydd roedd angen wythnos o dyfiant drwy'r ffilm. Hedfan i Tahiti a glanio yn Papiette, a merched del efo blodau'n ein croesawu ac yn mynd â ni i'r Tahiti Motel, lle cafodd pob un ohonan ni fyngalo to gwellt efo stafell gysgu a chawod bob un.

Anghofia i byth ymweld â Bora Bora, ynys fechan i'r gogledd o Tahiti, i ffilmio'r olygfa lle roedd y *mutineers* yn gweld Tahiti am y tro cynta. Roedd y dynion a'r merched lleol eisoes yn y môr yn cael eu ffilmio – y dynion yn curo'r cychod i ddychryn y pysgod, a'r merched del, hanner noeth yn ffurfio dwy res i hel y pysgod i'r rhwydi. Neidiais i a'r *mutineers* i'r dŵr gyda'r cyfarwyddyd i fihafio fel tasan ni heb weld merch ers blwyddyn. Ac fe wnaethom! Dwi'n cofio nofio drwy goesau un ferch ifanc efo blodau o amgylch ei gwddw. Wrth lwc, bu'n rhaid i ni saethu'r olygfa honno fwy nag unwaith!

Yn Tahiti, mae'n draddodiad i'r merched drosglwyddo'u plant i'r neiniau i'w gwarchod, er mwyn iddyn nhwythau gael mwynhau eu rhyddid – mewn mwy nag un ffordd. Yn wir, maen nhw'n ystyried eich bod chi'n eu hamharchu os nad ydach chi'n gofyn iddyn nhw gysgu efo chi. Mi wn i beth sy'n mynd drwy'ch meddwl chi. Gewch chi ddyfalu gymaint liciwch chi. Y cwbwl dduda i ydi fod y gwaith ar y ffilm wedi dechrau cyn i Gunde, fy ngwraig, ddŵad allan i Tahiti.

Un bore, roeddwn i'n eistedd yn y tŷ bwyta'n cael coffi ac fe ddaeth hen ddyn bach efo ci bach ata i a chynnig sigarét i mi. Esboniais innau mod i eisoes yn smocio.

'Ond,' medda fo, 'ydach chi wedi trio sigaréts tebyg i'r rhain?'

'Dim diolch,' medda fi, 'dim ond Players dwi'n eu smocio.'

'Gadewch i mi wybod be dach chi'n feddwl ohonyn nhw,' medda fo.

Yn nes ymlaen, dyma fi'n tanio un ohonyn nhw ac roedd y blas yn f'atgoffa o sigaréts Dr Blosser's, sigaréts yr arferwn eu smocio pan oeddwn i'n ifanc ac yn dioddef o *asthma*. Sylweddolais yn fuan fy mod yn smocio mariwana – am y tro cynta a'r ola . . . yn Tahiti, o leia!

Roedd y tywydd yn ofnadwy. Storm fel monsŵn bob dydd, bron, oedd yn ei gwneud hi'n amhosib i ffilmio. Ar ôl i'r model o'r *Bounty* gyrraedd doedd hi ddim yn bosib mynd â hi allan i'r môr achos ei bod hi'n rhy arw, felly doedd 'na ddim byd i'w wneud ond aros yn y tŷ bwyta yn disgwyl am yr alwad i ffilmio. Dwi'n cofio fod y cynhyrchydd wedi'n gwahodd i'w dŷ ar yr ynys, adeilad oedd yn debycach i balas crand. Ond ar y ffordd yno, galw heibio'r motel lle roedd y dyn camera'n aros ac, wrth gwrs, fe aeth un ddiod yn dair ac yn y blaen, ac fe aeth petha mor ddrwg, nes y ces i sialens i neidio i mewn yn noethlymun i'r pwll nofio efo gwraig un o'r actorion. Ac mi wnes. Rhyw *shoot* fel'na oedd hi. Lot o ddiod a merched, a lot fawr o ddadlau ac anghytuno, yn enwedig efo Marlon Brando.

Fo oedd yn chwarae'r brif ran, Fletcher Christian, ac am hynny roedd o'n cael $500,000 o dâl, yn ogystal â 10% o'r *gross*, $5,000 am bob diwrnod y byddai'r ffilm yn mynd dros amser, yn ogystal â $10,000 yr wythnos o dreuliau. Fe gostiodd y ffilm $27 miliwn, ond fe gymerodd $37 miliwn – felly fe gafodd

Brando $1 miliwn ychwanegol. Brando, ac nid O'Toole, oedd y dewis cynta ar gyfer y brif ran yn *Lawrence of Arabia*, efo David Lean yn cyfarwyddo. Ond fel dudodd o'n ddigon plaen, pan gafodd o gynnig y rhan, 'I don't want to spend two years in the desert, on a bloody camel'. Ac mi oedd o wedi gwirioni ar ynys Tahiti a'r ynysoedd bach o gwmpas – yn wir, ar ôl gorffen y ffilm, mi brynodd un ohonyn nhw. Roedd o'n gweld Tahiti fel paradwys i ddianc iddi hi o'r uffern a elwid Hollywood, a'i fywyd personol. Ond y gwir oedd ei fod o'n gwneud bywyd yn uffern i bawb yn ei gwmni. Roedd ei wraig, yr actores Anna Kashfi – ei henw iawn, gyda llaw, oedd Johanna O'Callaghan, merch o Gaerdydd, cyn-*waitress* a model – wedi mynd â fo i'r llys am ymosod arni hi, gan ei gyhuddo o ymddwyn mewn ffordd oedd wedi effeithio ar ei chyflwr meddyliol a chorfforol. Mewn gair, bwli oedd Brando, ar y set ac yn ei fywyd preifat. Roedd yn hoffi cael ei ffordd ei hun a chan fod MGM yn gwybod y byddai enw Brando'n denu pobol i'r sinema, ac yn gwneud lot o bres iddyn nhw, yna roedden nhw'n fodlon cytuno i unrhyw ofynion ganddo fo, waeth pa mor afresymol oedden nhw. Ond fel mae'n digwydd, oherwydd antics Brando yn benna, roedd y ffilm yn golled ariannol i MGM. Roedd *Ben Hur* newydd achub y stiwdio, ond ar ôl i *Mutiny* gyrraedd y sinemâu fe fyddai MGM mewn storm enbydus unwaith eto. Y bwriad oedd gwneud y ffilm am $12 miliwn ond, yn y pen draw, fe gostiodd $27 miliwn.

Mi gawson nhw broblemau efo'r *Bounty* ei hun. Wedi adeiladu copi o'r llong yn Nova Scotia yr oedden nhw, a honno, oherwydd problemau eto, wedi costio dwywaith cymaint â'r pris gwreiddiol o $500,000. Ar ei ffordd i Tahiti ar gyfer y ffilmio roedd 'na ddau dân ar fwrdd y llong ac fe gyrhaeddodd ddau fis yn hwyr.

Wedi iddo ddarllen y sgript wreiddiol, *Mutiny on the Bounty*, oedd mewn tair rhan, dywedodd Brando ei fod yn credu y dylid canolbwyntio ar addasu'r rhan ola, sef *Pitcairn's Island*. Ar ôl gwrthryfela yn erbyn Captain Bligh roedd y llongwyr wedi mynd i fyw ar ynysoedd Pitcairn ac roedd Brando'n gweld y gallai'r ffilm adrodd hanes rhai ohonyn nhw'n mwynhau eu rhyddid ar y dechrau, eraill yn cael eu hela'n ddidrugaredd a'u dal a'u cludo'n ôl i Loegr i gael eu crogi. Ar y llaw arall, byddai eraill yn dechrau ymladd ac yn lladd ei gilydd. Y cwestiwn mawr i Brando oedd pam fod dyn yn gallu troi'n anifail, hyd yn oed ym mharadwys. Fe gytunodd y cynhyrchwyr fod syniad y dyn mawr yn un da ac felly cyflogwyd y nofelydd Eric Ambler i addasu'r stori ar gyfer y sgrin. Yn y sgript wreiddiol, roedd y stori'n dechrau efo Alexander Smith, neu John Adams i roi ei enw arall iddo fo, yr unig un o'r *mutineers* ar ôl ar ynys Pitcairn, yn adrodd yr holl stori drwy'r ffilm. Dyma'r rhan yr oeddwn i i'w chwarae. Yr unig gwmni oedd gan Adams oedd y Beibl oddi ar fwrdd y llong. Un diwrnod mae llong Brydeinig yn cyrraedd ac mae Smith yn credu eu bod nhw wedi dŵad yno i'w grogi ond, ar ôl clywed ei stori, maen nhw'n gadael llonydd iddo fo. Dyna oedd y dechrau ac wedyn, drwy'r ffilm, roedd Adams yn adrodd hanes yr hyn ddigwyddodd. Er nad oeddwn i'n chwarae un o'r prif rannau, fel Brando a Howard, roedd hi'n rhan sylweddol. Fel'na roeddwn i'n gweld siâp y ffilm ac fe fues i'n trafod hynny hefyd efo Carol Reed. Gweld cyfle yr oeddwn i ddweud y stori o safbwynt Prydeinig yn hytrach na chael gogwydd Hollywoodaidd i'r stori. Doedd Brando ddim yn hapus o gwbwl mai Carol Reed oedd y cyfarwyddwr. Yn wyneb y ffaith fod MGM yn gobeithio y byddai *Bounty* mor llwyddiannus â *Ben Hur,* doedd Brando ddim yn gweld Reed fel y cyfarwyddwr iawn ar gyfer y ffilm. Oedd, roedd o wedi cyfarwyddo ffilm oedd yn treiddio i feddwl bachgen bach oedd yn dyst i lofruddiaeth, sef *Fallen Idol,* a'r clasur *The Third Man,* addasiad o nofel Graham Greene, ond doedd o ddim yn gyfarwyddwr ar gyfer *blockbuster,* yn ôl Brando. Felly trefnwyd cyfarfod rhwng y seren a'r cyfarwyddwr. Fe aeth hi'n ffrae.

Mynnai Brando y dylai'r ffilm fod yn hanesyddol gywir, a dadleuai Reed nad oedd hynny'n angenrheidiol, gan gyhuddo Brando o seilio'i wybodaeth am Tahiti ar hen luniau a darluniau Gaugin. Camodd y cynhyrchydd Rosenberg i'r adwy a chefnogi dadl Carol Reed. Fyddai'r gynulleidfa ddim yn poeni o gwbwl am yr hyn roedd llongwyr o Brydain na merched o Tahiti yn ei wisgo yn 1789. 'Toes 'na neb yn mynd i'r sinema er mwyn gwylio hanes. Mae 'na amgueddfeydd ar gael ar gyfer hynny.' Ond fe ychwanegodd ei fod eisiau i bortread Trevor Howard o Capten Bligh fod yn gopi, i bob pwrpas, o ddehongliad enwog Charles Laughton yn y ffilm enillodd Oscar yn 1935. Yr hyn roedd MGM yn ei weld oedd y byddai'r ffilm hon yn cael ei rhyddhau yr un pryd â *Cleopatra*, efo Elizabeth Taylor a Richard Burton, a *Spartacus* efo Kirk Douglas a Laurence Olivier. Dwy ffilm fawr, gostus yn erbyn ffilm am gapten llong a chriw o forwyr. Byddai'r *Bounty* angen cynnwys cynifer o olygfeydd rhywiol a dramatig â phosib. Yn y pen draw, fe gytunodd Brando, ac aeth ati ar ôl cyrraedd yr ynysoedd i ddewis y ferch a fyddai'n chwarae rhan y ferch y mae Fletcher Christian yn ei ffansïo, o blith y merched lleol; fe ddewisodd ferch ifanc 19 oed. Wrth gwrs, fe gysgodd Brando efo hi yn fuan ar ôl ei dewis, ac mi oedd o hefyd yn rhannu'i ffafrau'n hael efo'r merched lleol i gyd. Ac mi oedd 'na ddigon o amser i wneud hynny gan fod y tywydd yn rhy wael i ffilmio y rhan fwya o'r amser. Felly, doedd 'na ddim i'w wneud ond yfed yn Quinns Bar. Fanno y bydda Richard Harris, Trevor Howard, Noel Purcell a finna'n mynd i ymlacio. Ar ôl i'r lle gau am ddau, ymlaen i Lafayette, hen neuadd efo to sinc a lot o ferched del yn dawnsio ar y byrddau. Wedyn o fanno mi fyddan ni'n mynd i lawr i'r traeth!

Fe gafwyd saith fersiwn ar hugain o'r sgript yn ystod y cynhyrchiad a hyd yn oed pan ddechreuwyd ffilmio roedd Brando'n dadlau'n gyson ac yn cerdded oddi ar y set hanner ffordd drwy ffilmio golygfa yn amal. Fe aeth pethau'n ddrwg iawn rhwng Brando, Trevor Howard a Richard Harris. Doedd Brando byth yn gwybod ei linellau, byth yn dweud y llinell roedd o i fod i'w dweud, ond yn hytrach yn creu deialog ar y pryd. Fe saethwyd un olygfa ohono efo Trevor Howard ddeunaw o weithiau oherwydd bod Howard yn actio'n well na fo bob tro. Fe ddywedodd Howard a Harris na fasan nhw byth yn gweithio efo Brando eto.

Dwi'n cofio'r bore y cafodd Harris a Brando ffrae bron hyd at daro ar y set. Yn y stori roedd Brando i fod i hitio Harris, ond mynnai Brando ei daro'n ysgafn bob tro, fel basa merch yn ei wneud. Yn y diwedd, ar ôl nifer o *takes*, fe afaelodd Harris yn Brando, fel petai o'n bartner benywaidd mewn dawns, a gofyn iddo fo 'Would you like to dance?' Gwylltiodd Brando'n gacwn a cherdded oddi ar y set, ac am ddyddiau wedyn roedd y ddau'n gwrthod bod ar y set efo'i gilydd. Roedd yn well gan Brando actio'i linellau i'r camera efo *stand-in* yn lle Harris. Yna, pan ddeuai'n amser i Harris ddweud ei linellau wrth Brando, roedd o wedi gosod bocs gwyrdd lle byddai Brando'n sefyll ac wedi tynnu gwên fach arno. O'r diwedd, fe ddychwelodd Brando i'r set tra oedd Richard Harris yno a gofyn iddo fo a fyddai'n fodlon dweud ei linellau. Wna i byth anghofio ateb Harris: 'Marlon, you were the box before lunch, and now I'm the box. So you can look at the box and perform as much as you like, and I'm sure you'll get more reaction out of the box than I got out of you.' Ddaru Brando a Harris ddim siarad efo'i gilydd am chwarter canrif ar ôl y digwyddiad hwnnw.

Ar gyfer golygfa ola'r ffilm, lle mae Christian yn marw, dywedodd Brando ei fod am orwedd ar wely o rew er mwyn ailgreu'r ffordd y gwingai ei fam wrth farw. Roedd ei ddannedd yn clecian gan oerni yn yr olygfa, ac i goroni'r cyfan, doedd o ddim yn cofio'i linellau, felly fe ysgrifennwyd ei eiriau ar dalcen un o'r actoresau, a hithau o'r golwg wrth ochor y camera.

O'r diwedd, oherwydd ei bod hi'n amhosib sacio'r seren,

penderfynodd MGM gael gwared o Carol Reed, gan ddweud wrth y wasg ei fod yn symud ymlaen i ymgymryd â phrosiectau newydd cyffrous. Penodwyd Lewis Milestone yn ei le, a hynny ar ôl i ni ddychwelyd i LA i ffilmio'r *Bounty* yn mynd rownd yr Horn mewn pwll nofio oedd wedi'i godi ar y lot flynyddoedd cyn hynny ar gyfer un o ffilmiau poblogaidd Esther Williams.

Erbyn hyn roeddwn innau wedi cael llond bol ac wedi bwriadu gadael hefyd i ddangos ychydig o gefnogaeth i Reed. Ond, fel dudodd fy asiant, mi fasan nhw'n mynd â fi i'r llys am dorri cytundeb a pheidio cwblhau'r gwaith. Fel digwyddodd hi, fe ges i lythyr oddi wrth un o bobol MGM, J. J. Cohn, yn dweud:

> You are no longer associated with this picture. We are arranging for you to leave Tahiti by the first flight on which we can book passage. This will also advise you that we will not be responsible for any additional living expenses incurred in Tahiti beyond your departure date.

Cyhuddwyd fi o fod yn absennol o'r set fwy nag unwaith. Mae'n wir fy mod wedi cael pwl o'r *grippe* – sydd fel arfer yn cadw pobol draw o'u gwaith am bythefnos – ond fe ddois i 'nôl i'r set ar ôl deuddydd. Yn rhy gynnar, fel mae'n digwydd, ac fel canlyniad mi es i'n sâl eto ar ôl mynd o Tahiti i LA. Roedd 'na bobol wedi cwyno fy mod i'n yfed yn drwm yn ystod y pum mis a hanner o ffilmio. Dwi wedi teimlo erioed fy mod wedi dioddef o ganlyniad i bobol yn hel clecs tu ôl i nghefn ac yn deud, 'Watsiwch o, mae o'n ceisio dwyn pob golygfa mae o ynddi hi – ac mae o'n yfed.' Oherwydd diffyg trefn ac arweiniad gan MGM, ynghyd ag ymyrraeth gyson Brando, gwelwn y ffilm yn llithro i ddifancoll, a finna wedi gobeithio y bydda hi cystal â *Ben Hur*. Pan ryddhawyd y ffilm fe gafodd ei darnio gan y wasg, gyda *Time Magazine* yn mynegi teimladau'r beirniaid ffilm i gyd mewn dau air: 'sentimental bilge'.

Un diwrnod, pan oeddwn i fod i saethu golygfa efo Marlon, roeddwn i'n methu deall pam nad oedd neb wedi dod i'm nôl o'r *dressing room*. Felly mi es i ar y set, a dyna lle roedd Brando yn actio mewn *close up*, efo rhywun yn sefyll wrth ochor y camera'n darllen fy llinellau er mwyn i Brando gael ymateb. Pan welodd o fi'n sefyll wrth ochor y camera gofynnodd i mi symud. Gyda llaw, roedd o'n sgwennu'i eiriau i gyd ar ddarnau o bapur ac yn eu sticio hwnt ac yma dros y set ym mhobman. Fe ofynnais i Milestone, oedd yn cyfarwyddo bellach yn lle Carol Reed, pam roedd hyn yn digwydd – pam nad oeddan ni'n dau'n ymarfer yr olygfa efo'n gilydd? 'Dwn i ddim,' medda hwnnw. 'Os fedrwch chi ei gael o i wrando arnoch chi, croeso i chi drio.' Yr unig esboniad – tila – oedd gan Marlon oedd ei fod o'n ymarfer fel hyn am nad oedd o isio fy styrbio fi. Awgrymais iddo na fyddai'n gwybod sut i ymateb heb fy nghlywed i'n deud y llinellau. A'i ateb i hynny oedd nad oedd ots ganddo sut na beth fyddwn i'n ei ddeud na'i wneud. Sylweddolodd nad oeddwn yn hapus o gwbwl efo'r sefyllfa ac fe ymddiheurodd. Fi oedd yr unig un oedd ddim yn fodlon derbyn ymddygiad mochynnaidd Brando, a doedd hynny ddim wedi fy ngneud i'n boblogaidd o gwbwl efo'r cynhyrchwyr.

Wrth edrych yn ôl ar y cyfnod yma fedra i ddim llai na meddwl fod 'na ymgyrch dawel i gael gwared ohona i o Tahiti. Fe ddaeth yr heddlu i'r drws unwaith gan ddeud fod 'na gyhuddiad yn fy erbyn o daro rhywun oddi ar gefn ei feic yn hwyr y nos. Dro arall, cefais docyn gan yr heddlu am beidio â diffodd golau'r car, a thrwy hynny honnwyd fy mod wedi dallu gyrrwr motor-beic (oedd yn digwydd bod yn blisman). Tra oeddwn yn Hollywood yn ffilmio cefais fy erlid i bob pwrpas gan fytlar hoyw a merch dywyll ei chroen oedd yn mynnu mai fi oedd tad ei phlentyn.

Roeddwn wedi cyrraedd pen fy nhennyn ac yn dioddef yn ddrwg o iselder ar ôl fy mhrofiad trawmatig o weithio efo Marlon Brando, felly fe benderfynais ar ôl dŵad yn ôl y baswn i'n dianc i Aberystwyth am ychydig at fy chwaer Charlotte. Roedd Charlotte wedi symud i Aberystwyth ar ôl cyfnod byr mewn swydd yn ysgol breifat Doctor Williams, Dolgellau, ar wahoddiad prifathro'r coleg i sefydlu a gweinyddu clwb cinio i fyfyrwyr yn rhif 1 Laura Place, ac yn ôl pob sôn roedd hi'n arlwywraig wrth reddf. Yn ystod blynyddoedd Aberystwyth mi gyfarfu Charlotte â Dafydd Miles ac mi briododd y ddau pan oeddwn i allan yn India a symud i fyw i Blas Hendre ar ben Allt Pen-glais yn Aberystwyth; mi oeddwn i'n falch iawn o fod wedi'u helpu nhw'n ariannol i brynu lle mor braf.

Roedd Cymru, yr iaith Gymraeg a cherddoriaeth Cymru yn agos iawn at galon Charlotte a Dafydd, a'r plant, Bethan a Gruffydd, yn gannwyll eu llygaid. Trosglwyddwyd talentau cerddorol Charlotte a Dafydd i'w plant; roedd Gruffydd yn aelod blaenllaw o'r grŵp pop poblogaidd Y Dyniadon Ynfyd, ond bu farw mewn damwain car yn 1974, ac mae'r geiriau syml ar ei garreg fedd yn dweud y cyfan am y bachgen hoffus – 'gwladgarwr, cerddor'.

Yn ogystal â bod yn gartre i'r teulu roedd Plas Hendre yn fan cyfarfod i rai oedd yn hyrwyddo cyfiawnder a rhyddid, a chafodd gwrthwynebwyr cydwybodol groeso a lloches yno yn ystod blynyddoedd chwerwon yr Ail Ryfel Byd. Bu'n ail gartre hefyd i lu o fyfyrwyr a darlithwyr ifanc, yn arbennig rhai o dramor, ac yn nyddiau cynnar Plaid Cymru roedd 'na groeso ar yr aelwyd i genedlaetholwyr. Fe gâi gweithgarwch Urdd Gobaith Cymru gefnogaeth hael a chyson yno hefyd. Fel hyn y soniodd Gwenallt am Charlotte:

Un ddoniol o'r wreiddiola – da ei bord
 A'i bwyd o'r radd flaena;
  Gloyw o wên fel goleu ha',
  Mwyn o lais – Mona Lisa.

Y wên a'r cariad na phyla amser. Gydol fy mywyd roedd Charlotte wedi bod yno, o ddyddiau coleg pan oedd hi'n dŵad i fyny i Lundain i ngweld i, a byth yn mynd adra heb roi punt neu ddwy yn fy mhoced i. Fel dudodd yr emynydd, 'Ymhob adfyd a thrallodion [yn] dal fy ysbryd llesg i'r lan'. A dyna wnaeth hi tra oeddwn i ym Mhlas Hendre.

Roedd y pwl o iselder yn ganlyniad i rwbeth arall hefyd, ar wahân i'r chwe mis diawledig yn ffilmio efo Brando. Cefais amal i sgwrs efo Charlotte tan berfeddion yn trafod sut roeddwn i'n teimlo am orfod byw tu allan i Gymru ac ennill bywoliaeth ym mhobman ond fy ngwlad fy hun. Fedrwch chi ddim trafod barddoniaeth a llenyddiaeth efo gwartheg, corgwn a mulod – na Saeson mewn pentre ym mherfeddion Lloegr – a dyna oedd unigrwydd. Dyma'r cyfnod hefyd pan oedd Mam yn wael iawn, a chwarae teg i Charlotte, fe aeth hi â mi i Fôn er mwyn i mi gael ei gweld hi.

Fe fu Mam farw yn fuan wedyn, ym mis Awst 1961, ac wrth edrych drwy fy mhapurau fe ddois i ar draws llythyr yr oeddwn wedi'i anfon ati ar ôl galw i'w gweld a hithau'n bur wael. O'i ailddarllen o heddiw, ar ôl treigl y blynyddoedd, mae'n fy nharo fi'n llythyr od ar ryw ystyr – fel taswn i wedi cynnwys yn y llythyr yr hyn y buasai hi wedi hoffi ei ddarllen amdanaf, yn hytrach na'r gwirionedd:

Mae gofyn am gyfnod o fod yn dawel a llonydd arnaf, wedi'r holl fynd a dod ymysg dynoliaeth ddiegwyddor. Gwelais laweroedd yn andwyo'u heneidiau, heb sôn am eu cyrff, a'u meddyliau am ryw frychyn bach neu frigyn go fregus o fri, oherwydd simsanrwydd eu sylfeini. Nid felly y fi, diolch am hynny, a da chwi, cofiwch hynny byth. [Hunangyfiawn, Hugh bach, hunangyfiawn!]

Daliwch i gredu a daliwch eich gafael. Er na ddywedais i fawr, roeddwn yn llawn gwerthfawrogiad o galon i chwi a phawb, nid yn unig am gael bod adref ond am eich gweld mor dda wedi'r holl helyntion, ac mor hwyliog – hwyliog sy'n rhaid i ni fod.

Fûm i fawr o dro yn ailafael yn y busnes actio, a hynny mewn dwy ffilm, *The Inspector* a *Term of Trial.* Seren y gynta oedd Stephen Boyd, yn chwarae rhan insbector sy'n helpu merch ifanc gafodd ei cham-drin gan y Natsïaid. Toeddwn i ddim wedi ei weld o ers *Ben Hur*; chafodd o ddim hyd yn oed ei enwebu am Oscar ar ôl chwarae Messala yn y ffilm honno, a minna wedi ennill un am yr actor cynorthwyol gorau. Felly, pan welais i ma' Boyd oedd yn chwarae prif ran yr insbector, mi ddaru o groesi fy meddwl y basa fo dipyn bach yn oeraidd efallai, ond ddim o gwbwl. Mi aeth popeth yn hwylus. Yr unig beth cofiadwy am y ffilm i mi oedd mod i wedi cael cyfle i ymweld â Tangiers, lle roeddwn i'n gweithio fel smyglar ac roedd Stephen Boyd angen fy ngwasanaeth unigryw. Does 'na ddim amheuaeth nad oeddwn i wedi cael cynnig y rhan er mwyn dŵad â chydig o hiwmor i'r ffilm, yn enwedig mewn un olygfa lle dwi'n sefyll yn y ffenest mewn stafell yn y *kasbah*, yn amddiffyn fy hun rhag ymosodiad gan haid o ystlumod sy'n ceisio hedfan i mewn i'r stafell. Dyna lle rydw i yn y ffenest, yn fy nghôt godi yn chwifio *tennis racquet* ac yn gweiddi wrth daro'r cyfryw ystlumod: 'Fifteen love! Thirty love!' Ar ôl ymddangos yn y ffilm hon fe aeth y seren, Dolores Hart, i leiandy am weddill ei hoes – ond dwi ddim yn meddwl fod y ffilm mor ddrwg â hynny...

Term of Trial, ffilm gynta Terence Stamp a Sarah Miles, oedd y nesa i mi fod ynddi. Laurence Olivier sy'n chwarae rhan Graham Weir, athro ac alcoholic. Oherwydd iddo wrthod ymladd yn yr Ail Ryfel Byd fedr o ddim dringo'n uwch ar yr ysgol addysgol, ac mae pawb, gan gynnwys ei brifathro, ei wraig a'i blant, yn edrych i lawr eu trwynau arno fo. Ond mae 'na un ferch sy'n cael ei denu gan ei gymeriad tawel, cynnes. Hi ydi Shirley Taylor, un o'i ddisgyblion. Yn ei ddiniweidrwydd, mae Weir yn cynnig rhoi gwersi preifat iddi hi ac mae hithau'n syrthio mewn cariad efo fo. Mae'n gorfod derbyn mai obsesiwn na chaiff mo'i wireddu ydi'r teimladau sydd ganddi, ond yn ei rhwystredigaeth mae hi'n datgelu ei theimladau wrth Weir ac yn cynnig cysgu efo fo. Mae o'n gwrthod ac yn bwriadu anghofio popeth, ond mae Shirley'n ei gyhuddo o ymosod yn anweddus arni.

Yr eirioni ydi fod Olivier a'r nwydus Sarah Miles wedi cysgu efo'i gilydd go iawn tra oedden nhw'n ffilmio *Term of Trial* ym Mharis. Roedd Olivier yn 57 ar y pryd a Sarah Miles yn 18 oed. Fe barhaodd y berthynas am tua dwy flynedd heb yn wybod i Joan Plowright, gwraig Olivier. Mi gafodd o fwy o lwyddiant yn twyllo'i wraig nag a gafodd yn portreadu Graham Weir, rhan nad oedd yn ei siwtio o gwbwl. Fedra fo ddim chwarae'r dyn bach cyffredin, a fynta wedi arfer actio cymeriadau mwy o lawer, yn enwedig ar y llwyfan. O ganlyniad, derbyniad llugoer gafodd y ffilm pan welwyd hi yn y sinema yn 1962.

Roedd y flwyddyn honno'n un brysur iawn i mi oherwydd, ar y pryd, roeddwn i'n ffilmio *Tom Jones* yn Dorset yn ystod y dydd ac yna'n hedfan mewn hofrenydd i Lundain er mwyn ymddangos ar lwyfan theatr yr Aldwych gyda'r nos yn y brif ran yn nrama Bertolt Brecht, *The Caucasian Chalk Circle*. Mae'r ddrama wedi'i gosod yn yr Undeb Sofietaidd ar ddiwedd yr Ail Ryfel Byd, ac mae'n trafod anghydfod rhwng dwy gymuned, y naill yn magu geifr a'r llall yn tyfu ffrwythau. Maen nhw'n methu â chytuno ynglŷn â phwy sy'n gallu hawlio'r tir sydd wedi'i adael gan y Natsïaid ar ddiwedd y rhyfel. Mae 'na bum rhan i'r ddrama, ac mae Azdak yn ymddangos yn y bumed ran. Yn ôl y *Daily Sketch*, 'It was worth waiting two hours for the entrance of Hugh Griffith, as the belching, scratching judge with the wisdom of Solomon.' Ro'n i'n edrych fel eryr blin, yn ôl un sylwebydd.

Y gred gyffredinol gan y wasg oedd mai hwn oedd fy mherfformiad gorau eto: 'I have never seen Hugh Griffith so good as in his superb portrait of Azdak: shrewd, often crude, human through and through; a man of dignity and stature, yet humble, and a vagabond, a lover of life and of the good.' Be dwi'n ei gofio am y ddrama yma ydi fy mod i bron â chael fy lladd – go iawn! Ar ôl cael fy llusgo i mewn mewn cadwynau dwi'n cael fy ngorfodi i sefyll ar focs ac mae 'na raff yn cael ei gosod o amgylch fy ngwddw i'm crogi. Ond y noson arbennig hon fe redodd y cwlwm a thynhau am fy ngwddw. Fedrwn i ddim cael fy ngwynt ac mae'n bur debyg fod y gynulleidfa'n credu eu bod yn gwylio dyn yn smalio marw, ond y gwir ydi fy mod i'n meddwl mod i'n tagu go iawn. Yn y diwedd aethpwyd â fi oddi ar y llwyfan i'r ochor, ac ar ôl i mi eistedd i lawr am ychydig funudau, a chael brandi – un mawr – fe es yn ôl a gorffen y perfformiad. Roedd 'na si ar led ar y pryd mai stynt oedd hyn i gyd er mwyn denu mwy o gynulleidfa i'r theatr, ond credwch chi fi, doeddwn i ddim yn actio pan ddaru'r rhaff 'na dynhau am fy ngwddw.

Fe gyfeiriais i gynna bach at y ffilm *Tom Jones*, ffilm lle y bu bron i mi ennill Oscar arall am fy mhortread o Sgweiar Western. Dwi ddim yn credu i mi gael cymaint o hwyl erioed ag a ges i'n portreadu'r hen sgweiar, yn yfed a bwyta, a bwyta ac yfed ar y set bob dydd a thrwy'r dydd – o ia, ac yn trio reidio ceffyl! Tydi hynny ddim yn syniad da pan dach chi wedi cael mwy na digon o alcohol yn eich corff. Rhowch o fel hyn: doedd dim rhaid i mi wneud llawer o actio i edrych yn hollol gredadwy yn y rhan. Erbyn y cyfnod hwn, roeddwn i'n yfed yn go drwm beth bynnag, ar ôl blynyddoedd o ymarfer efo Dylan Thomas a Richard Burton, Richard Harris, Trevor Howard, Peter O'Toole ac eraill. Felly dowch i ni oedi am funud bach efo Tony Richardson ar set *Tom Jones*.

GWAITH A GORFFWYS
WEDI MYND YN UN . . .

G AFAEL mewn merched ifanc gerfydd eu sgertiau a'u taflu i'r daflod wair ac yna neidio ar eu holau ydi un o'i brif hobïau, a'r ddau arall ydi bwyta ac yfed. Mewn plasty anferthol mae o'n byw ond, er ei fod o'n perthyn i'r bonedd, mae o'n bihafio fel gwas ffarm wynepgoch sy wedi cael peint neu ddau yn ormod. Mae o'n chwyrnu'n uchel yn yr eglwys, yn bwyta efo'i fysedd ac yn yfed cwrw wrth y galwyn yn ddi-stop, allan o botiau piwtar mawr. Fel arfer, fe ddowch chi o hyd iddo fo yn y bore o flaen y lle tân, yn ddiymadferth, ar ôl meddwdod y noson cynt, efo dau gi yn cysgu o dan ei geseiliau.

Fe synnwch chi ddeall, efallai, nad disgrifiad o *yours truly* ydi'r geiriau uchod ond yn hytrach o Sgweiar Western, sef y gŵr yr oeddwn i'n ei bortreadu yn y ffilm *Tom Jones*. 'Typecasting,' meddach chi. Dwn i ddim am hynny, ond mae'n rhaid i mi gyfaddef mod i wrth fy modd yn y rhan, ac yn gallu uniaethu'n gyfan gwbwl efo awydd yr hen sgweiar i fyw bywyd i'r eitha. Fel dudodd un papur newydd am fy mherfformiad yn y ffilm:

> Just as Squire Western, swathed in yelping piles of dogs, horses and hay, had rich country earth in his veins, so has Griffith. If anything, it makes Griffith and Falstaff and the bellowing, brawling, chicken-tearing, wench-waking Western part of the same band of brothers. It is a greed and gluttony for the good red-blooded things of life.

Argian fawr, mi oeddwn i'n hanner cant ac un oed yn chwarae'r rhan. Be oedd pobol yn ddisgwyl i mi fod – *matinee idol*? Braidd yn hwyr i hynny. A beth bynnag, roedd chwarae rhannau fel Sgweiar Western, a Falstaff yn nes ymlaen, yn lot mwy o hwyl. Addasiad i'r sgrin gan John Osborne o nofel glasurol Henry Fielding, wedi'i gosod yn y ddeunawfed ganrif, oedd *Tom Jones*, ac mi oedd aelodau'r cast yn bleser i weithio efo nhw: Edith Evans, Susannah York, ac Albert Finney fel Tom Jones ei hun. Ond mi oedd 'na un seren arall hefyd, sef y cyfarwyddwr dawnus Tony Richardson. Fe wnaeth o enw iddo'i hun ddiwedd y pumdegau drwy gyfarwyddo *Look Back in Anger*, yna *The Entertainer*, efo Laurence Olivier, *A Taste of Honey*, a *The Loneliness of the Long Distance Runner*. Heb os, fo oedd un o gyfarwyddwyr ffilm pwysica'i genhedlaeth, ac er y bu'n rhaid ymladd i berswadio pobol i ddangos y ffilm, yn y pen draw hon oedd un o lwyddiannau mawr 1963 ac fe enillodd bedwar Oscar, dwy am y ffilm a'r cyfarwyddo gorau a dwy arall am y *screenplay* a'r gerddoriaeth. Fe ges inna fy enwebu am Oscar fel yr actor cynorthwyol gorau, ond y tro yma fe aeth yr anrhydedd i Melvyn Douglas, am ei berfformiad fel tad Paul Newman yn *Hud*.

Yn ystod y ffilmio fe ddes i'n dipyn o fêts efo'r actor Wilfred Lawson, oedd yn chwarae rhan Black George, y cipar. Yn anffodus, roeddem ni'n dau'n arwain ein gilydd 'ar y ffordd sydd yn arwain i ddistryw' yn amal iawn. Yn wir, ar ôl i'r tîm cynhyrchu fod yn chwilio amdana i drwy'r dydd, a dod o hyd i mi yn y pen draw yn cysgu'n braf mewn corlan yn llawn o ddefaid, mae'n ymddangos fod Tony Richardson wedi dweud, 'Nid actio Sgweiar Western y mae o. Fo *ydi* Sgweiar Western.' Mae 'na un olygfa enwog iawn yn y ffilm, lle mae'r sgweiar yn ceisio rheoli ei geffyl wrth i hwnnw ddringo grisiau'r plas. Gan fy mod wedi bod yn yfed yn go drwm cyn gwneud yr olygfa, ac felly'n methu rheoli'r ceffyl yn iawn, fe dynnais yn rhy galed ar y ffrwyn. Cododd y ceffyl i'r awyr, troi, a disgyn arna i ar ôl i mi lithro oddi ar ei gefn. Ar wahân i dolc fechan i'r ego – diolch i effaith yr alcohol, roedd y gwymp yn ddi-boen.

Doeddwn i ac Edith Evans ddim yn dŵad ymlaen efo'n gilydd o gwbwl. Fe fydda hi'n cyrraedd ar y set yn brydlon, wedi dysgu pob gair, a finna'n cyrraedd yn hwyr, yn dioddef o effeithiau alcohol y noson gynt, ac yn baglu drwy fy ngeiriau. Fwy nag unwaith fe ges i slap ar fy mhen gan barasôl yr actores rwystredig. Yn y ffilm roedd gan y sgweiar chwip ac fe fydda hon yn cael ei defnyddio'n amal i gadw trefn ar geffylau a gweision. Ond, ar ôl dropyn neu ddau o'r brandi, fe fyddai'r diafol yn eistedd ar fy ysgwydd ac yn sibrwd, 'Beth am gael tipyn o hwyl, Hugh? Beth am fynd o gwmpas y set yn poenydio pawb efo dy chwip? Beth am fihafio fel hogyn bach drygionus?'

Un noson roeddwn i'n actio mewn golygfa efo Albert Finney, lle roeddwn i'n rhedeg ar ei ôl, a fynta'n gwisgo dim byd ond crys nos tenau. Doeddwn i ddim i fod i'w daro ar ei gefn efo'r chwip, ond mi wnes. Doedd yntau ddim i fod i droi a nharo fi'n galed yn fy wyneb – ond fe wnaeth. Gwylltiodd yn gacwn a cherdded oddi ar y set, a minnau ar ei ôl, a'r ddau ohonom yn tyngu na fyddem yn actio efo'n gilydd byth eto. Wrth gwrs, ar ôl rhyw awr neu ddwy roedd popeth yn iawn. Un felly fûm i erioed, ers dyddiau ysgol ym Marian-glas – wrth fy modd yn tynnu coes a chwarae triciau ar fy nghyd-actorion, yn enwedig ar ôl cael rhyw frandi neu ddau. Doedd 'na ddim bwriad i fod yn gas na maleisus, dim ond cael ychydig bach o hwyl.

Fe aeth bron i bymtheng mlynedd heibio cyn i mi weithio efo Tony Richardson eto. Yn 1977 yr oedd hynny, pan ges i alwad i ddeud ei fod o'n castio ar gyfer y ffilm *Joseph Andrews* – ffilm arall yn seiliedig ar nofel gan Fielding, ac yn debyg iawn ar ryw ystyr i *Tom Jones*. A fuaswn i'n barod i ailchwarae rhan Sgweiar Western?

Cytunais yn syth, er nad oeddwn mewn stad i ymgymryd ag

unrhyw waith o gwbwl. Roedd fy iechyd wedi dechrau dirywio, roedd cerdded yn boen, a'r llais cryf, fu gynt yn drech na sŵn y storm, wedi torri. Pan gyrhaeddais y set, roedd hi'n amlwg fod fy ngweld yn y fath stad yn dipyn o sioc i Tony, a chefais y teimlad na fyddai byth wedi gofyn i mi chwarae'r rhan petai'n gwybod am fy nghyflwr. Yn ei hunangofiant mae'n cyfeirio ataf fel 'a disintegrating wreck of a man, hardly able to walk on the set, his voice and health gone, trembling, pathetic.' Hwyrach fod cyfeirio ataf fel rhywun pathetig braidd yn gas, ond dwi'n cyfaddef y dyliwn fod wedi esbonio nad oeddwn yn ddigon iach i ymgymryd â'r rhan. Ond, hogyn o Fôn ydw i. A Môn ydi 'gwlad y medra'. Os oes unrhyw un yn gofyn i Fonwysyn, 'Fedrwch chi neud y peth a'r peth?', yr ateb bob tro ydi 'Medra, medra'. Tydw i rioed wedi cyfaddef hyn o'r blaen, ond faswn i ddim wedi llwyddo i chwarae rhan y sgweiar yn y ffilm oni bai fod 'na frandi wrth law tra oeddan nhw'n ffilmio. Roedd aelod o'r tîm cynhyrchu'n rhoi llwyaid i mi cyn bob *take*, a hynny'n ofalus iawn. Gormod o frandi, ac fe fyddwn yn syrthio i gysgu; rhy chydig, a doedd gen i mo'r nerth i wneud na deud dim. Fesul llinell, fesul edrychiad, yn ara deg bach, fel'na y cwblhawyd y golygfeydd. Fel dudodd yr emynydd:

> Mae bod yn fyw yn fawr ryfeddod
> Mewn ffwrneisiau sydd mor boeth.

A rhyfeddod arall ydi fy mod i wedi cario mlaen i actio ac, ar ôl gorffen efo Tony Richardson, wedi chwarae'r brif ran yn *Grand Slam* ar waetha fy iechyd bregus. Ond dwi 'di neidio mlaen yn rhy bell o lawer. 'Nôl â ni at *Tom Jones* – a Gwynfor Evans. Oes, mae 'na gysylltiad. Fe ges i lythyr gan Lywydd Plaid Cymru yn fy llongyfarch ar fy rhan fel y sgweiar yn *Tom Jones*. Yna, tua'r diwedd, ar ôl fy nghanmol i'r cymylau, mae'n amlwg beth ydi'r gwir reswm dros anfon y llythyr.

Ein hamcan eleni oedd codi £16,000 [i'r Blaid], a chan wybod am ffyddlondeb eich cefnogaeth, nid oes angen imi ymddiheuro dim wrth ofyn i chi ynghanol y llwyddiant personol mawr a gewch, ac sy'n dod â llawenydd i ni, a gynorthwywch yr achos cenedlaethol hyd eithaf eich gallu?

Yn anffodus i Gwynfor, doedd y 'llwyddiant personol mawr' ddim yn golygu fod gen i gyfoeth personol mawr a fyddai'n fy ngalluogi i gyfrannu at yr achos. Yn wir, yn ôl yr ateb a gafodd Gwynfor, roedd hi'n amlwg fod petha'n go ddrwg yn ariannol:

Ar hyn o bryd rwy'n aberthu llawer yn ariannol er mwyn y gwaith yma yn Stratford eleni, ac yn barod bu gorfod imi werthu rhai pethau personol a chysurus er mwyn talu'r trethi anferth a berthyn i'm cyflogaeth, allan o rai ffilmiau a wnes sawl blwyddyn yn ôl. Cyn diwedd y cyfnod cymharol dlodaidd hwn sydd o'm blaen, bydd rhaid i mi werthu llawer rhagor er mwyn gofynion y trethi. Felly rwy'n siŵr y deallwch mai trwy rhyw drefn angenrheidiol, ni allaf ateb unrhyw ofynion eraill ar hyn o bryd.

Roedd y llythyr yn wir bob gair. Cefais ymweliad gan ddynion y dreth yn gofyn am ôl-daliad o £4,000 a bu'n rhaid i mi godi ail forgais ar y tŷ yn Cherington.

Cyn mynd i Stratford am dymor i actio Falstaff fe gefais ran mewn ffilm gomedi, *The Bargee*, wedi'i sgwennu gan Galton a Simpson, a fu'n gyfrifol am greu'r ddau gymeriad bytholwyrdd yna, Steptoe and Son. Ac yn wir, y 'son', Harry H. Corbett, oedd yn chwarae'r brif ran, sef Hemel Pike, dyn oedd yn ennill ei fywoliaeth yn teithio camlesi Lloegr yng nghwmni ei fêt Ronnie, sef Ronnie Barker. Un o'r merched sydd wedi cael eu swyno gan yr hen lwynog ydi Christine, a finna, Joe Turnbull, ydi ei thad hi.

Yn y pen draw, mae petha'n mynd o ddrwg i waeth, ac yn waeth ac yn waeth, a phan ddaw Joe i sylweddoli fod ei ferch yn feichiog, mae o'n bygwth chwythu giatiau'r gamlas i ebargofiant, oni bai fod y diawl drwg sy'n gyfrifol yn cyfaddef. Joe Turnbull ydi'r pencampwr lleol. Fo bia'r record am yfed mwy o beintiau o *brown and mild* na neb arall – wyth peint ar hugain. Sgwn i pam ddaru nhw feddwl amdana i ar gyfer y rhan? Wedi'r cwbwl, pencampwr am yfed brandis fûm i erioed! Yn y ffilm dwi'n torri fy record fy hun ac yn yfed naw peint ar hugain. Sut fedar neb, medda chi, yfed un peint o *brown mix*, heb sôn am dri galwyn a hanner o'r stwff? Wel, mi ranna i gyfrinach fach efo chi. Fe wrthodais i yfed y *brown mix*, a mynnu 'u bod nhw'n rhoi Guinness a siampên yn y gwydr, i greu Black Velvet, ac mi oedd hwnnw'n mynd i lawr mor esmwyth â felfed hefyd. Fel dudodd John Stratten yn y *Manchester Evening News* amdana i:

> He has been known to dine on Black Velvet, lunch on double brandies, and breakfast on gin and raw egg.

Dim rhyfedd mod i wedi ennill y bencampwriaeth yfed, a finna wedi bod yn ymarfer mor galed ers blynyddoedd!

Yn 1964, pan oeddwn i ar fin dechrau perfformio Falstaff yn Stratford, fe ddaeth merch ifanc draw i'r Old Red Lion i ngweld i. Ei henw oedd Polly Devlin, a dwi 'di cadw'r erthygl sgwennodd hi amdana i yn *Vogue* achos mi lwyddodd i fynd dan groen yr hen Hugh yn ystod yr un cyfnod ag yr oeddwn i'n ceisio mynd dan groen Falstaff, un o gymeriadau enwoca Shakespeare – ac yn poeni braidd ar y dechrau fy mod i wedi derbyn cynnig Peter Hall i chwarae'r rhan. Pan ofynnodd rhywun iddo fo pam oedd o wedi fy newis i, ei ateb oedd: 'In Hugh, you have a great Welshman playing a great Englishman.'

Ro'n i'n teimlo'n well ar ôl clywed hynny ac, wrth gwrs, roedd gan Shakespeare le cynnes yn ei galon i'r Cymry. Wedi'r cwbwl, hon oedd oes y Tuduriaid ac, yn ôl y sôn, roedd Thomas Jenkins, un o athrawon Shakespeare, yn Gymro, ac fel y soniais o'r blaen, roedd sôn fod actorion o Gymry yn Stratford yn ei oes o. Felly, mewn rhyw ffordd ryfedd, roedd hi'n addas mod i, a minnau'n byw mewn tŷ oedd yn arfer bod yn dafarn yn Oes Elizabeth I, lle bu Shakespeare yn llymeitian yn ôl yr hanes, yn cael cyfle i chwarae Falstaff. Yn ôl Polly Devlin, nid creu cymeriadau yr oeddwn i, ond yn hytrach creu personoliaethau. Fedrach chi ddim meddwl, medda hi, am neb arall yn chwarae'r *sheik* yn *Ben Hur*, na'r sgweiar yn *Tom Jones*.

Llwyddais, medda hi, i blymio i ddyfnderoedd enaid Falstaff, a chyflwyno cymeriad oedd yn urddasol, yn ogystal â bod yn ffraeth ac yn llawn hwyl. Ewadd annwyl, roedd 'na lawer mwy i'r dyn na gwên chwareus ac archwaeth barhaus am fwyd a diod ac amser da. Falstaff a minnau – un ydym. Dwi'n teimlo'n beryglus o agos i'r cymeriad. Cyn diwedd y ddrama mae Falstaff wedi'i siomi. Roedd yn disgwyl cael ei dderbyn yn ôl i'r cylch brenhinol, ond cafodd ei wneud yn gyff gwawd, ac o ganlyniad mae o wedi dirywio'n emosiynol ac yn gorfforol, ac yn dadfeilio fel hen adeilad o flaen eich llygaid. A phan dw inna'n cael rhyw gyfnodau hunandosturiol mi fydda inna'n meddwl yn amal, wyddoch chi, wrth edrych yn ôl ar fy mywyd, y gallwn innau fod wedi cyflawni llawer mwy taswn i wedi cymryd mwy o ofal o fy iechyd. Ac yn ogystal â hynny, mae'r ffaith na chefais gyfle i ail-greu'r Brenin Llŷr i gynulleidfa fwy na'r un a welodd y perfformiad yn y Grand yn Abertawe wedi bod yn siomiant mawr.

Beth bynnag am hynny, roedd y wasg yn fawr eu clod ar ôl gweld Falstaff, ac un adolygydd yn mynd mor bell ag awgrymu fy mod wedi cael fy ngeni i chwarae'r rhan, a bod gennyf y gallu i lenwi'r llwyfan gyda fy mhresenoldeb, gan lefaru'r geiriau fel tawn *i*, yn hytrach na Shakespeare, yn gyfrifol amdanyn nhw. Ond ar ôl mis neu ddau yn y rhan, cefais ddamwain car ddrwg iawn a olygodd fod yn rhaid i mi gael ugain pwyth yn fy mhen ac, wrth gwrs, fe effeithiodd y ddamwain ar fy ngallu i berfformio hyd eitha fy ngallu. Ar ôl y geiriau canmoliaethus, daeth llythyr gan Peter Hall, ar ran y cwmni i gyd, yn feirniadol iawn o'r perfformiad y noson honno. Yn ôl Peter, roeddwn i'n llafurus o ara deg, a heb y nerth na'r sbarc arferol yn y llais. Ychwanegodd fod Gunde yn poeni amdanaf hefyd. Y gwir oedd fy mod i'n ei chael hi'n anodd iawn i gario mlaen i berfformio'r rhan oherwydd y boen ar ôl y ddamwain. Euthum i deimlo'n isel a dechreuais gymryd tabledi i ladd y boen a chodi'r ysbryd. Ond, wrth gwrs, doedd y rheini ddim yn cymysgu efo'r alcohol.

Pan oeddwn i'n mynd drwy gyfnodau fel hyn (ac fe fu 'na fwy nag un yn ystod fy mywyd) fe fyddwn yn amal iawn yn rhoi fy nheimladau i lawr ar bapur, mewn llythyr at Gunde. Gan fy mod i'n aros ar fy nhraed yn hwyr i gadw cwmni i'r botel frandi, a Gunde'n codi'n gynnar i fynd i Lundain, fe fyddwn yn sgwennu llythyr ati, ac yn ei adael ar y bwrdd iddi gael ei ddarllen cyn mynd – neu ar ôl cyrraedd. Roedd hi'n ffordd braidd yn egsentrig, a deud y lleia, i ŵr a gwraig gyfathrebu â'i gilydd. Mae gen i fwy nag un o lythyrau tebyg yn fy meddiant – un mewn ysgrifen flêr iawn, sy'n dirywio'n sobr erbyn y tudalennau ola, pan oedd y brandi a'r blinder yn rheoli'r sgwennu, yn oriau mân y bore. Y cyfeiriad ydi'r Old Red Lion, Cherington, a'r dyddiad ydi 23 Awst 1964:

My darling Gunde,
Before you go and leave in the morning for London and in case I might not be awake, I must tell you that I had a great urge to get my old books from the attic... If by any chance I start my memoir or biography I will no doubt get rattled if I can't find some references I need... We are both essentially very lonely people. I know that I am very lonely in the work that I do, and must of necessity be lonely in order to do it. You are lonely being married to and associated, devoted and dedicated as you are to me...

I have known little other than loneliness, even in loving people, other than you and Charlotte, so that with the work I do, and I must go to work, I'm apt to appear to be a recluse.

You are my wife and I have rightly, I think, devoted everything to you and your wellbeing... Hell!!! This writing is going beyond nobody's business, and I only meant it to be a little note to you in the morning... I do really love you very much indeed, and I try my utmost to show it whenever I can and wherever I may be. I'm not a sloppy sentimental nit, neither do I deny that my dreams are strange (they would be profitable to a psychiatrist)... I'm often tempted sexually as you must well know in the work I do. But I seldom fall into such traps as there are around me... Has this perhaps cleared the air a bit between us... I do hope that what I've said helps to clarify and aid our marriage and our lives.

Wrth ailddarllen y llythyr, mae'n amlwg i mi fod cryfder yr alcohol yn effeithio ar synnwyr y cynnwys. Yn wahanol i'r hyn sydd yn y llythyr, *mae* 'na elfen ramantus ond sentimental yn fy nghymeriad. Er nad oeddan ni'n cymdeithasu fawr efo pobol y pentre, faswn i ddim yn deud fod Gunde a finna yn 'essentially very lonely people'. Roedd gynnon ni'n ffrindiau. A pham wnes i gyfaddef yn y llythyr fy mod yn cael fy nhemtio, weithiau, i grwydro oddi ar y llwybr cul? Ac yna ychwanegu'n hunangyfiawn na fuaswn i byth yn disgyn i unrhyw drap rhywiol – a minnau'n gweithio mewn proffesiwn lle mae cael perthynas y tu allan i briodas yn ddigon cyffredin?

*

Ar ôl ennill un Oscar a chael fy enwebu am un arall, yn ystod y chwedegau cynnar fe ddaeth nifer fawr o wahoddiadau i annerch rhyw gymdeithas yma, neu goleg acw, am fy mhrofiadau fel actor. Anaml iawn y byddai amser yn caniatáu i mi dderbyn y gwahoddiad i siarad am fy nghrefft, oherwydd roeddwn i'n rhy brysur yn ei hymarfer hi. Wrth ateb ambell i lythyr byddwn hefyd yn amgáu rhyw gini neu ddwy os oedd yr achos yn agos at fy nghalon. Gŵyl y Drindod, Caerfyrddin – dwy gini. Llythyr gan Cassie Davies ac Islwyn Ffowc Elis yn esbonio fod 'na fwriad i brynu Cae'r Gors, hen gartre Kate Roberts – anfon pum gini. Gwahoddiad i fod yn un o lywyddion anrhydeddus Gŵyl Ddrama Colegau Cymru – derbyn. Ond mae'n amlwg, yn ôl copïau a gedwais o'r atebion i'r gwahoddiadau, fod un neu ddau ohonynt wedi codi fy ngwrychyn. Fedrwn i ddim peidio â chwerthin wrth feddwl am ysgrifenyddes y Barmouth Literary and Debating Society yn darllen yr ateb a anfonais ati ar ôl cael gwahoddiad i siarad efo'r aelodau:

> Sgrifennaf yn Gymraeg, gan mai dyna'n siŵr yw iaith Abermaw – neu ddylai fod, yn ôl hanes ac amser. Gobeithiaf mewn gwirionedd eich bod chwi wedi ymgeisio i ddysgu iaith y wlad hyfryd sydd o'ch amgylch ac nad ydych wedi manteisio ar brydferthwch Abermaw a Chymru fel lle i fyw. Rhyfeddod i mi yw derbyn ffasiwn lythyr a sgrifennwyd yn Saesneg.
>
> Efallai mai rhyfeddod i chi fydd derbyn llythyr fel hyn yn Gymraeg, a lles i chwi a'ch Cymdeithas fydd ceisio ei ddehongli.
>
> O ganol Lloegr, yn Gymraeg, ac yn gywir,
> Hugh Griffith

Nid Ysgrifenyddes Cymdeithas Lenyddol Abermaw oedd yr unig un i dderbyn ateb diflewyn-ar-dafod gennyf. Fe gafodd Prifathro Coleg Prifysgol Cymru Bangor, Charles Evans, ateb swta iawn i lythyr a anfonwyd ataf gan y coleg a wrthododd le i mi'n fachgen ifanc oherwydd nad oeddwn wedi llwyddo i basio'r arholiad Saesneg yn yr ysgol. Rŵan roedd y bachgen ifanc hwnnw'n fyd-enwog a'r coleg yn ysgrifennu ato, yn enw'r prifathro, efo'i gap yn ei law, i ofyn am *generous financial contribution* tuag at y gost o ariannu datblygiadau mawr yn y coleg. Dyma'r ateb a anfonais:

> In reply to your appeal, I do not hesitate to tell you that I feel no obligation whatsoever to contribute anything towards your development fund. Because I happened to fail in English only at school, I was refused any kind of scholarship to your University College . . . You will, I'm sure, understand my feelings about the ridiculous affront that was made to myself on my doorstep, as it were, and what difference a better policy of opportunity would have made to men such as myself. If you had a drama department, I might well consider contributing something.

Flwyddyn yn ddiweddarach, ar ôl saethu'r fwled uchod i gyfeiriad y Prifathro, roedd Prifysgol Cymru'n fy anrhydeddu â Doethuriaeth mewn llenyddiaeth.

Sgwn i fuo 'na alwadau ffôn rhwng Bangor ac Aberystwyth, rhwng Charles Evans a Tom Parry? Ta waeth, fe ges i lythyr gan Gwenallt yn esbonio mai y fo oedd wedi rhoi fy enw o flaen y pwyllgor, ac mae'n amlwg fod yr holl aelodau o'm plaid. Ond, fel yr esboniais mewn llythyr at Gwenallt, doedd hi ddim yn hawdd o gwbwl i mi ymateb i'r llwncdestun, a doeddwn i ddim yn siŵr a ddylwn ateb yn Gymraeg neu Saesneg, ond Saesneg a ddisgwylid. Fe ddaeth pob math o demtasiynau i'm meddwl. Un demtasiwn fawr oedd dweud pa mor ofidus ydoedd i'm tad, ac yntau'n arolygydd addysg sir Fôn ar y pryd, na dderbyniwyd ei unig fab i Brifysgol Cymru oherwydd i mi fethu pasio arholiadau Saesneg – er i mi ennill *distinction* bron ym mhopeth arall.

Roedd fy nhad yn gynddeiriog, ac fe'i siomwyd yn aruthrol. Ond fel mae'r hen air yn dweud, 'Calla dawo'.

Wnes i ddim cyfeirio o gwbwl at y ffaith mod i wedi cael fy ngwrthod gan y Brifysgol pan oeddwn i'n ifanc, ond gan mai hwn oedd y tro cynta i actor gael ffasiwn anrhydedd yng Nghymru, heb geisio llenydda na sgwennu drama, mae'n rhaid i mi gyfaddef i mi fynd ar y bocs sebon am funud neu ddau, a sôn am y prinder dramodwyr yng Nghymru. Doedd dim iws trio codi Theatr Genedlaethol heb i'r sylfeini, sef y dramâu, fod ar gael yn barod. Hugh Griffith, D.Litt, *and* Oscar, *has spoken*!

Gyda llaw, rhag i mi chwythu fy nhrwmped fy hun yn ormodol, fe enillodd aelod arall o'r teulu, Tom Parry Jones, Tomi Tŷ Pigyn, fel y galwn fy nghefndar, y Goron yn Eisteddfod Llandudno yn 1963. Doedd y beirniaid ddim yn gytûn: Waldo yn mynnu mai pryddest Dafydd Owen oedd yr un orau, Cynan a Gwilym R. yn credu fod pryddest Tomi nid yn unig yn well nag un Dafydd Owen, ond yn rhagori ar bryddestau Dafydd Jones, Ffair Rhos, Gwyn Erfyl a Rhydwen Williams. Cerdd ar ffurf deialog oedd hi, yn tanlinellu'r rhybudd a gafwyd gan bobol fel Saunders Lewis, sef bod derbyn yr egwyddor 'bread before beauty' yn warth ar y genedl. I nifer, roedd y bwriad i adeiladu gorsafoedd niwcliar yn Nhrawsfynydd a'r Wylfa ym Môn yn Benyberth arall. Ond doedd neb yn fodlon gwrando ar y proffwydi gwyrdd cynnar ac aeth y gwaith yn ei flaen. Dwi'n falch o'r cyfle yma i ddeud cymaint oedd fy mharch at Tomi. Gadawodd yr ysgol yn dair ar ddeg oed a mynd i weithio ar fferm ei dad, a chael ei daro â chlefyd polio yn ŵr ifanc iawn, ac fe fuo fo'n fregus iawn ei iechyd am weddill ei oes. Ac eto, er gwaetha'r anawsterau, fe enillodd dair prif wobr yr Eisteddfod Genedlaethol. Tipyn o gamp. Tipyn mwy o gamp, dybiwn i, nag ennill Oscar am wisgo fel Arab, a thynnu stumiau ar y sgrin fawr.

Ar ôl gorffen ffilmio *Tom Jones*, roeddwn i'n dal i weithio'n gyson, ond doedd 'na ddim gwadu'r ffaith mai rhannau bychain oedd yn cael eu cynnig i mi, briwsion o fwrdd y wledd ac, i raddau, roeddwn i'n chwarae'r un math o gymeriad – *larger than life*, chwadal y Sais – ym mhob ffilm. Ond doeddwn i ddim yn gwrthod dim byd chwaith. Fedrwn i ddim – rhag ofn i'r ffynnon fynd yn sych. Os nad oeddwn i'n cael fy nenu gan y merched yn y ffilmiau, yna roeddwn i'n cael fy nenu at y botel, ac weithiau at y merched *a*'r botel. Gwrandwch, neno'r tad. Pan dach chi'n cael cynnig rhan mewn ffilm sy'n golygu fod yn rhaid i chi actio rhan Commodore Roseabove, miliwnydd alcoholig sydd wrth ei fodd efo merched, a hynny yng ngwres cynnes Montego Bay yn Jamaica, *all expenses paid*, credwch chi fi, mae'n anodd gwrthod hyd yn oed os ydi teitl y ffilm – *Oh Dad, Poor Dad, Mama's Hung You in the Closet and I'm Feeling so Sad* – yn awgrymu'n gryf y dyliech chi fod wedi dweud 'na'. Ar ôl ei gorffen, fe wnaeth Paramount yn siŵr na fyddai'r ffilm yn gweld golau dydd am ddwy flynedd. Ond yn 1967 roedd hi yn y sinema i bawb gael ei gweld a'i darnio. A dyna wnaethon nhw. Roedd un beirniad yn ddeifiol:

> This has to be amongst the ten worst films of all time. If you want to see how badly Hollywood was floundering in the sixties, by all means go and watch this film, but you'll probably decide you didn't want to know after all. You've seen the title – don't see the movie.

Mae 'na sôn yn y busnes am 'the curse of the Oscars'. Fe allech chi ddadlau mai ofergoeliaeth ymhlith actorion ydi hynny. Yn y theatr mae 'na gred na ddyliech chi byth ddeud enw'r ddrama gan Shakespeare am y brenin o'r Alban. Mae pawb yn cyfeirio ati hi fel 'The Scottish play' oherwydd os gwnewch chi'i henwi hi, yna fe fydd anlwc yn eich dilyn. Yn yr un modd, mae 'na gred yn y sinema y bydd eich gyrfa chi'n mynd ar i lawr os enillwch chi Oscar. Dyna ddigwyddodd i un o sêr mawr sinema'r tridegau, Luise Rainer, a enillodd ddau Oscar ddwy flynedd yn olynol yn 1936 ac 1937, am yr actores orau. Roedd hi wedi disgwyl cael rhannau mawr yn sgil ei llwyddiant, ond doedd y cwmnïau ddim yn curo ar ei drws ac erbyn 1941 roedd hi wedi gadael y diwydiant. Er nad oedd y rhan enillodd yr Oscar i mi yn *Ben Hur* yn rhan fawr o bell ffordd, fe lwyddais i greu argraff, yn rhannol, dwi'n meddwl, oherwydd bod hiwmor yr hen *sheik* fel chwa o awyr iach mewn ffilm oedd fel arall yn ddifrifol o ddifrifol. Er i mi gael cynnig digon o waith ar ôl ennill yr Oscar, a mwy o arian hefyd, roeddwn i'n siomedig nad oeddwn i'n cael cynnig rhannau mwy a gwell. Wrth edrych yn ôl ar fy ngyrfa, mor onest a hunanfeirniadol ag y gallaf fod, mae'n rhaid i mi gyfaddef fod *Ben Hur* yn agos iawn at binacl fy ngyrfa. Yn sicr, ar ôl actio efo Audrey Hepburn yn *How to Steal a Million* bum mlynedd yn ddiweddarach, i lawr aeth petha yn raddol am y pymtheng mlynedd nesa. Dwn i ddim pwy ddudodd, 'Take the money – and run', ond mae o'n sicr yn wir am fy agwedd i at fy ngwaith yn y cyfnod ola yma. Ac os mai *Ben Hur* oedd y pinacl, yna chwarae'r brenin mewn hysbyseb Sugar Puffs ddechrau'r saithdegau oedd y pydew eithaf i actor oedd wedi chwarae'r brenin Llŷr ar y llwyfan.

Mwy am hynny yn nes ymlaen, ond yn y cyfamser, roeddwn wedi anghofio am Commodore Roseabove, ac *Oh Dad, Poor Dad,* ac eisoes yn gweithio ar brosiectau newydd ym myd teledu, fel y gyfres *The Walrus and the Carpenter* efo Felix Aylmer. Pan gyrhaeddodd y sgript, ar y dudalen flaen roedd 'na grynodeb o'r ddau gymeriad:

> Gascoigne Quilt is a highly literate retired schoolteacher, whilst Luther Flannery is a womanising alcoholic who is completely illiterate.

Fasa fo'n eich synnu i ddeall mai fi oedd yn chwarae Luther? Na, doeddwn i ddim yn meddwl y basa fo! Felly, yn y gyfres deledu, roeddwn i'n chwarae cymeriad oedd nid yn unig yn alcoholig, ac yn hel merched, ond fedra fo ddim sgwennu ei enw chwaith, na darllen. Ond fe arwyddais y cytundeb oherwydd roedd hi'n rhan a thipyn o afael iddi, efo talp go dda o hiwmor, ac roeddwn i'n parchu Felix Aylmer fel actor. Dau hen gono yn eu saithdegau, yn bwriadu byw bywyd i'r eitha a chael tipyn o hwyl ddiniwed wrth wneud hynny oedd Quilt a Flannery. Pwy fasa'n meddwl y basa cyfres o'r fath yn codi gwrychyn neb?

Ond mi wnaeth. Mewn llythyr a anfonwyd ataf ar ran aelodau Clwb y Cymry yn Llundain dywedwyd nad oedd rhai o'r aelodau'n credu y dyliwn fod wedi derbyn rhan oedd yn portreadu Cymro fel merchetwr a meddwyn oedd wedi colli marblen neu ddwy. Yn wir, fe aeth un neu ddau mor bell â dweud na ddyliwn fod wedi cael doethuriaeth gan y Brifysgol, gan fod fy mhortread yn dwyn anfri ar fy ngwlad.

Galwyd fi'n 'hen ham' yn dilyn fy rhan fel y sgweiar yn *Tom Jones*. Anfonais ateb yn syth, gan fygwth y rhai hynny oedd yn fy ngalw'n 'hen ham' gyda llythyr twrna. Chlywais i'r un gair wedyn. A wyddoch chi be? Pan es i draw i Baris ar gyfer y ffilm nesa, *How to Steal a Million*, sylweddolais fod gen i bellach enw rhyngwladol fel actor. Un noson, roeddwn i'n eistedd mewn bar yn cael brandi bach, ac fe ddaeth Ffrancwr ata i gan ysgwyd fy llaw yn frwd a deud, *'Monsieur Griffith. Tom Jones! Tom Jones!'* gan ychwanegu dau air arall: *'Formidable! Magnifique!'*

Mae gan yr 'hen ham' profiadol a phoblogaidd hwn ddau air i aelodau'r clwb 'na yn Llundain hefyd. 'Off' ydi un ohonyn nhw – ond dwi'n ormod o ŵr bonheddig i grybwyll y llall.

AM I LAWR

FI ydi tad Audrey Hepburn – fel y gwyddoch chi'n iawn os gwelsoch chi'r ffilm *How to Steal a Million*. Twyllwr soffistigedig ydi Charles Bonnet ac mae'n ennill ei fywoliaeth yn copïo lluniau'r hen feistri a'u gwerthu fel lluniau gwreiddiol. Methiant fu pob ymdrech gan ei ferch, Nicole, i geisio perswadio'i thad i gadw at y llwybr cul, a tydi hi ddim yn hapus o gwbwl ei fod yn ennill ei fywoliaeth drwy dwyll. Mae pethau'n mynd yn gymhleth braidd pan mae hi'n cyfarfod â Peter O'Toole, ditectif preifat sy'n casglu tystiolaeth er mwyn rhoi'r hen Bonnet dan glo. Comedi ysgafn sy'n canolbwyntio ar y garwriaeth rhwng Hepburn ac O'Toole ydi'r ffilm mewn gwirionedd, efo finna'n ymddangos rŵan ac yn y man i wthio'r stori yn ei blaen. Braf iawn oedd gweithio efo William Wyler unwaith eto, a chael fy nhalu'n anrhydeddus iawn, hefyd – $50,000 am ddeg wythnos o waith yn Ffrainc, a chwmni pobol ddifyr fel O'Toole, Eli Wallach a Charles Boyer. Roedd Charles a minna'n sgwrsio un diwrnod am luniau a chasglu lluniau ac fe esboniais fod y tŷ acw'n llawn o luniau, a phob un ohonyn nhw'n *genuine*, dim un *fake* yn eu plith. 'A sut dach chi'n gwybod hynny?' gofynnodd Boyer. 'Wel,' medda fi, 'fi beintiodd bob un ohonyn nhw!' O ble ddaeth y ddawn honno, dwn i ddim – tydi hi ddim yn y teulu. Ond does 'na'm byd gwell gen i, pan fydda i adra, na chau fy hun yn y stydi efo fy mrwshys a'r paent, 'draw o ymryson ynfyd, chwerw'r newyddfyd blin', chwadal Williams Parry. Ac onid dyna mae actor yn ei wneud, creu darluniau amrywiol o wahanol gymeriadau gan ddefnyddio geiriau ac emosiynau, yn lle brwsh a phaent? Ew! Da iawn rŵan, Hugh!

Chwerw fasa'r union ansoddair i ddisgrifio fy mhrofiadau yn ffilmio yn Iwgoslafia. Dwi'n cofio dim am y ffilm *Brown Eye, Evil Eye,* dim ond ei bod hi mewn Serbo-Croat. 'Sna'm llawer o bobol ym Marian-glas yn siarad Serbo-Croat. Dwi'n dal i gofio'r profiadau ges i yng ngwesty'r Excelsior yn Belgrade. Roedd 'na ferched yn mynd a dŵad o'r ystafell yn ddi-baid, a rhai'n aros dros nos hefyd – un ohonyn nhw'n wraig o Efrog Newydd oedd â rhan fechan yn y ffilm. Tipyn o ddynes! Yna, mi sylweddolais fod 'na rywun yn gwrando ar y lein bob tro y byddwn i'n ffonio Gunde neu'n cael gair preifat efo fy asiant. Meddwl mai sbei oeddwn i, efallai. Neu oeddan nhw'n gobeithio gwerthu stori i'r wasg, efallai, am seren ryngwladol yn camfihafio?

Yn ystod yr wythnos ola roeddwn wedi dechrau mynd i deimlo'n sâl iawn. Dangosodd 'X-ray' fod gen i niwmonia, bronceitis a'r eryr, ynghyd â thymheredd o 103 gradd. Ac eto, ar ddiwrnod ola deg wythnos o ffilmio, cefais fy neffro ar ryw awr annaearol o gynnar i ffilmio allan ar fôr gaeafol a stormus yr Adriatig, i rhyw sothach o Fericanwr. Ar ôl cyrraedd adref codais y ffôn a chael gair efo fy nghyfaill Cledwyn Hughes, oedd yn Weinidog Gwladol dros Faterion y Gymanwlad ar y pryd, a mynegi wrtho fy anfodlonrwydd ynglŷn â'r ffordd yr oeddwn wedi cael fy nhrin allan yn Iwgoslafia, yn enwedig y ffaith eu bod nhw wedi 'tapio' fy ffôn a gwrando ar sgyrsiau preifat. Gobeithio yr oeddwn y bydda fo'n medru cael gair efo'r llywodraeth a chael rhyw fath o ymddiheuriad. Ond, mi oedd 'na reswm arall dros ffonio Cledwyn. Fel y soniais ar y dechrau, roedd Morswyn, yr emynydd, yn perthyn i'r teulu, ac yn ymyl Porth Dafarch yn sir Fôn, lle y cyfansoddodd yr emyn 'Arglwydd Iesu, arwain f'enaid / At y graig sydd uwch na mi', roedd gen i awydd codi tyddyn, er cof amdano. Fy ngobaith oedd y bydda dylanwad Cledwyn yn gymorth i mi gael y darn tir. Gweld yr oeddwn y basa'r tyddyn bach yn hafan i mi mewn unrhyw storm a ddeuai i'm rhan, oherwydd roedd 'na gymylau personol a phroffesiynol eisoes yn ymgasglu ar y gorwel. Fel mae'n digwydd, doeddwn i ddim angen cymorth Cledwyn yn y pen draw.

Yn ystod y cyfnod yma roeddwn yn teithio tipyn i Ewrop i ffilmio ac felly'n treulio llai o amser efo Gunde. Roedd un neu ddau o gwmnïau ac unigolion yn y busnes yn awyddus iawn i sticio'r gyllell ynof. Ffilm a wnes i yn yr Eidal oedd *Drop Dead, My Love,* a phan gafodd ei dangos yno, roedd 'na ryw Eidalwr wedi trosleisio'r hyn yr oeddwn i'n ei ddeud i'r Eidaleg. Ond pan welais i'r ffilm mewn gŵyl ffilmiau yng Nghorc, roeddan nhw wedi defnyddio actor arall i drosleisio i'r Saesneg. Roeddwn i'n flin fel tincar. Meddyliwch fod y cwmni wedi penderfynu gneud hyn heb drafod o gwbwl efo fi na fy asiant? Cael a chael oedd hi i mi fynd â'r cwmni cynhyrchu i'r llys er mwyn amddiffyn fy enw da fel actor, ond ddaeth dim o hynny.

Wedyn dyna i chi'r ffilm *Lock Up Your Daughters,* efo Peter Coe yn cyfarwyddo. Hon oedd ei ffilm gynta fel cyfarwyddwr, ond roedd o'n ymddwyn fel tasa fo wedi bod yn y diwydiant ers dyddiau Charlie Chaplin. Wnes i ddim cymryd ato fo o'r dechrau. Mae gen i syniad ei fod o'n gweld actor profiadol fel fi'n fygythiad i'w awdurdod. Mi fasach yn meddwl y basa fo'n falch o elwa o'r blynyddoedd fûm i yn y busnes, ond na. Gwrthodai drafod efo mi, gan ddweud mai fo oedd y bòs, ac os oedd o eisiau gwneud toriadau, yna doedd dim rhaid iddo ymgynghori â fi cyn gneud hynny. Yn y pen draw, roedd o wedi darnio fy rhan i'r fath raddau fel nad oedd 'na ddim ar ôl. Mi adewais y set, felly, ac fe gyflogwyd Peter Bayliss i chwarae'r rhan ar yr unfed awr ar ddeg. Dwi'n falch o ddeud, ar ôl y profiadau annymunol ges i, fod y ffilm wedi cael ei beirniadu'n hallt gan adolygwyr y wasg:

> Certainly one of the worst films of the year ... the characters are entirely unappealing, and the script is uninspired. *Lock up your daughters?* Lock up the producers!

Roedd hwn yn gyfnod anhapus iawn i mi yn broffesiynol.
Ac mae'n amlwg fod yr anhapusrwydd ynglŷn ag ansawdd y
rhannau a gynigid i mi, a'r ffordd anfoesgar y cawn fy nhrin
yn amal gan gyfarwyddwyr, yn ogystal â'r ffordd afresymol
yr oeddwn yn bihafio yn fy mywyd preifat, yn effeithio ar
berthynas briodasol Gunde a finna. A deud y gwir, roedd y
berthynas wedi edwino i'r fath raddau fel mai prin yr oeddan
ni'n siarad efo'n gilydd.

Treuliwn fwy o amser yng nghwmni'r botel nag yn ei chwmni
hi. Yn amal iawn byddai Gunde wedi mynd i'r gwely erbyn i mi
ddychwelyd o'r dafarn, ac fe fyddwn inna wedi gadael y tŷ yn
y bore a mynd i ffilmio cyn iddi hi godi. Roedd y llythyrau'n
cynyddu a'r trafod yn lleihau:

In a month I shall be fifty-six. For a man a very crucial
age. For a woman it is not so crucial because she has to
cope with it earlier. You unfortunately had to cope with
it much earlier. It was one of those things that neither of
us could do anything about, other than what we did and,
if you remember, I promised you faithfully that I would
never abandon you in any circumstance. I am keeping my
promise faithfully and I think you are faithfully devoted
to me. There are times these days, however, when we
seem to get unnecessarily at cross purposes to the point
of exasperation and exhaustion, which is not good for
either of us. I hate these moments because they don't get
us anywhere...You know I am sometimes forced to say
things I don't really want to because they might be hurtful,
and I'm really not inclined to shout at you or anybody,
unless someone doesn't seem to take in or comprehend
what I'm saying when I'm trying to be reasonable. As for
age, as I said, I'm in a strangely confused period, which I
believe occurs in men's lives.

A kind of turning point is imminent in my life, I think, and I really don't know when or where it should stop, even if I had the power to direct it. So these days I'm understandably in a kind of quandary, and there's only you I can talk seriously about it. It is distressing, therefore, for us to bicker about comparatively minor things when there is so much for us to explore and enjoy. Do you wish to do that sensibly as we used to, or do you wish either or both of us to resign ourselves to something quite different, which might well be disastrous for both of us?

Er bod Gunde, yn ôl ei hateb i'r llythyr hwn, wedi cael llond bol ar y sefyllfa, ac yn sôn am deimlo'n isel, heb wybod lle i droi, mae hi hefyd yn ceisio'i gorau glas i fy rhoi fi ar ben ffordd – heb fawr o lwc. Mae hi'n dweud mai fi ydi canolbwynt ei bywyd, ei horiau a'i dyddiau – ar hyn o bryd. Ond mae'r rhwystredigaeth sy'n deillio o'r ffordd dwi'n ymddwyn yn amlwg yn cynyddu, ac mae hi'n gweld ein bod ni bellach yn byw dan yr un to, ond yn byw dau fywyd ar wahân.

Darling Hugh,

On 16/5/1968 you wrote me a letter. Excellent and most thought provoking. I seem to remember handing you an interim reply expressing my appreciation and wish to discuss fully the points you raised in the letter.

Points for discussion with Hugh

- Health. He has not had a big warning to compel him to adapt his mode of living.
- All troubles stem from the 'Up all night' routine.
- Gets progressively worse the more often he does it.
- If he readjusted to TV, read etc. in bed, before midnight, and rise with the light, his health, concentration and

everything else would benefit, to the extent that most present problems would cease to exist.

- Work. Our avowed policies are still valid, but slight deviations have crept in which should be corrected.
- Do only such scripts as are inescapably appealing.
- Do NOTHING merely because his agent has been able to make a good deal.
- Never work for tatty outfits, or suspect directors.
- Resist the temptation to commit yourself to anything you may later want to avoid.
- Having fully explored a project, either commit oneself to it fully and utterly or walk away and forget it. If the former, go into mental and physical training.

How-bloody-ever, the ensuing days have provided me no chance to discuss any of these points. They have provided the usual lonely evenings, while you have gone out I know not where or when or for how long... So I find myself in despair and deep depression, forced to try those absurd means of communication with the one and only person who is the centre and pivot of my life, my hours, my days. Perhaps this is why I grow so depressed, and wonder so often where I have gone wrong, and why, no matter how sincerely I try to please and help you, I continue to give such dissatisfaction. It is perhaps best for me (there seems no longer any 'us') to face facts that we no longer have a deep-founded and abiding common faith, aim, and commitment.

'There seems no longer any *us*.' Dyna'r frawddeg ddadlennol. Honna ydi'r un sy'n siarad cyfrolau am y ffordd yr oedd Gunde yn gweld ein sefyllfa ni. Yn hytrach na dau enaid hoff cytûn, dyma ddwy galon yn torri'n ara deg bach a pherthynas yn edwino. Mae'n amlwg na wnes i ddim gwrando ar ei chyngor i dderbyn y rhannau hynny oedd yn apelio yn unig. Doedd yr *un* rhan yn apelio mewn gwirionedd – dim ond yr arian. Fedrwn i ddim dewis a dethol, dim ond cymryd beth oedd yn cael ei gynnig. A'r unig rannau oedd yn cael eu cynnig oedd rhai bychain dibwys, a'r un nesa'n debyg i'r un ddiwetha bob tro. Fel y rhan a gefais yn y ffilm *The Sailor from Gibraltar,* lle roeddwn i'n 'white hunter and guide'. Jeanne Moreau, Vanessa Redgrave ac Ian Bannen oedd y prif actorion, gydag Orson Wells a finna'n cynrychioli'r di-werth a'r di-nod. Ond o leia roedd rhannau llai yn rhoi mwy o amser i mi fwynhau fy hun. Mae gen i frith go' mod i'n aros mewn gwesty yn Addis Ababa efo Ian Bannen ac wedi penderfynu cael parti siampên a chafiâr i'r criw. Yn y pen draw dim ond Ian ddaeth i'r parti, felly fe yfon ni'r siampên, a phan ddeffris i yn y bore roeddwn i'n noethlymun gorcyn a nghorff wedi'i orchuddio mewn cafiâr, diolch i Bannen. Comedi ddi-chwaeth wedyn – *Chastity Belt*, efo Tony Curtis yn y brif ran. A phwy all anghofio fy mherfformiad fel y Swltan Bari? Pawb, gobeithio.

'An orgy of miscasting' – dyna ddywedwyd am yr actorion yn y ffilm *The Fixer*. Roeddwn i wedi gobeithio y byddai petha'n well efo cyfarwyddwr fel Frankenheimer wrth y llyw, a fynta wedi cael cymaint o lwyddiant efo Burt Lancaster yn *Birdman of Alcatraz*. Ond doedd 'na ddim llwyddiant i fod, yn enwedig gan fod Alan Bates, oedd yn actio rhan y gwerinwr Iddewig, yn siarad efo'r acen Iddewig sala glywsoch chi erioed ac yn tynnu stumiau ac yn siarad mewn rhyw lais uchel ar brydiau. Er ei fod o'n ymddangos yn noethlymun yn y ffilm, doedd hynny ddim yn ddigon i sicrhau'r Oscar iddo fo, yn 1969, blwyddyn yr Arwisgo.

Y flwyddyn honno, roedd yr Eisteddfod yn y Fflint ac fe benderfynais fynd, am y tro cynta, os dwi'n cofio'n iawn, ers i mi gael f'arwisgo efo'r wisg wen yn Eisteddfod Llangefni yn 1957. Hon oedd steddfod Coron Dafydd Rowlands a Chadair Jâms Niclas. Hon oedd y flwyddyn y camodd Neil Armstrong ar wyneb y lleuad ac y gwelwyd terfysgoedd gwaedlyd yng Ngogledd Iwerddon a phrotestio chwyrn yng Nghymru yn erbyn yr Arwisgo. Un o ganeuon mwya poblogaidd y flwyddyn honno oedd 'Croeso Chwe Deg Nain', cân ddychanol am yr Arwisgo gan Dafydd Iwan, yn sôn am ddannedd gosod Taid ym mŷg y Prins. Y gwir ydi fod Cymru'n rhanedig ar y busnes yma. Rŵan 'ta, ma'n rhaid i mi gyfaddef, sgin i ddim byd yn bersonol yn erbyn y teulu brenhinol, a dwi'n casáu unrhyw ffurf ar drais. Dyna pam y gwrthodais gefnogi'r Free Wales Army, er i mi gael gwahoddiad personol i wneud hynny gan aelod o deulu parchus iawn yng Nghymru. Ond roedd 'na rai yng Nghymru yn fodlon defnyddio trais adeg yr Arwisgo er mwyn cyrraedd eu hamcanion, ac fe gawson nhw eu lladd yn y broses.

Fe ysgrifennais lythyr at y Tywysog Philip yn mynegi f'atgasedd tuag at y bobol hynny yng Nghymru oedd am ddefnyddio dulliau treisgar. Am ryw reswm, chafodd o mo'i anfon. Ond dwi wedi'i gadw fo'n ddiogel – a llythyr arall at Tony Armstrong Jones, oedd yng ngofal holl drefniadau'r Arwisgo.

Mae'r llythyr at Prince Philip wedi'i sgwennu ar bapur gwesty Le Bristol ym Mharis, pan oeddwn yno yn ffilmio efo Audrey Hepburn:

This upsurge of militancy in Wales, amateurist as it seems, is most distasteful and truly disturbing to me. Any kind of ugly antagonism against you, sir, or her majesty or of course Prince Charles in my own country is utterly horrid to me as it must be for almost all the people of Wales. I say almost all, because there are obviously some extremists and fanatics in Wales like there are everywhere. This term at Aberystwyth for Prince Charles might be a term of trial indeed, and the investiture, but I'm worried about the fanatics.

With great respect and humbly yours.

Ai oherwydd fy mod i'n teimlo ei fod o'n swnio'n rhy wasaidd, fel taswn i'n crafu am ffafriaeth, y penderfynais beidio â'i anfon? (Roeddwn i'n gneud hynny'n amal. Yn bwrw fy mol ar bapur, ond ddim yn anfon y llythyr, neu'n anghofio gneud ar ôl sesiwn ar y brandi!) Oeddwn i'n gobeithio cael ateb gan Prince Philip yn diolch am y llythyr ac yn cynnig anrhydedd o ryw fath i mi yn yr Honours List? Dwn i ddim. Ond yr hyn sy'n bwysig ydi fod cynnwys y llythyr yn dangos yn eglur ar y pryd fy mod i'n bleidiol i'r teulu brenhinol – ac i'r Arwisgo hefyd. Efallai oherwydd bod fy nhad wedi bod yn seremoni arwisgo'r Tywysog Edward yng Nghaernarfon yn 1911, flwyddyn cyn i mi gael fy ngeni, fel y dengys cynnwys llythyr at Tony Armstrong Jones?

Chafodd hwn mo'i anfon chwaith.

My Lord, Dear Tony, whichever is correct. It's because I've known you for quite a while that I dare write to you as I do, mainly to congratulate you upon your forthright and outspoken opinions of that incongruous bundle of stuff that was thrust upon you by way of souvenirs to celebrate the investiture of dear Prince Charles.

Believe me, my house in Anglesey was littered with stupid trinkets, after my parents and grandparents had gone to a great deal of expense and trouble to collect and treasure them. They were really useless. Just ornaments to commemorate an occasion. My father, and I dare say your father, was at the only known previous investiture at Caernarvon Castle. He was proud of it, but hated the trinkets. I really wish I could do something to help it and make sure it was a great success.

The activities of some so-called Welshmen these days scare me to the extent that I hesitate to drive my new Rolls from here to my home in Anglesey. I think I've been

expected to be a revolutionary of some sort, and when I'm
known to be not, I'm antagonised sometimes as if I were
a traitor.

Ac mae'r gair *traitor* yna'n mynd â fi'n ôl i Steddfod yr Urdd
yn Aberystwyth, pan safodd tri aelod o Gymdeithas yr Iaith yn
y pafiliwn, a dal posteri yn yr awyr efo'r geiriau 'Brad Arwisgo
1969', fel rhan o brotest y Gymdeithas yn erbyn ymddangosiad
Tywysog Cymru ar lwyfan y pafiliwn. Ond, ar waetha'r brotest,
fe gafodd annerch y dorf a sôn am yr ŵyl yn bylchu'r mur ac
yn dŵad â phobol at ei gilydd mewn ysbryd o gystadleuaeth
gyfeillgar a pharch y naill at y llall – ond fawr o barch tuag ato
fo, mae gen i ofn.

Y flwyddyn ganlynol roeddwn yn teimlo'n isel iawn, fel y
dengys y llythyr canlynol at Gunde:

I find it difficult to sleep, despite these sleeping tablets.
I am very worried indeed about my future. It seems I'm
finished as an actor, both nationally and internationally.
My type of actor is not required these days. They've had the
old 'uns and a bellyful of them along the years. What the
young producers and directors are aiming at is the teen- or
over teen-agers to draw people to the cinemas. Someone
like me, whatever nominations and Oscars I may have,
do not matter in the least – apart from one's name being
useful now and then in order to arrange finances. This has
become obvious to me as it must have done to many other
actors of similar distinction. We are not really wanted but
'we'll use you for name purposes and for circulation'.

What therefore am I to do? Just hide and resign, with
a possible income of about perhaps £5,000 a year? Or
should I try and push myself on my reputation, stick to
my guns and say 'No, I won't do anything under so much,

with so much billing'. It's a sudden painful state of affairs, you must admit, and it's little wonder that I'm gloomy and depressed. I never really lost faith in myself before, until now. I have a feeling of redundancy. To slip from prominence to mediocrity is quite a blow, especially when one has such a backlog of tax as I have. I'm not making excuses for myself, because people will say I'm marvellous, but unreliable. It's difficult to say whether my prowess as an actor or my unreliability is the cause of my present downfall. I'm baffled and at the same time thinking seriously of what capital assets we have, which I doubt will be enough to cope with our tax demands.

I don't think we're bankrupt by any means, but we're not as solvent as we should be at our ages.

Erbyn y flwyddyn yma roedd Gunde yn treulio llawer iawn mwy o amser yn ein fflat yn Llundain, ac mae'n amlwg ei bod wedi cael digon o fyw efo mi ac am droi ei chefn a symud i Lundain yn barhaol:

I'm troubled because I don't know what your intentions are. It came as a bombshell to me that you do not want anything to do with Cherington. By the stroke of a pen the whole of Cherington properties can be wiped out, as the village could be in our memories. By the stroke of a pen, this flat could be wiped out and we'd have no trace of an almost tax-free entertainment and accommodation centre in London. By the stroke of a pen, I can sell the Rolls, get rid of the cattle and donkeys. By the stroke of a pen, we can do anything in our position. But what to do to please you, I don't know. You can be so excruciatingly cagey, and have things worked out or boiling inside you, without saying a word to me.

Mae llythyr anfonais i at Charlotte, fy chwaer, a'i gŵr Dafydd, yn cadarnhau fod pethau'n ddrwg:

Mae pethau'n anodd iawn yn fy ngwaith, ac wedi bod felly ers dros flwyddyn, ac mae'n rhaid gwneud rhywbeth am yr ôl-drethi sy'n pentyrru ac yn ddigon i ddychryn rhywun. Rwyf am ddal fy ngafael yn y Rolls ar hyn o bryd. Mae dwy ffilm wedi torri i lawr oherwydd diffyg arian. Mae'r *diaphragmatic hernia* wedi ailafael ac mae Gunde a finnau wedi bod mewn Nursing Home am gyfnod. Mae hi lawr i saith stôn, a dw inna wedi cael twtsh o bronceitis.

Rywsut neu'i gilydd, roeddwn wedi cael nerth o rywle i wneud tair ffilm y flwyddyn gynt ac fe'u dangoswyd yn ystod 1970. *Wuthering Heights* oedd un ohonyn nhw, a wnes i ddim cyrraedd yr uchelfannau o bell ffordd yn actio Doctor Kenneth. *Start the Revolution Without Me* oedd un arall, efo Gene Wilder, Orson Welles, Donald Sutherland a Victor Spinetti. Cast da iawn, ac yn wir fe ges i ganmoliaeth gan y beirniad ffilm uchel ei pharch Dilys Powell: 'Hugh Griffith was a treat as an amiable, doddery Louis XVI.' Doedd dim angen llawer o actio er mwyn i *mi* ymddangos yn ansicr ar fy nhraed, credwch chi fi! Un arall oedd *Cry of the Banshee*, ffilm arswyd efo Vincent Price yn y brif ran, a finna'n chwarae Mickey, y torrwr beddau meddw (eto!). Gwichlyd iawn oedd fy mherfformiad, gyda thueddiad i or-neud, yn ôl un papur newydd. Nid ffilm arswyd felly – ond ffilm arswydus o wael!

Ond os oedd dechrau 1970 yn ofnadwy roedd ei diwedd yn waeth. Fe ymddangosais ar y teledu'n chwarae rhan y Brenin Arthur – mewn hysbyseb ar gyfer bwyd brecwast Sugar Puffs with Fruitipops. Fi, Hugh Griffith, oedd wedi actio Falstaff yn Stratford, wedi ennill Oscar yn Hollywood, wedi cael ei gydnabod ar un adeg fel yr actor gorau ar lwyfan y West End, ac wedi concro Broadway – y FI, mewn hysbyseb efo Syr Jeremy Bear. A beth sy'n drist ydi mod i'n cofio un o'r llinellau o hyd: 'By Merlin, they're strawberrific!'

Mae'n rhaid fy mod i'n llwyddiant ysgubol oherwydd fe ges i fwy o'r gwaith aruchel yma drwy fy asiant. Y swm o £60 am ddwy awr o waith yn lleisio saith hysbyseb saith eiliad yr un i Bowyers Steak and Kidney Pies. Arglwydd mawr! Pa fodd y cwympodd y cedyrn?

HEN WYF . . .

'*ORGY* o ias a chyffro' – dyna ddisgrifio mewn pum gair y ffilmiau y bûm i'n actio ynddyn nhw yn y saithdegau. Os nad oeddwn i'n neidio i mewn ac allan o'r gwely efo merched ifanc noethlymun, yna mi oeddwn i'n ceisio codi ias a dychryn ar fy nghynulleidfa mewn ffilmiau gwaedlyd, gwael oedd ddim yn dychryn neb. *Whoever Slew Auntie Roo?* Fasach chi'n talu pres da i gael yr ateb i'r cwestiwn? Faswn i ddim. Dyna i chi deitl ofnadwy un o'r ffilmiau erchyll hynny, efo Shelley Winters yn y brif ran, yn actio dynes seicotic sy'n cadw gweddillion ei merch yn yr atig. Yno hefyd y mae hi'n carcharu merch fach arall sy'n edrych yn debyg i'w merch ei hun. Fe gondemniwyd y ffilm yn gyfan gwbwl mewn un frawddeg ddeifiol: 'Who slew Auntie Roo? Good God, who cares?'

Diolch i'r drefn, doedd pob un ffilm ddim cynddrwg â honno, ac yn 1972 mi ges i hwyl garw yn ffilmio'r gyfres deledu *Clochemerle* yn Ffrainc, efo'r hen gyfaill Kenneth Griffith. Canolbwynt y stori oedd tŷ bach, neu *pissoir* yn Ffrangeg, a phenderfyniad maer y pentre bach 'ma yng nghefn gwlad Ffrainc i godi tŷ bach awyr agored ynghanol y pentre. Yn anffodus i'r maer, roedd 'na wrthwynebiad mawr oherwydd y byddai'r tŷ bach y tu allan i eglwys y pentre. Doeddwn i ddim yn y penodau i gyd, dim ond mewn tair ohonyn nhw, yn actio rhan oedd yn fy siwtio i'r dim – Alexandre Bordillat, dyn reit wyllt, oedd yn gyn-Weinidog Amaeth Ffrainc. Mi gafodd Ken a minna lot fawr o hwyl ar y set, ac mi oedd o byth a hefyd yn tynnu fy nghoes am yr Oscar ges i.

'Bloody hell, man,' medda fo un diwrnod, 'your accent as the sheik in Ben Hur was totally Llangefni. In fact it was so good, you got an Oscar for it.'

Yn anffodus, anffafriol oedd barn y sensor yn America am *Clochemerle.* Oherwydd rhai golygfeydd erotig, ac am mai cyfres am godi toiled i bentrefwyr gael lle i biso oedd hi yn y pen draw, chafodd hi mo'i dangos. Ond fe lwyddodd i osgoi bwyell sensor Prydain, a chael derbyniad digon cynnes.

Rywbryd yn 1972 fe ges i wahoddiad i gyfarfod un o'r cyfarwyddwyr ffilmiau gorau yn Ewrop, Piero Pasolini. Er nad oeddwn i'n bersonol wedi gweld ei waith, roedd pawb yn cydnabod fod ei addasiad o'r Efengyl yn ôl Mathew yn un o glasuron y sgrin. Y broblem gin i oedd fod Cymru yn chwarae Lloegr y diwrnod hwnnw ac roeddwn i'n awyddus i weld y gêm ar y teledu. Beth bynnag, mi es i draw i'w weld o mewn gwesty yn Llundain ac fe ddudodd ei fod o wedi fy ngweld i'n actio'r sgweiar *bawdy* budur yn *Tom Jones* a'i fod o eisiau cynnig rhan i mi yn ei ffilm nesa, sef addasiad o'r *Canterbury Tales.* Pasolini ei hun fyddai'n chwarae Chaucer. Y rhan gynigiodd o i mi oedd Sir January, oedd yn ddigon tebyg o ran ei anian i'r Sgweiar. Y tâl fasa £500 y dydd a phedwar diwrnod o waith, am dreulio'r rhan fwya o'r amser yn gocwyllt, yn fy nghoban, yn y gwely efo Josephine Chaplin, merch Charlie ac Oona.

Pwy ddudodd 'dwch, 'Nice work, if you can get it'? Yr unig beth faswn i'n ddeud, o edrych yn ôl rŵan, fasa hyn. Oeddwn, mi oeddwn i'n dal i gael cynnig gwaith, ond yr un math o ran oeddwn i'n ei chwarae bob tro: fel arfer, hen ddyn budur alcoholaidd ei natur, yn rhedeg ar ôl merched. Dyna fo, doedd gen i ddim dewis – hynny neu ddim. Ond o leia mi ddudodd Barry Norman mai fi oedd y peth gorau yn y ffilm. Ac os oedd hynny'n wir, druan o'r gweddill. Diolch i'r drefn, mi oedd 'na emau yn gymysg â'r gwymon. Un em oedd drama Shakespeare *The Tempest*, a'r cynhyrchiad yn y Nottingham Playhouse. Fe ddaeth Charlotte, fy chwaer ffyddlon, draw i ngweld i. Ac fe aeth

hi mor bell â deud mai dyma fy mherfformiad llwyfan gorau
eto. Roeddwn i'n hen gyfarwydd â'r ddrama gan fy mod wedi
perfformio rhan Caliban yn Stratford yn 1951. Ond Prospero
ydi'r prif gymeriad – ar y llwyfan drwy'r amser a'i bresenoldeb
yn rheoli pob golygfa. Mae o'n gymeriad mawr, ac mae angen
tipyn o nerth i'w chwarae fo. Dwi'n cofio i mi roi gogwydd
Celtaidd-Gymreig i'r dehongliad, gan chwyddo'r llgada mawr
'ma sy gen i a syllu'n syth o mlaen fel tawn i'n gallu gweld
i'r dyfodol. Efo fy marf laes wen, gwallt fel mwng llew a ffon
fugail o goedyn cam, roeddwn i'n edrych fel cyfuniad pwerus
o Methwsela, hen fardd Celtaidd a derwydd. Nid Charlotte yn
unig oedd yn credu fod hwn yn berfformiad cofiadwy:

> Mr Griffith has a gift for recreating as though he were
> spontaneously reinventing. He has enough Welshness in
> his voice to make music of the verse without losing any of
> its sense. I cannot remember to have seen a more intelligent
> interpretation, nor one which more easily persuaded me of
> the potency of Prospero's rough magic. For his beautiful,
> coherent, integrity of feeling and his almost casual control
> of the elements, this Prospero will stick in the memory.

Meddyliwch sut deimlad oedd darllen adolygiad fel'na ar ôl
cael eich colbio am chwarae rhannau sâl mewn ffilmiau oedd
yn wastraff pres ac yn wastraff amser.

Roeddach chi'n cael llawer mwy o barch yn y theatr, ond
llawer mwy o bres yn y sinema. Yr hyn sy'n eironig i mi ydi nad
oes yr un cofnod wedi'i gadw o'r perfformiadau llwyddiannus
wnes i yn y theatr yn y West End, Stratford, Broadway –
perfformiadau gafodd eu canmol i'r cymylau. Ond mae pob
ffilm sâl y baswn i'n hoffi ei hanghofio yno i bawb ei gweld. Ac,
yn anffodus, mae 'na ormod ohonyn nhw. Taswn i wedi medru
fforddio'r amser, a'r arian, mi faswn wedi canolbwyntio ar waith
llwyfan yn unig. Roedd gen i fwy o barch i'r theatr nag oedd

gen i i'r sinema. Ond roeddwn i angen yr arian, felly doedd gen i ddim dewis. A chredwch fi, roedd sylwadau canmoliaethus fel'na yn codi calon rhywun.

Yn anffodus, pharodd o ddim yn hir. Doedd 'na ddim mwy o gynigion yn dŵad o gyfeiriad y theatr, felly doedd dim amdani ond derbyn rhannau mewn ffilmiau fel *Dr Phibes Rises Again*, efo Vincent Price a Peter Cushing, a *Craze* efo Jack Palan ce a Diana Dors, heb anghofio'r anfarwol *What*. Ffilm oedd hon efo Polanski, Marcello Mastroianni, a finna'n chwarae miliwnydd sy'n hen ac yn rhedeg ar ôl merched – ond fedra i ddim cofio pam. Ella oherwydd mod i wedi cael cynnig £3,750 i chwarae'r rhan…

Roedd y cwmnïau Ewropeaidd yn awyddus iawn i fy nefnyddio i mewn rhannau bychain, ac mi oeddwn i'n wyneb cyfarwydd iawn mewn comedïau rhywiol oedd mor boblogaidd yn y saithdegau yn yr Eidal. 'Nid ar fara'n unig y bydd byw dyn' medda'r hen air. Mi wn i hynny, ond mi oedd gen i ddyledion i'w talu i ddyn y dreth, gwraig i'w chadw, tŷ yn Cherington, a brandi i'w brynu! Roedd ennill y bara yn feunyddiol yn hanfodol. Ac os oeddwn i'n cael cynnig £2,500 am chwe diwrnod o waith yn yr Eidal, efo £100 y dydd o dreuliau, *chauffeur*, a stafelloedd moethus i mi a Gunde yn yr Hotel Parco dei Principi yn Rhufain, oeddwn i'n mynd i wrthod cynnig fel'na? Nac oeddwn, siŵr iawn. Yn enwedig ar ôl penderfynu gwerthu'r Old Red Lion yn Cherington a chadw'r fflat yn Llundain. Doeddwn i ddim isio symud a gadael yr hen dŷ a'r caeau a'r gwartheg. Ar ôl cyfnod caled o ffilmio roedd hi bob amser yn braf cael dychwelyd i dawelwch gwledig Cherington, a dedwyddwch llesol yr Hen Lew Coch. Gunde oedd eisiau symud a Gunde gafodd ei ffordd. Un o sêr y radio ar y pryd, Kenny Everett, brynodd y lle ar ein holau ni.

Prin iawn dros y blynyddoedd fu'r gwahoddiadau i mi weithio yng Nghymru – ambell i ddrama radio i'r BBC yng

Nghaerdydd ac Abertawe, a dyna ni. Be 'di'r adnod 'na am
y proffwyd yn ei wlad ei hun eto? Ond yn 1974, wele lythyr
yn gofyn a faswn i'n ystyried chwarae rhan mewn cyfres
gomedi – *Haf o Hyd*, fel Syr Robert ap Caswallon Meurig, un
o'r *landed gentry* oedd wedi landio ar ei draed. Chofia i fawr
ddim o'r hyn wnes i, ond dwi'n cofio mai fy mytlar i oedd
rhyw sgilffin tal, tena fel llinyn cwd marblis o sir Fôn, Hywel
Gwynfryn. Roedd Frank Lincoln yn chwarae cymeriad reit
debyg i Frank Spencer, ac mi oedd 'na ddwy hogan ifanc yn y
cynhyrchiad hefyd i gadw hen ddyn yn hapus – Myfanwy Talog
a Sharon Morgan, ac yn wir, mi ddois i ar draws Sharon yn nes
ymlaen, pan oeddan ni'n actio yn *Grand Slam*.

Fe ddaeth 'na gynnig arall diddorol o Gymru yn ystod y
cyfnod hwn, gan fy hen gyfaill Caradog Prichard. Addasiad o'i
nofel *Un Nos Ola Leuad* i'r Saesneg, ac awgrym y gallai fod yn
ffilm efo fi'n chwarae un o'r prif rannau. Fe gedwais y llythyr:

Annwyl Huwcyn,
Wyt ti'n cofio *Un Nos Ola Leuad* sgwennais i erstalwm?
Be ddyliat ti ohono fo yn Saesneg fel hyn? Gobeithio y
cei di ddigon o amser i'w ddarllen o rhwng gneud ffilm
a phethau felly. Iesgob, mi faswn i'n licio'i weld o'n ffilm
hefyd taswn i'n cael rhywun digon clyfar i wneud ffilm
allan ohono fo a chditha'n smalio bod yn ddyn o'i go 'run
fath â'r dyn sy'n deud stori ar ôl bod yn Seilam Broadmoor
am hanner can mlynedd ar ôl iddo ladd Jini bach Pen Cae
ac yn cerdded i fyny trw Pesda ganol i fyny Lôn Bost at
llyn Ogwan a chofio pob dim ddaru ddigwydd pan oedd
o'n hogyn bach efo Huw a Moi a Stan, a hithau'n noson
lleuad llawn. Iesu mi fasa'n gneud ffilm dda a mi faswn
inna'n cael digon o bres i dalu rhent tŷ gweinidog yn Bryn
Awel yma. Gobeithio nad wyt ti ddim yn cadw'n rhy sobor.
                         Caradog

Doedd hi ddim yn anodd peidio â chadw'n rhy sobor. Fasa ddim rhaid i mi 'smalio bod yn ddyn o'i go'. Ar adegau yn ystod y cyfnod hwn roeddwn i'n teimlo'n isel ac yn gorfod cael tabledi i fynd i gysgu. Ond fedrwn i ddim gorwedd i lawr yn y gwely ne' mi faswn i'n dechrau pesychu a thagu'n syth, felly roeddwn i'n trio cysgu ar fy eistedd efo fy mhen ar y gobennydd. Ac er nad oeddwn i ddim yn ffit i weithio, a deud y gwir, roedd yn rhaid i mi gario mlaen i ennill bywoliaeth, mewn ffilmiau uffernol fel *Casanova & Co.* efo Tony Curtis. Meddyliwch mewn difri mod i wedi derbyn rhan fechan mewn ffilm efo Cliff Richard – ond wnes i ddim canu! O leia dwi ddim yn cofio mod i wedi gneud...

Efallai eich bod chi'n cofio i mi sôn am y siom ges i oherwydd mod i ddim wedi ennill Oscar arall am fy rhan fel Sgweiar Western yn *Tom Jones*. Wel, mi ges gyfle i ailchware'r sgweiar mewn ffilm wedi'i chyfarwyddo unwaith eto gan Tony Richardson, sef *Joseph Andrews*. Er bod *Tom Jones* yn llwyddiant mawr, methiant llwyr oedd ymgais Richardson i ail-greu'r llwyddiant gafodd o efo'r ffilm honno drwy addasu un arall o nofelau Henry Fielding. 'A Carry On film, with ruder jokes' oedd disgrifiad un beirniad ffilm. Mae'r ymadrodd 'ymdrybaeddu mewn trythyllwch' yn ddisgrifiad perffaith o safon isel y ffilm hon, a doedd ymddangosiad actorion o safon John Gielgud, Peggy Ashcroft – a finna hefyd, os ca' i ddeud – ddim yn ddigon i'w hachub hi rhag y ddamnedigaeth roedd hi'n ei haeddu.

Yn ystod y cyfnod pan oeddwn i'n ffilmio *Joseph Andrews* a *The Last Remake of Beau Geste*, ffilm ddigon doniol gan Marty Feldman, doedd 'na fawr o hwyl arna i, a deud y gwir, a doedd pethau ddim yn dda o gwbwl rhwng Gunde a finna.

It appears to me that Hugh is in great pain. He repeatedly says that he is terrified. I am also utterly exhausted, lonely and depressed by my own inadequacies (even if I endeavour to repress my own requirements). Hugh should have a series of full-time competent nurses and secretaries, housekeepers, each of whom would be in their own field devoted to providing his needs. After a spell in such circumstances, we should decide whether either or both of us were in a position to continue our life together, or indeed wish to do so.

Does 'na fawr o neb yn galw i weld Gunde a finna bellach, ac anaml y byddwn ni'n mentro allan, ar wahân i ryw drip bach rŵan ac yn y man i'n hoff le yn yr Eidal, Hotel San Pietro Positano. Cyfle i ymlacio 'o sŵn y boen sy yn y byd'. Ydi, mae hi'n dal i fy niodda fi. Dwn i ddim pam. Taswn i yn ei lle hi, mi faswn wedi deud ta-ta erstalwm.

A bod yn onest, dyna sydd ar goll y dyddiau yma – yr awydd i gario mlaen i weithio. Fawr o awydd neud dim. Be 'di'r ots? Pwy sgin y mymryn lleia o ddiddordeb mewn rhyw *has-been* trigain a rhwbath oed fel fi?

Cyn i chi ddechrau cydymdeimlo efo fi a cholli dagrau hallt a phetha gwirion fel'na, dowch i mi ddeud wrthach chi mai'r ateb i'r cwestiwn ola 'na, mewn ffordd o siarad, oedd Peter Cook a Dudley Moore, achos mi ges i gynnig rhan, er mor fychan, mewn ffilm gomedi ddaru nhw ei sgwennu am Sherlock Holmes a Watson: *Hound of the Baskervilles* (Tachwedd 1978, yn y sinema). Ac yn hytrach na'i gwrthod hi, fe fûm i'n ddigon o ffŵl i dderbyn y cynnig. Dudley Moore oedd yn chwarae rhan Watson, ac yn gwneud hynny efo acen Gymreig gyda'r gwiriona dwi 'di ei chlywed erioed.

Fe benderfynodd y cyfarwyddwr, Paul Morrisey, nad oedd o ddim yn hoffi'r sgript wreiddiol, ac fe aeth ati i greu rhyw fath o *Carry on Sherlock* o ffilm, efo actorion fel Spike Milligan, Max Wall, Kenneth Williams ac eraill yn ymddangos am ychydig funudau'n unig. Frankland, y potsiar, oeddwn i, yn ymddangos mewn tair golygfa – wel, dwy a hanner, a deud y gwir. Dwi'n

cofio un o'r golygfeydd, efo Dudley Moore yn dŵad ar fy nhraws
i'n ceisio dal yr Hound of the Baskervilles drwy adael darnau
mawr o gig yma ac acw ar y rhostir ac yna'n gobeithio dal yr
anghenfil efo gwialen bysgota fawr a bachyn mwy. Gwirion
iawn a phlentynnaidd – ond ddim yn ddoniol. Mewn golygfa
arall dwi yng nghwmni merch ifanc fronnog, yn amlwg wedi
cael mwy na fy siâr i'w yfed, ac yn chwerthin am ddim rheswm
yn y byd. A phan mae Dudley'n rhoi ei fraich yn gyfeillgar ar
ysgwydd y ferch dw inna'n codi ac yn ei fygwth drwy ei alw'n
'Gythral diawl'. Yn yr olygfa ola, ar ôl bod yn rhedeg ar ôl y ci,
rydw i a'r lleill yn gorwedd ar ein tinau mewn pwll o ddŵr. A
dyna ni, dyna oedd fy nghyfraniad i. Doeddwn i ddim yn hapus
o gwbwl mod i wedi gorfod gneud yr olygfa honno, ac oni bai
mod i wedi bygwth gadael y set mi fasan ni yno o hyd yn trio'i
ffilmio hi. Roedd Kenneth Williams yn llygad ei le pan alwodd
y ffilm yn 'hodge-podge of rubbish'. A deud y gwir, doedd hi
ddim cystal â hynny.

Mae 'na ddwy ffilm ar ôl nad ydw i wedi sôn amdanyn
nhw. Un oedd *A Nightingale Sang in Berkeley Square*, ffilm
am y lladrad mwya erioed o unrhyw fanc ym Mhrydain, efo
David Niven yn y brif ran, a minna'n ymddangos mewn un
olygfa mewn siop hen bethau, lle dwi'n gwerthu telesgop i un
o'r dihirod. Roedd Niven yn ddyn arbennig, yn ŵr bonheddig
ac yn gwmni diddorol. Dwi'n ei gofio fo'n deud unwaith nad
ydi actorion byth yn ymddeol – cael cynnig llai o waith y maen
nhw. Tydyn nhw byth yn cyfaddef eu bod nhw allan o waith,
chwaith. Os ydan nhw'n cael cyfnod tawel, yna maen nhw'n
deud eu bod nhw'n 'restio'. Dwi'n 'restio' tipyn y dyddia hyn!

Yr ail ffilm oedd *Grand Slam*, a gafodd dderbyniad anhygoel
gan bawb ddaru 'i gweld hi – pawb ond fy chwaer Elen! Dwi'n
credu i mi ddeud yn barod mai ei hymateb hi, pan ofynnwyd iddi
beth oedd hi'n ei feddwl o'r ffilm, oedd ysgwyd ei phen a dweud
'Twt, twt' gyda thristwch yn ei llygaid. Duw a ŵyr beth fyddai

ei hymateb i'r ffilmiau eraill, fel *The Canterbury Tales*. Er iddi actio ar deledu, a gneud hynny'n dda iawn hefyd, dynes y theatr oedd Neli. Ewadd annwyl, toedd hi'n asgwrn cefn y Theatr Fach yn Llangefni lle buodd hi'n actio ers y chwedegau? A doedd dim yn well ganddi na gweld drama dda. Fe ddaeth draw i ngweld yn Stratford pan oeddwn i'n actio Owain Glyndŵr, ac roedd hi'n meddwl fod fy mhortread o John o Gaunt yn *Richard II* yn feistrolgar. Felly sut fedra portread o drefnydd angladdau oedd yn hoff o'i ddiod yn ymweld â chlybiau nos Paris i chwilio am ei hen gariad gymharu â phortread o frenin ar lwyfan enwog Stratford yn un o ddramâu'r meistr ei hun? Fedra fo ddim byth, yn ei golwg hi. Darllenai bob sylw yn y wasg amdana i, a chadwodd yr holl doriadau o'r papurau newydd – y gwych a'r gwachul. Clywais iddi ddyfynnu'r sylwadau yna gan adolygydd, am fy mherfformiad fel John o Gaunt, fwy nag unwaith: 'He was like a fiery sunset behind Snowdonia.' Fachludodd mo'i hedmygedd hithau ohonof, na'i gofal amdanaf, o gwbwl dros y blynyddoedd, er ei bod yn gwybod yn ei chalon nad oeddwn yn troedio'r llwybr cul, di-alcohol, fel y basa hi wedi'i ddymuno. Mae'n siŵr ei fod o'n loes i'w chalon mod i'n aros yn y Trearddur Bay Hotel pan awn i fyny i Fôn, yn hytrach nag yng nghartref sych y teulu. Yno, cawn fod yn fi fy hun, cyfarfod Robin, fy nghefndar, a gwahodd ffrindiau ataf i fwynhau'r gyfeddach – a'i lordio hi'n go iawn.

Ond y gwir ydi, er fy mod i wedi cael clod a mawl – ac Oscar – am fy actio yn y sinema a'r theatr ac ar y sgrin fach yn ystod fy mywyd, mae gen i ofn y bydd pobol yn fy nghofio fi, os o gwbwl, am yr un ffilm honno am griw o gefnogwyr rygbi yn mynd draw i Baris am benwythnos yn y saithdegau gan obeithio dathlu buddugoliaeth fawr Cymru'n ennill y Grand Slam.

GRAND SLAM

Interior flat. Morning. Hugh is sitting in a comfortable armchair sipping his first large brandy of the day. Gunde is pottering about the kitchen. The doorbell rings. Hugh does not move.

GUNDE (*from the kitchen*): I'll get it. (*She passes Hugh and gets out of shot*)
Cut to camera tight on door. Door opens. We see two men. One has a passing resemblance to Robert Redford, the other has a Mexican moustache and grey hair. Camera cuts to a close-up of Gunde.

GUNDE: Yes?
Camera cuts back to a two shot of the two men.

JOHN: We've come to meet Mr Griffith.
Close-up of Gunde.

GUNDE: He hasn't mentioned any appointment this morning. Doesn't matter, come in.
Camera cuts to a reverse two shot. We see them walking past Gunde into the flat. She closes the door.

Fel'na y baswn i wedi saethu'r cyfarfyddiad rhyngtha i a John Hefin a Gwenlyn Parry.

Fe wyddwn am waith y ddau, wrth gwrs. Roedd John Hefin Evans yn gyfarwyddwr a chynhyrchydd drama talentog iawn efo'r BBC, a newydd gyfarwyddo'r hen gyfaill Kenneth Griffith mewn ffilm amdano fo'n mynd â chriw o blant mewn bỳs i faes Bosworth. Cyfres am Lloyd George, efo Philip Madoc yn y brif ran, oedd un arall o'i lwyddiannau. Gwenlyn Parry wedyn yn ddramodydd o bwys ac wedi sgwennu'r ddrama glyfar 'na am y Saer Doliau. Ar ôl ista i lawr fe ges i botel o Armagnac yn bresant ac fe ddechreuon ni drafod. Be maen nhw'n ddeud, dudwch? *Beware Greeks – and Welshmen – bearing gifts...* Nid trafod y ffilm, ond trafod popeth *ond* y ffilm. Mi ges i'r argraff eu bod nhw braidd yn bryderus. Ofni ella nad oeddwn i ddim am dderbyn unrhyw gynnig yr oeddan nhw am ei wneud. Fe fuodd John Hefin yn sôn am fy ymweliad i, yn fy Rolls Royce gwyn, â'r Gymdeithas Gymraeg yn Aberystwyth pan oedd o'n fyfyriwr ifanc yno, ac am fy nehongliad o Falstaff yn Stratford, ac yn holi am fy amser yn Hollywood. Gwenlyn yn adrodd straeon am ryw bobol o sir Fôn, ac am sgwennu dramâu – unrhyw beth ond siarad am wir bwrpas eu hymweliad, tra oeddwn i'n sipian y brandi. Yn ystod y sgwrsio ro'n i'n gweld y ddau yn rhyw edrych o gwmpas y stafell ar y llyfrau, y lluniau ar y wal, y cartŵns a'r posteri o'r cynyrchiadau theatrig y bûm i'n ymwneud â nhw. Wrth ochr y gadair lle roeddwn i'n eistedd roedd yr Oscar, y ddelw aur noethlymun. Roeddwn i wedi mynd i'r arfer o oleuo'r sigarét nesa efo matsian wedi'i thanio ar din yr Oscar, reit rhwng y ddwy foch. Nid amarch, 'mond cyfleustra, ac fe ddaeth y weithred â gwên i wyneb y ddau. Pan ofynnais i yn y pen draw sut ffilm oedd hon i fod, y cwbwl ges i wybod oedd mai ffilm am gefnogwyr rygbi oedd hi. Roeddwn i wedi rhyw hanner disgwyl gweld sgript y gallwn i ei darllen er mwyn penderfynu a oeddwn i isio gneud y rhan ai peidio, ond ddaeth 'na'r un i'r golwg. O'n i'n ama'n fawr a oedd 'na sgript wedi'i pharatoi. Yn wir, ymhen hir a hwyr, fe gadarnhawyd fy amheuon.

Fe adawodd y ddau ar ôl pnawn go ddifyr, ac er nad oeddwn yn teimlo'n rhy hwylus, ar ôl cael gair efo fy asiant, fe benderfynais y basa tridia ym Mharis a rhyw wythnos neu ddwy yng Nghymru yn gneud byd o les i mi. Cofiwch, nid ffilm am griw o gefnogwyr rygbi'n mynd i Baris i wylio Cymru'n ennill y Grand Slam oedd hi o fod o gwbwl i ddechrau, ond hanes band pres Deiniolen, cartre Gwenlyn Parry, yn mynd i Frwsel. Awgrymwyd yn garedig y basa rygbi a Pharis yn fwy poblogaidd na band pres a Brwsel!

Felly, dyma addasu'r stori a chynnwys cymeriad o gog o'r enw Trefor oedd yn dallt dim byd am rygbi. Yn hytrach na chael Gwenlyn i'w chyfieithu hi, fe roddwyd y gwaith i Gwyn D. Evans, oedd yn gynhyrchydd dramâu amatur. Nid ffilm oedd ei gryfder ac fe benderfynwyd yn y pen draw na fasa'r cyfieithiad yn gweithio; gellid cadw'r fframwaith ac ambell i linell ond byddai'r rhan fwyaf o'r sgript yn cael ei chreu gan yr actorion wrth ffilmio'r golygfeydd. Diawl! Mi oedd y syniad yn apelio'n fawr. Wedi'r cwbwl, pan wnes i'r ffilm rygbi arall honno, *A Run for Your Money,* yn y pedwardegau efo Meredith Edwards a Donald Houston, fe ddiystyrodd Meredith a finnau dalpia mawr o'r sgript wreiddiol, a chreu golygfeydd newydd oedd yn fwy doniol o lawer.

Y prif gymeriad yn *Grand Slam* oedd Caradog Lloyd-Evans, trefnydd angladdau yn y cymoedd, oedd yn rhedeg y busnes efo'i fab, Glyn. Yn lle Trefor y gog oedd yn dallt dim byd am rygbi, fe grëwyd Maldwyn Novello Pughe, oedd yn dallt llai na Trefor. Perchennog bwtîc, a dyn oedd yn neis i'w fam – os dach chi'n dallt be dwi'n feddwl. Ysgrifennydd rhyw glwb rygbi neu'i gilydd oedd Mog. Fe fu John Hefin wrthi'n hel yr actorion at ei gilydd fel tasa fo'n Yul Brynner yn chwilio am giang o gowbois, ac fe gafodd o griw da iawn hefyd – ac un neu ddau o gowbois yn eu plith nhw. Dewi Pws, ymgorfforiad Cymreig o Spike Milligan, oedd Glyn y mab; Windsor Davies, *It Ain't Half Hot Mum,* oedd Mog, ysgrifennydd y clwb rygbi, trefnydd y daith a'r cefnogwr brwd; a Sion Probert, efo'i sbectols mawr, ei dedi-bêr gwyn a'i gôt ffwr flewog wen, oedd Maldwyn Pughe. A dyna i chi hogan fach annwyl oedd Sharon Morgan. Hi oedd Odette, merch perchennog y *strip-tease* ym Mharis, oedd yn arfer bod yn gariad i mi adag y rhyfel. A Dillwyn Owen wedyn, yn ddoniol iawn fel Wil Posh, yn mynd â'i gwrw ei hun efo fo. 'Felinfoel or nothing,' medda fo, yn methu sefyll bron iawn. 'I don't want to be poisoned by that Chateauneuf du Crap.'

Mewn gwirionedd, stori Caradog Lloyd-Evans, y rhan roeddwn i'n ei chwarae, ydi stori'r ffilm. Nid mynd i weld gêm o rygbi y mae Caradog, ond mynd yn ôl i chwilio am ei hen gariad oedd ym Mharis yn ystod yr Ail Ryfel Byd, pan ryddhawyd y ddinas o afael byddin yr Almaen. Ac mae o wedi cytuno i dalu am docyn ei fab Glyn ar y ddealltwriaeth eu bod nhw ill dau yn mynd i chwilio am ei 'little butterfly', fel mae o'n ei galw hi.

A wir i chi, maen nhw'n dŵad o hyd iddi – ond mae'r bistro roedd hi'n arfer ei gadw adeg y rhyfel bellach yn *strip club* o'r enw The Golden Key, a hithau'n Madame a'i hoes aur wedi colli'i sglein. Mae ganddi hi ferch, Odette, ac ma Glyn yn ei ffansïo hi, fel y gwnes i ffansïo'r fam pan oeddwn i a hitha'n fengach. Yn y pen draw, mae'r cefnogwyr i gyd yn ffeindio'u ffordd i'r clwb, mae 'na ffeit yn dechrau; Mog sy'n cael y bai ac mae'n cael ei luchio i garchar, ac felly'n colli'r gêm. I wneud petha'n waeth, mae Cymru'n colli hefyd. Mae Caradog a'i *butterfly* yn profi'i bod hi'n hawdd cynnau tân ar hen aelwyd, ac yn wir mae Madam Butterfly yn poeni fod yr hen Garadog wedi gor-neud petha, gan ei fod o'n ddiymadferth ar lawr. Ond mae joch o'r *soda syphon* yn ei wyneb yn dŵad â fo ato'i hun.

Mae'n rhaid i mi ddeud fod y ffilmio wedi bod yn hwyl garw, yn enwedig efo hogia fel Dewi Pws Morris a Sion Probert o gwmpas. Y bore cynta i mi gyfarfod â Dewi, dwi'n cofio i mi ei alw naill ochor am sgwrs bach. Dwi'n siŵr ei fod o'n meddwl mod i'n mynd i drafod y ffilm efo fo, a'n perthynas ni â'n gilydd, fel tad a mab. Felly pan agoris i'r bag mawr lledr oedd gen i a datgelu'i fod yn llawn o boteli bach o wisgi, fodca, gin, brandi ac ati, yn ôl yr olwg ar wyneb Dewi, roedd hi'n amlwg ei fod wedi cael tipyn o sioc. Prin iawn oedd yr arian ar gyfer y ffilmio, a dyna pam roedd y golygfeydd tu mewn i'r *strip club* ym Mharis, yn stafell wely Odette, ac ym mhrif dderbynfa'r gwesty, i gyd wedi'u saethu yng Nghlwb y BBC yn Newport Road, Caerdydd. A'r rheswm penna am hynny? Fe gawson ni'r lle yn rhad ac am ddim. A'r daith i Baris? Mewn awyren oedd yn cael ei defnyddio ar gyfer hyfforddi criw ym Maes Awyr y Rhws. Chododd hi ddim o'r tarmac!

Cyn hedfan allan i ffilmio ym Mharis, doeddwn i ddim yn teimlo'n dda o gwbwl. Fel arfer mi fydda Gunde'n dŵad efo mi, ond am ryw reswm mi benderfynodd aros adra. Hi oedd bob amser yn gofalu amdana i ar y tripia ac yn gneud yn siŵr – yn wir, yn mynnu – mod i'n cymryd fy nhabledi. Dim nonsens. Yn absoldeb Gunde mi oedd yn haws i mi gymryd llai o dabledi a phwyso'n drymach ar y brandi.

Wna i byth anghofio'r olygfa gynta i ni ei saethu ym Mharis. Taith mewn tacsi o Faes Awyr Charles de Gaulle i'r gwesty. Sut ar y ddaear y cawson nhw bawb i mewn i'r tacsi, Duw a ŵyr. Yn wir, doedd 'na ddim lle i bawb. Fe benderfynodd John Hefin y byddai'n amhosib iddo fo, yr actorion, y dyn sain a'r boi camera wasgu i mewn i'r tacsi. Felly, yr unig gyfarwyddyd gawson ni oedd i fwrw iddi i siarad â'n gilydd. Roedd Windsor yn y ffrynt efo'r gyrrwr, a finna yn y cefn rhwng Dewi a Sion Probert. Yn ogystal â hyn, roedd y dyn camera yn y cefn hefyd, a'r dyn sain yn gorwedd wrth ei ochor o. Mae'r olygfa yna'n ddeialog ar y pryd, heb ei sgriptio, o'r dechrau i'r diwedd, efo Sion yn deud rhyw betha amheus am faint a siâp yr Eiffel Tower, a Dewi'n llygadu'r merched ac yn dweud ei farn amdanyn nhw, gan dynnu coes Sion yr un pryd. Mi weithiodd yr olygfa i'r dim. Yn wir, ymateb Gwenlyn ar ôl gweld yr olygfa ar y sgrin oedd: 'Ew! Biti na faswn i'n medru sgwennu fel'na!'

Un noson, fe benderfynais fynd â phawb allan – a minnau'n talu! Yn yr Hotel Terminus roeddan ni'n aros, ond fe aethon ni i fwyta i'r Hotel Bristol, lle roeddwn i wedi bod yn aros efo

Gunde yn y chwedegau pan oeddwn i'n ffilmio *How to Steal a Million* efo Audrey Hepburn. Pan gerddis i i mewn efo'r criw fe ges i f'adnabod yn syth gan bobol y gwesty a'r bobol oedd yn bwyta yno, ac fe dreulion ni noson ddifyr iawn yn bwyta ac yfed. Fel roeddan ni ar fin gadael, dyma'r *waiter* bach 'ma ar fy ôl i a gweiddi, *'L'addition, Monsieur Griffith.* The bill?' Allan â phawb arall, a dyma fi'n troi ato fo ac yn deud, 'Room 219.' Mi wenodd yn gwrtais, ac mi es inna allan i'r nos i ymuno â'm ffrindia. Sgin i ddim obadeia pwy oedd yn cysgu yn Room 219 – ond nid y fi oedd o!

Mi glywais i hefyd fod 'na stori'n mynd o gwmpas mod i wedi mynd ag un o ferched y nos yn ôl i'm stafell, a bod honno wedi dwyn fy waled a finna wedi rhedeg, gorau gallwn i, allan o'r gwesty ar ei hôl, drwy strydoedd culion Paris. Yn y pen draw, roedd yr heddlu wedi dŵad ar fy nhraws i'n eistedd ar fainc ar lan yr afon am dri yn y bore ac wedi mynd â fi at y British Consulate. Wel, alla i ddim â thaeru ydi hi'n wir ai peidio. Ond un peth dwi *yn* ei gofio, fe es i'n sâl ar ôl saethu'r olygfa ola tu allan i'r Golden Key, y clwb lle mae Caradog yn ailgyfarfod â'i 'butterfly'. Gormod o alcohol a dim digon o dabledi, yr un hen stori. Galwyd am ambiwlans ac fe ges i fy rhoi mewn cadair olwyn a ngwthio gan nyrs ddel iawn, o'r un stabl â Brigitte Bardot, ar draws y tarmac i mewn i'r awyren ac yn syth i'r ysbyty yng Nghaerdydd. Mi gafodd y nyrs honno binsiad ar ei phen-ôl yn gydnabyddiaeth gen i o'i gofal drosof.

Ar ôl rhyw ddiwrnod neu ddau yn fanno fe ges i ymwelydd – Marika Rivera, oedd wedi bod yn chwarae rhan fy hen gariad ym Mharis. Dynes a hanner oedd hi – hanner Rwsiad a hanner Mecsicanes, a'i thad, Diego Rivera, yn arlunydd o Frasil. Yn ôl be ddudodd hi wrtha i, fe gafodd ei magu yng nghwmni artistiaid fel Picasso ym Mharis. Dwi'n rhyw feddwl fod y tîm cynhyrchu wedi'i hanfon hi draw gan wybod y basa ei gweld hi'n codi fy nghalon o leia. Plygodd drosta i a sibrwd yn dawel yn fy nghlust: 'I've never worked with the famous Hugh Griffith before. Let's finish the film – let me be your butterfly. You can die afterwards.'

Oes, mae gen i atgofion digon pleserus o ffilmio *Grand Slam*, ond dyna'r cyfan sydd ar ôl bellach, atgofion. Dwi yma yn Llundain efo Gunde, dim ond ni'n dau. Tydi'r ffôn ddim wedi canu a does 'na ddim gwaith ar y gorwel. Mae'r cymylau'n isel iawn a deud y gwir. Dyna ni, fel'na buodd hi erioed yn y busnes, i fyny ac i lawr. Cofiwch, mi rydw i'n dechrau teimlo rŵan mai dim ond i lawr sy 'na i mi. Gormod o amser a dim digon i'w wneud, dim ond hel meddyliau, ac mae'r rheini'n mynd â fi yn ôl i Fôn, bob tro y bydda i'n darllen cywydd yr hen Goronwy:

> Pell wyf o wlad fy nhadau
> Och sôn! Ac o Fôn gu fau;
> Y lle bûm yn gware gynt
> Mae dynion na'm hadwaenynt;
> Dyn didol dinod ydwyf,
> Ac i dir Môn estron wyf.

Sawl gwaith y dudodd Charlotte y dyliwn i fod wedi mynd yn ôl i'r 'dirion dir'? Taswn i'n hen lanc, yn ôl y baswn i wedi mynd hefyd, yn bendant i chi. Ond fel dudodd yr hen air, 'Mi a briodais wraig'. Does 'na'm dwywaith nad ydi hi wedi edrych ar fy ôl i dros y blynyddoedd, a tasan ni wedi medru cael plant mi fasa hynny wedi gneud byd o wahaniaeth; mae hynny wedi peri tristwch mawr i ni'n dau. Ond cyn belled ag yr oedd dychwelyd i Fôn i fyw yn cwestiwn, mi fasa Gunde 'di bod mor gartrefol ar yr ynys â physgodyn ar dir sych.

Mae 'na bennill o gân roedd Merêd yn ei chanu yn mynnu dŵad yn ôl drwy'r amser hefyd:

Mae nghalon i cyn drymed
 Â'r march sy'n dringo'r rhiw;
Wrth geisio bod yn llawen
 Ni fedraf yn fy myw.
Mae f'esgid fach yn gwasgu
 Mewn man na wyddoch chwi;
A llawer gofid meddwl
 Sy'n torri nghalon i.

Ia! Y gofid meddwl . . . yr iselder . . . y cymylau duon . . . dyna sy'n llethu rhywun. Gwbod, os nad ydi'r ffôn yn canu, nad oes neb yn meddwl amdana i, neb isio cynnig gwaith i mi. 'Dyn didol dinod ydwyf', a dwi'n teimlo yn fy nŵr, fel basan ni'n deud yn sir Fôn, fod y daith a gychwynnodd ar y Marian ac a aeth â fi heibio Hollywood i bedwar ban byd . . . yn tynnu at ei therfyn.

Pe bai rhywun yn gofyn i mi pa eiriau gan Mr Shakespeare sy'n crynhoi fy nheimlada am y daith honno, yna mi faswn i'n eu cyfeirio nhw at *Macbeth,* a chyfieithiad campus T. Gwynn Jones:

Nid ydyw bywyd ond rhyw rith ar hynt
Chwaraewr gwael yn sythu ac yn sorri
Awr ar fwrdd y chwarae, ac nis clywir mwy.
Chwedl yw, a edrydd hurtyn yn llawn;
Sŵn a broch – heb ystyr yn y byd.

I fanna ma' hi wedi dŵad . . . dim ond 'cysgodion ydym, fel cysgodion yr ymadawn' . . .

EPILOG

R OEDD 1980 yn flwyddyn hanesyddol am sawl rheswm.
Gwelwyd y gweithwyr dur yn cynnal y streic genedlaethol
gyntaf ers 1926 a gwaith dur Shotton yn cau, gan ychwanegu
chwe mil o bobol at y ddwy filiwn oedd eisoes yn ddi-waith drwy
Brydain. Etholwyd Reagan yn Arlywydd America a Michael
Foot yn arweinydd y Blaid Lafur i olynu Callaghan. Hoeliwyd
sylw pawb gan y lluniau byw ar y teledu o ymosodiad yr SAS
ar lysgenhadaeth Iran yn Llundain. Roedd hi'n ddiwrnod o
ddathlu ar lannau'r Fenai pan agorodd Pont Britannia i gario
moduron yn ogystal â threnau. Cwblhaodd Donald Evans y
dwbwl yn Eisteddfod Genedlaethol Dyffryn Lliw, lle sefydlwyd
y ddirprwyaeth, dan arweiniad Cledwyn Hughes, a fu'n gyfrifol
yn y pen draw am ddarbwyllo'r Ysgrifennydd Cartref i newid
meddwl y llywodraeth a chael sianel deledu i Gymru. Yn yr un
flwyddyn diffoddodd goleuni sawl seren lachar o fyd y ffilm,
gan gynnwys Alfred Hitchcock, Peter Sellers, Mae West a Ben
Travers. Ac yng ngardd ei chartref yn 2620 Hutton Drive, Los
Angeles, California, daethpwyd o hyd i gorff yr actores ffilm o
Lanelli, Rachel Roberts.

Ar 14 Mai y flwyddyn honno fe ysgrifennodd Elen Roger y
geiriau canlynol yn ei dyddiadur: 'Diwrnod du – cael y newydd
drwg am Hugh'. Bu farw, yn ei gartre yn Llundain, yn chwe deg
a saith mlwydd oed.

Yn ôl adroddiad y crwner, achos ei farwolaeth oedd 'Liver
and heart failure, due to chronic alcoholism' ac am ryw reswm,
mae'r ddau air, 'chronic alcoholism' wedi'u hailadrodd, fel pe
bai angen tanlinellu, tu hwnt i unrhyw amheuaeth, ei fod o'n

alcoholig. Mae tystysgrif ei farwolaeth yn cadarnhau'r hyn a ddywedodd ei chwaer Charlotte amdano: 'Roedd yr yfed yn salwch yn'o fo.' Os gwir y ddihareb 'Lle mae camp, mae rhemp', yna roedd y geiriau'n drist o wir am Hugh Griffith.

Ar ddiwrnod yr angladd, yn amlosgfa Golders Green yn Llundain, roedd Gunde, ei wraig, yn y fflat yn Campbell Court, Kensington, pan alwodd Graham Jenkins, brawd Richard Burton, a'i nith Sian Owen, i'w gweld ar eu ffordd i'r amlosgfa, a chael eu croesawu gan Gunde efo dau wydr o frandi a'r geiriau, 'This was Hugh's favourite breakfast'.

Dyrnaid o bobol yn unig oedd yn y gwasanaeth: Elen Roger a'i mab Wiliam ynghyd â Dafydd, gŵr Charlotte. Arch blaen, dim blodau, a dim Gunde. Petai Hugh wedi dweud gair yn ei angladd ei hun, byddai cwpled o waith ei arwr Goronwy Owen wedi bod yn ddigon:

> Cyfaill neu ddau a'm cofiant,
> Prin ddau, lle roedd gynnau gant.

Yn ôl y cynhyrchydd John Hefin, doedd 'na ddim gair o Gymraeg yn y gwasanaeth, nes i Graham Jenkins ledio'r emyn sy'n sôn am nerthu'r eiddil gwan drwy'r holl rwystrau sy'. A doedd y ficer chwaith ddim yn sylweddoli fod Hugh yn un o enwau mawr y sinema, gan ei fod yn cyfeirio ato drwy'r amser fel 'Mr Griffiths'.

Ond bu'r teyrngedau yn y wasg yn hael eu clod i'w boblogrwydd a'i lwyddiant. 'In a theatre brimming with lightweights, he was a natural heavy,' meddai Michael Billington yn y Guardian. 'Richness, passion and exuberance were his qualities, and although one would have liked to have seen him more fully extended as a classic actor, he will be remembered for the outsize Welsh cadenced splendour he brought to everything he did.'

Yn y sinema, yn ôl Barry Norman, roedd presenoldeb Hugh yn ddigon i godi safon nifer o ffilmiau: 'Many a poor film has been lifted into another dimension by his mere presence, his large and wicked eyes conveying more in one moment than most actors can pack into an entire performance.' Mewn cyfweliad efo Barry Norman yn y *Times*, saith mlynedd ynghynt – ac ar ôl cinio go dda – mae'n amlwg fod Hugh mewn ysbryd cellweirus, chwareus. Pan ofynnodd Norman iddo fo a oedd o ei hun yn credu ei fod yn actor da, edrychodd Hugh arno efo gwên yn y llygaid marblis mawr oedd yn rhan mor annatod o'i gymeriad. 'I wouldn't claim to be a great actor,' meddai. 'I would claim to be a *very* great actor.' O edrych yn ofalus, meddai Norman, fe allech weld y chwydd yn ei foch, lle roedd o wedi gosod ei dafod. Ychwanegodd ei fod yn credu fod Hugh Griffith *yn* actor mawr, ac y gallai fod wedi bod hyn yn oed yn fwy, petai wedi bod yn barod i gydymffurfio. Ond fel y cyfaddefodd Hugh ei hun, yr oedd wedi etifeddu ychydig o'r styfnigrwydd yn nheulu ei fam, a doedd o byth yn brin o ddeud ei farn, am gyd-actorion, cynhyrchwyr na chyfarwydd-wyr. 'Maen nhw'n deud,' medda Hugh, 'mod i'n actor anodd i weithio efo fo. Tydi hynny ddim yn wir. Dwi'n hawdd iawn i actio efo fo – ar wahân i'r adegau pan dwi'n anodd, wrth gwrs.'

Yn 1974, flwyddyn ar ôl y cyfweliad efo Barry Norman, awgrymwyd iddo nad oedd yn cymryd ei hun yn ormodol o ddifri.

'Certainly I take my acting seriously,' oedd ei ateb, 'but not too bloody seriously. I look on acting as a means of living a nice life, and not the strange type of existence some actors lead. And you know, there's a hell of a lot of me in nearly everything I've done.' Ai dyna, efallai, oedd yr allwedd i'w lwyddiant? Fel Sheik Ilderim yn *Ben Hur*, yn allanol, fo ydi'r gwerthwr ceffylau cyfrwys ac ariangar, yn y wisg laes liwgar. Ond o dan y wisg wen a'r farf drwchus, mae'r gŵr o Farian-glas yn dal yno, ac mae'r tinc Cymreig i'w glywed yn glir yn ei lais.

'Ymfalchïai bob amser yn ei wreiddiau,' meddai'r frawddeg ar fur ei hen ysgol ym Marian-glas. Bu'n ymweld yn gyson â'r ynys yn ystod ei yrfa, ac ym mynwent Eglwys Llaneugrad, ym medd ei fam a'i dad, y gorwedd ei lwch. Er iddo ystyried mynd yn ôl i Fôn i fyw, unwaith y gadawodd a mynd i Lundain, Lloegr fu ei gartref am weddill ei oes. O gofio fod 'na ochor i'w gymeriad oedd yn hoffi preifatrwydd a llonyddwch, efallai fod yr ynys yn y pen draw yn rhy fach i gymeriad mor fawr.

Cyn cychwyn ar fy nhaith yng nghwmni Hugh, gofynnais i sawl person – ar y stryd, mewn caffi, wrth y bar, ar ôl capel, yn y siop – beth oedd yr enw Hugh Griffith yn ei olygu iddyn nhw. Ddim actor oedd o? Yn *Grand Slam*? Oedd o ddim yn yfed lot ac yn un am y merched? Dyna, a siarad yn gyffredinol, oedd swm a sylwedd gwybodaeth pobol amdano. Roedd un neu ddau yn gwybod am yr Oscar, a'r ffaith fod ei chwaer, Elen Roger Jones, yn actores hefyd. Ychydig iawn a wyddai'r rhan fwya o bobol a holais am Hugh Griffith, yr actor byd-enwog. Hynny, a'r ffaith fy mod i am wybod mwy amdano, a'i fod yntau wedi bwriadu ysgrifennu ei hunangofiant, a'm sbardunodd i sgwennu'r gyfrol, sy'n adrodd stori ei yrfa a'i fywyd, yn ei eiriau ei hun. Ar ôl cael adrodd ei stori hyd y diwedd, bron, y fo ddylai gael y gair ola…

LLEOLIAD: *Old Red Lion, cartre Hugh yn Cherington.*
Mae hugh yn eistedd mewn cadair fawr gyfforddus fel brenin ar ei orsedd. Slipars cyfforddus melfed gwyrdd am ei draed. Clamp o frandi mawr mewn gwydr yn ei law. Yn y gadair arall, ond o'r golwg, mae newyddiadurwr o Lundain wedi galw draw i'w holi am ei yrfa. Mae'r camera'n dynn ar wyneb Hugh. Mae ei lygaid mawr yn fflachio'n ddireidus.

NEWYDDIADURWR: Why did you become an actor, Mr Griffith?

Cyn ateb mae Hugh yn edrych i lawr ar y gwydr yn ei law, yn troi'n araf i gyfeiriad yr holwr ac yn ei ateb yn bwyllog yn ei lais soniarus unigryw.

HUGH: I went into acting because that's what I thought I'd enjoy without suffering too much. I have not reached real stardom, but I'm quite happy. I think I've done nicely for a Welshman who wasn't always understood.

Mae'n codi gwydr i'w geg ac yn llowcio'i gynnwys cyn ei roi i lawr ar y bwrdd. Mae'r camera'n aros yn llonydd ar y gwydr gwag wrth i Hugh ei lenwi efo'r brandi nesa.